KB007936

체육 · 스포츠의 이해

- 체육 · 스포츠 개론 -

서영환 · 박성진

머리말

1만 년 전 인류가 처음으로 지구상에 등장할 무렵부터 인간은 걷고, 뛰고, 달리고, 던지는 등의 움직임을 통해 채집과 수렵을 하고 도구를 발달시켰다. 그러다가 중앙집권적 국가와 계급사회가 발생함으로써 권력을 유지하기 위한 군사력 향상을 목적으로 하는 신체적 훈련과 권력층을 중심으로 유희와 교양을 목적으로 하는 체육활동으로 분화하게 된다. 그로부터 체육 · 스포츠는 고대문명에서부터 근대사회에 이르기까지 노동력의 유지 · 보존과 체제 유지를 위한 방편으로 장려되었고, 다양한 형태의 스포츠가 개발되고 발전되었다.

길었던 중세의 암흑기를 지나 르네상스와 종교개혁으로 인해 문화와 체육은 신학과 계급사회의 틀에서 조금씩 벗어나 인간을 중심으로 한 새로운 전환기를 맞이하였다. 세계는 교통 · 통신의 발달로 더욱 가깝게 연결되었고, 의학과 과학의 발전에 힘입어 경기력향상 측면에서 눈부신 발달을 가져왔으며, 개인의 건강을 유지 · 증진하고 여가활용을 위한 생활속의 체육활동이 대두하였다.

현대에 들어서 스포츠는 국제화되어 국가별로 국력을 과시하는 수단으로서 경쟁적 스포츠와 스포츠산업이 크게 부각되고 있다. 또한 개인적 차원에서 건강 유지 · 증진과 여가활용을 목적으로 하는 레저 스포츠와 모험 스포츠 활동이 크게 각광받고 있다.

이처럼 체육 · 스포츠는 인류의 역사와 그 맥을 같이 하며 인류 문화에서 큰 비중을 차지하고 있다. 체육학이라는 학문은 동떨어진 학문이 아니라 다른 학문과의 긴밀한 연계 속에 위치하고 있는 총체적인 학문이다. 그러므로 체육 · 스포츠를 올바르게 이해함으로써 거대하고 복잡한 현대문화를 다른 방향에서 바라볼 수 있는 혜안을 얻을 수 있다.

이 책은 체육을 전공하고 있는 전공자들은 물론이고, 체육 · 스포츠에 대한 폭넓은 소양을 갖추고자 하는 비전공자들을 위해 체육학 전반을 아우르는 학문적 체계와 내용을 소개하는 체육 · 스포츠의 개론서로서 기획되었다. 그렇기 때문에 본서는 체육 · 스포츠의

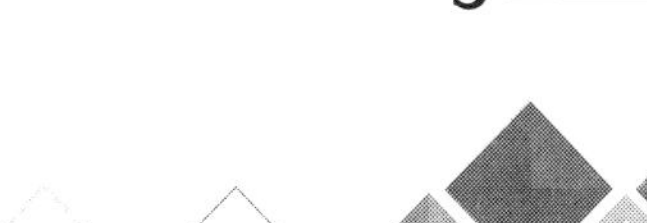

역사와 본질, 체육 · 스포츠의 교육적 측면, 체육스포츠의 사회적 측면 등 체육 · 스포츠의 인문학적 영역 모두를 아우르고 있다.

이 책을 통해 체육학 전반의 학문적 체계와 원리를 학습하고 현대사회에서 스포츠가 담당하고 있는 영역과 역할을 이해하는 데에는 부족함이 없으리라고 본다.

아무쪼록 이 책이 체육학 전공자와 체육학에 관심을 가지고 있는 모든 분들에게 쉽고 체계적인 체육 · 스포츠의 입문서로서 구실할 수 있기를 기대해 본다.

2015년 8월

저 자 씀

차 례

제 01 장 체육 · 스포츠의 역사와 본질

제 03 장 근대 스포츠의 문제점과 경기스포츠의 본질

제04장 아마추어리즘과 프로스포츠론

제 08 장 올림픽과 국제스포츠기구

체육 · 스포츠의 역사와 본질

스포츠의 기원과 역사 1

1) 스포츠의 기원과 발전

스포츠의 기원을 알려면 "스포츠란 무엇인가?"를 알아야 한다. 왜냐하면 스포츠를 보는 관점에 따라 스포츠의 기원도 다르기 때문이다. 'sport'는 원래 영어가 아니라 고대 로마인이 사용하던 라틴어의 deportare에서 유래하였다. 그 말이 프랑스어에 유입되어 'desporter, desport'로 되었다가 11~12세기쯤에 영국으로 건너가서 16세기에는 de가 빠지고 sport만 남게 되었다. 그 이후 19세기에 이 말이 전 세계로 퍼지면서 sport는 국제어로 자리잡게 되었다.

그런데 'deportare'는 어떤 의미가 있었을까? de라는 단어는 away, portare처럼 'carry'의 의미를 가지고 있어서 "A에서 B로 옮긴다."라는 뜻이 된다. 이것이 의미가 변해서 "마

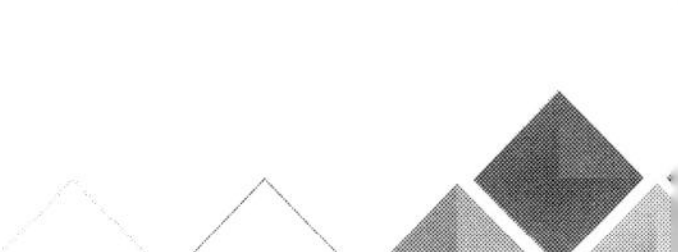

음이 싫고, 어둡고, 차가운 상태에서 그렇지 않은 상태로 바뀐다." 즉 "기분전환을 하다, 놀다."라는 의미가 되었다. 16세기 이후 sport라고 하면 그것은 오직 신사 · 젠틀맨이 수렵법(game laws)에 따라서 행하는 사냥을 일컬었지만, 19세기가 되면서 지금의 운동경기를 뜻하는 말이 되었다. 또한 국제어로서의 sport는 '놀다, 놀이, 운동경기'로 해석할 수 있다.

그렇다면 '놀다, 놀이, 운동경기'의 기원은 무엇일까? 이것에도 여러 가지 가설이 있지만, 최근 동물의 초커뮤니케이션(metacommunication) 행동에서 기원을 찾는 사고방식이 대두되고 있다. 새끼원숭이와 새끼사자들이 서로 물고뜯고 할 때 거기에서 "지금 우리들이 하고 있는 물고뜯는 것은 진짜로 물고뜯는 것처럼 보여도 실제로는 그렇지 않아요."라는 '놀이'의 의미가 있음을 알 수 있다. 점점 무아지경이 되어 그만 진짜로 서로를 물고뜯어버리면 상대는 "물고뜯는 것이 처음에 약속한 '진짜로 하는 것 같지만 실은 그렇지 않다'라는 의미와는 다르다. 이미 상대는 약속을 깨 버렸다."라고 이해해서 진짜로 물고뜯는 이른바 싸움으로 변해버린 것이다.

여러 마리의 수사자가 암사자를 차지하기 위해, 또는 집단에서 최고의 지위를 차지하기 위해 싸울 때 그 싸움은 진짜이겠지만, 거기에도 약속이 있다. 즉 "우리들은 지금 진심으로 싸우고 있다. 그러나 이 싸움은 너를 죽이거나 상처를 입히는 것이 목적이 아니라, 지위와 짝을 손에 넣을 수 있는 동물이 누구냐를 결정하기 위한 우열비교에 지나지 않는다."이다. 따라서 싸우면서 질 것같다고 판단한 쪽은 졌다는 자세를 상대에게 알린다. 그러면 즉시 싸움은 중지된다. 이 경우 대체로 싸움을 포기하고 그 자리를 떠나는 형태이지만, 그중에는 원숭이처럼 지면에 엎드리거나 상대에게 목이나 복부 같은 급소를 드러내는 형태도 있다. 그러면 강한 쪽은 그 이상 공격을 해서 죽이는 행동은 하지 않는다. 즉 짐승들의 싸움에서도 "이것은 진짜 싸움처럼 보여도 실은 그렇지 않다."라고 하는 약속(metacommunication)이 이루어지고 있는 것이다.

이것은 스포츠가 성립하기 위한 규칙과 마찬가지이다. 인간이 행하는 스포츠 즉, 놀이와 경기는 동물의 이러한 초커뮤니케이션 행동에 뿌리를 둔 매우 근원적이고 평화적인 운영방법으로 볼 수 있다.

한편 다른 방향에서 보면 인간은 동물에서는 찾아볼 수 없는 다채로운 형태의 스포츠를 전개하고 있다. 동물과 비슷한 맨손격투기 외에도 무기를 사용하는 격투기, 여러 가지 볼을 사용하는 게임 · 달리기 · 뛰기 · 던지기 등으로 서로의 실력을 겨루거나, 수영을 하

거나 눈과 얼음 위에서 미끄러지거나 높은 나무에 매단 줄 위에서 공중부양을 즐기는 등 여러 가지 스포츠문화를 만들어내고 있다.

인류가 원숭이와 같은 조상에서 떨어져 나와 독자적으로 진화해온지 600만 년이 경과했다고 하지만, 그 99.8% 이상의 시간 동안 인간은 채집과 수렵에 의한 생활을 해 왔다. 그 시대에 인류는 과연 "놀거나 경기를 할 여유가 있었을까?" 최근 연구에 의하면 그 시대의 사람들은 일일 평균 2시간에서 3시간 채집과 수렵에 종사하면 생활에 필요한 식량을 손에 넣는 것이 가능했다고 한다. 식사는 남자가 사냥을 해 온 고기뿐만 아니라 여자의 채집에 의해서 얻은 식물성식품도 같이 먹었다. 24시간에서 3시간을 빼면 남는 시간은 완전히 여가시간이나 다를 바가 없었다. 그래서 이 시대를 '최초로 자원이 풍부한 사회'라고 한다.

지금부터 8천 년 전에 인류는 마을을 만들면서 고대문명의 단계에 접어들었다. 이 시대에는 그때까지 몰랐던 새로운 형태의 스포츠가 출현했는데, 그것은 전차경기 · 경마 · 투우 · 사슴사냥 등 동물을 이용한 스포츠였다. 동물을 산 채로 잡아서 가축으로 이용하는 동물사육의 원리를 알게 된 것이 계기가 되었다. 또 지면이나 판 위에 그림을 그려 일정한 규칙에 따라 말을 이동해가는 장기나 체스와 같은 반상유희도 고대에 발명된 스포츠이다. 그당시 발달하기 시작한 천문학으로 사용된 천문도가 장기의 판으로, 천체가 장기의 말로 변한 것이다. 또 도시에 살면서 그다지 몸을 움직이지 않고 생활하는 사람들을 위한 건강체조가 고안된 것도 고대문명의 특징이다. 체조를 중국에서는 도인, 인도에서는 요가, 그리스에서는 김나스티크(Gymnastik)라고 하였다.

2) 근대 스포츠의 탄생과 발전

(1) 근대 스포츠의 탄생

축구, 럭비, 육상경기, 조정, 테니스 등 오늘날 하고 있는 세계적인 스포츠의 대부분은 영국에서 생겨났다. 영국에서는 18세기에 이미 경마, 크리켓, 복싱 등과 같은 인기스포츠가 일정한 형태로 가다듬어지고 규칙과 클럽조직이 탄생했다. 1743년에는 최초의 복싱규칙인 '브로턴코드(Broughton Code)'가 만들어졌고, 경마의 '죠키클럽'(Jockey Club,

1750), 크리켓의 '메릴본크리켓클럽'(Marylebone Cricket Club : MCC, 1787) 등이 만들어져 일정한 총괄기관 역할을 수행하였다. 그러나 당시의 규칙은 적용범위가 너무 한정되어 있어서 클럽도 그 영향범위가 좁아 지금과 같은 의미의 통일된 규칙을 가진 총괄조직은 되지 못하였다. 또 당시의 스포츠는 도박으로 연결되기 쉬웠기 때문에 규칙이나 조직도 도박을 목적으로 발달하였다.

빅토리아(Victoria)시대(1837~1901)에는 사회개량적 분위기가 영국 사회 전체에 퍼져 도박, 음주, 소요, 매매춘행위 등과 깊게 연결된 오래된 도시적 스포츠문화는 비판의 대상이 되었다. 이러한 사회풍조하에서 19세기 초에는 스포츠의 황폐화가 진행되고, 학생에 의한 폭동도 빈발하던 전통적 엘리트 교육기관인 '퍼블릭스쿨'(사립중등교육기관)에서는 럭비학교 교장인 Arnold, T. 등에 의해서 학교개혁이 행해지게 되었다.

개혁을 거친 퍼블릭스쿨에서는 19세기 후반부터 풋볼, 크리켓(cricket), 보트 등의 단체경기를 교육수단으로 이용하는 사조인 어슬레티시즘(athleticism)이 점차적으로 높아져 갔다. 전통학교에서는 운동장이 확충되고, 새로운 학교는 스포츠 실적을 학교의 지위향상에 이용하게 되었다. 모교애, 충성심, 단결심 등의 덕목이 강조되고 운동경기는 그것들을 기르기 위한 유익한 매체가 되었으며, 세기 말엽에는 학업보다 중시되기도 하였다. 단체스포츠는 때로는 강제적으로 행해지기도 했다. 또 뛰어난 운동경기성적은 식민지관료 등으로 취직하는 데 유리한 점이 되었다.

퍼블릭스쿨에서 스포츠를 경험한 젊은이들은 대학에 진학하거나 사회에 나가더라도 학창시절에 열중한 경기를 계속하려고 했다. 이렇게 해서 그들 중에서 규칙이나 조직을 정비하려는 움직임이 일어났다. 이미 1848년에는 캠브리지(Cambridge) 대학생들에 의해서 퍼블릭스쿨마다 다른 풋볼규칙을 조정하여 처음으로 통일된 규칙을 만들게 되었다. 1863년에는 풋볼협회(FA : Football Association)가 설립되어 지금과 같은 축구가 정식으로 시작되었다.

한편 손의 사용을 인정하는 게임을 지지하는 사람들은 1871년 럭비유니온(Lugby Union)을 창설하였다. 당초 엘리트만이 할 수 있던 축구는 19세기 말 이후부터 계급의 벽을 넘어서 순식간에 널리 퍼져 갔다. 예를 들면 유명한 축구팀인 맨체스터유나이티드(Manchester United)는 1880년에 철도노동자들이 만든 팀이 모체가 되었지만, 이 팀이 생기자 같은 노동자계급에 의하여 팀이 차례차례 탄생하게 되었다. 1883년에는 블랙번올림픽(Blackburn Olympic)이 노동자계급의 팀으로는 처음 FA컵에서 우승했다. 1888

년이 되면서 프로의 참가를 인정하는 리그전이 시작되어 이후부터 축구는 노동자계급의 인기스포츠로 발전하게 되었다.

한편 런던과 같은 대도시의 교외에서는 화이트컬러층이 많아져 1870년대 이후부터 테니스, 골프, 크로케(croquet), 양궁 등을 즐기기 위한 클럽이 생겨났다. 이러한 경기는 남녀가 같이 즐겼으면, 스포츠경기라기 보다는 사교성이 높은 점이 특징이다. 이 시대에 런던 교외의 윔블던(Wimbledon)에서 생겨난 전영국크로케클럽(All England Croquet Club ; 1870~)은 1877년에 테니스대회를 개최하였는데, 이것이 지금의 윔블던대회이다.

유럽대륙의 여러 나라에서는 19세기 말 이후에 집단으로 행하는 체조가 널리 퍼지기 시작했다. 이러한 체조는 1811년에 독일의 Jhan이 시작한 '트루넨(Turnen)'의 영향을 받은 것으로, 각국에서 체조클럽과 체조연맹이 만들어져 체조대회가 열리게 되었다. 체조는 국민국가건설시대의 국가주의와 밀접하게 연동된 운동이라 할 수 있다.

미국에서는 스포츠가 독자적인 형태로 발전되었다. 1845년 뉴욕에서 최초의 클럽인 닉커보커클럽(Knickerbockers Club)이 만들어진 야구는 남북전쟁을 계기로 전국적으로 보급되기 시작했다. 1869년에는 신시내티(Cincinnati)의 'Red Stockings'가 프로 선언을 하고 팀전원을 프로선수로 채용하였다. 그 후 프로화를 진행해서 1871년에는 9팀으로 이루어진 전미국프로야구선수회(NAPBBP : National Association of Professional Base Ball Players)가 설립되어 리그전을 탄생시켰다. 그러나 최초의 프로리그는 도박의 대상이 되어 뇌물과 승부조작이 빈번하게 일어났기 때문에 결국 5시즌만에 해산하게 된다.

1876년 다시 프로야구의 내셔널리그(National League)가 설립되었다. 리그는 도박과 승부조작을 아예 하지 못하게 하고 야구를 신흥도시의 중산층들이 즐길 수 있는 '보는 스포츠'로 만든 것이 성공하여 지금의 메이저리그(Major League)의 기초가 되었다.

한편 1891년에는 매사추세츠주 스프링필드의 YMCA 교사 Naismith, J.가 겨울철에 옥내에서 하는 농구(basketball)을 고안했다. 이 경기는 YMCA의 네트워크를 통해서 미국 전역으로 퍼져 1897년에는 처음으로 전미국농구대회가 개최되었다.

(2) 근대 스포츠의 국제화

수많은 스포츠 중에서 가장 광범위하게 국제화가 된 것은 축구이다. 축구는 19세기 말 이후로 영국의 상인, 기술자, 교사, 선교사 등을 통해서 남미의 도시에 소개된 것을 시

작으로 세계로 널리 퍼져갔다. 당초에는 각지의 엘리트층이 축구를 받아들였지만 이윽고 노동자계급과 비백인사회에도 급속히 퍼져갔다. 1904년에는 프랑스에서 국제축구연맹(FIFA : Féderation Internationale de Football Association)이 설립되었고, 1930년에는 FIFA의 3대 회장인 Jules Rimet은 우루과이를 제1회 월드컵 개최지로 정했다.

한편 프랑스의 Coubertin, P. 남작에 의해서 제창된 근대올림픽은 1896년 아테네에서 제1회 대회가 개최되고, 이후 4년마다 1번씩 세계의 도시를 돌면서 열게 되었다. 1936년 베를린올림픽에서는 성화 릴레이와 라디오 방송, 기록영화 등 현대올림픽의 기초가 되는 여러 가지 새로운 시스템이 도입되었지만, 동시에 Hitler, A.에 의해서 스포츠가 정치에 노골적으로 이용됨으로써 더 이상 스포츠가 정치와 무관계하다고 할 수 없게 되었다.

(3) 현대 스포츠

20세기는 영국에서 생겨난 근대 스포츠가 올림픽 등을 통해서 글로벌화하고 국제 스포츠가 된 시대이다. 문화와 사회제도가 바뀌어서 여러 나라의 사람들이 스포츠에 의한 교류가 가능해졌다. 국제 스포츠가 인류에게 준 최대의 특혜는 이 국제교류일 것이다. 올림픽이 세계평화에 공헌한다고 할 수 있는 근거도 여기에 있다.

20세기는 또 여성이 스포츠에 적극적으로 진출한 세기이기도 하다. 근대 스포츠는 원래 남성에 의해, 남성의 문화로 만들어진 것이어서 여성이 참가하는 것은 쉽지 않았다. 여성의 스포츠 참가는 여성해방의 길로도 연결지을 수 있을 것이다. 스포츠와 같은 투쟁은 남자가 하는 것이고, 또 여자는 남자의 복장을 해서는 안 된다는 종교상의 가르침과 갈등하면서도 여성은 과감하게 스포츠를 할 때 빠뜨릴 수 없는 남성의 복장인 바지를 입었다. 그러나 오늘날 여성이 하지 않는 스포츠 종목은 없다고 할 수 있다.

20세기 스포츠를 특징짓는 국제 스포츠는 자본주의와 국제연합 등 경제나 정치 분야에서 이루어지는 세계화된 스포츠이다. 세계화는 세계의 표준화를 기대하는 관점에서 생겨나서 이문화의 사람들이 그것에 대해 교류가 가능한 시스템이지만, 이것과는 반대로 서로 간의 문화의 다양성을 존중하는 사고방식도 20세기에 생겨났다. 이것을 문화다원주의라고 한다. 세계화와 문화다원주의는 전자가 이문화 교류, 후자가 이문화 이해를 촉진하는 것이기 때문에 두 가지 요소가 상호 보완해서 세계평화에 공헌하는 것이 가능하다는 사고방식이다. 세계화에서 생겨난 것이 국제스포츠라고 한다면 다문화주의에서 출발

한 것은 민족(ethnic)스포츠이다.

세계의 어느 곳이든 그 지방과 민족이 가지고 있는 고유의 스포츠가 있다. 양의 창자를 공으로 해서 이것을 말에 탄 2팀이 서로 뺏는 아프가니스탄의 기마럭비인 부즈카시(buzkashi), 용의 머리와 꼬리를 장식한 30m가 넘는 배에 50명의 남자들이 타서 조정경기를 하는 중국의 드래곤 보트레이스(dragon bootrace), 2팀대항전으로 각각 자기팀의 볼을 차서 300km를 달리는 멕시코 타라우마라(Tarahumara)족의 공차기 마라톤, 봉을 이용하여 운하를 뛰어 넘는 네덜란드의 피어잽팬 등이다.

이러한 스포츠는 우리가 보면 매우 신비한 느낌이 들기도 한다. 이런 느낌이 드는 이유는 자신이 소속한 사회문화를 기준으로 해서 판단하기 때문이다. 자신의 문화기준에 맞지 않는 것은 기묘하게 비춰지고, 또 그것으로 인해서 충격을 받기도 한다. 그러한 충격을 컬쳐쇼크(culture shook)라고 한다. 민족 스포츠는 컬쳐쇼크를 일으키는 스포츠이다. 민족 스포츠는 이것을 행하는 사람들의 전통적인 문화에 뿌리를 두고 있다. 따라서 민족 스포츠를 통해서 그 사람들의 문화를 아는 것이 가능하다. 다시 말하면 민족 스포츠는 이문화를 알기 위한 교재라고 할 수 있다.

미래사회에서는 국제 스포츠와 민족 스포츠가 더욱 발전하고, 다른 방향에서는 유니섹스(unisex) 스포츠, 타인과 우열비교가 아닌 기공처럼 가상현실(virtual reality)을 자신의 신체로 즐기는 스포츠 등이 관심을 보일 것이다.

체육의 이해, 가치 및 필요성 2

1) 체육의 이해

(1) 체육의 정의

체육은 그 범위가 굉장히 넓어서 한마디로 정의를 하기 어렵고, 또 학자마다 보는 관

점에 따라서 조금씩 다르고, 시대적인 사조에 따라서도 변화되어 왔다. 예를 들어 Nixon은 '체육은 활발한 근육활동과 그에 따른 반응'이라 하였고, Shepard는 '체육은 운동형식으로 행해지는 경험에 의해서 얻어지는 개인의 신체적 · 정신적 변화의 총체'라고 하였다. 또한 Oberteuffer는 '체육은 신체를 매개로 하는 교육', McCloy는 '체육은 교육수단의 하나로 적정한 장소에서 지도되는 활동'이라고 하였다.

우리나라에서는 김종선은 '대근활동을 수단으로 하는 신체에 의한 신체를 위한 교육'이라고 체육을 정의하였고, 최의창은 '신체활동을 통한 인간의 교육'이라고 하였다.

이와 같이 체육의 정의는 학자에 따라서 약간의 차이가 있으면서도 '교육'이라는 뜻을 모두 포함시키고 있다. 그 이유는 근대체육이 교육의 한 방법으로 시작되었기 때문이다. 서양사회가 중세에서 근대로 넘어오면서 근대체육이 시작되었는데, 그당시 사회적 흐름이 중세시대에 '정신은 고귀한 것이고, 신체는 하급적인 것이므로 신체는 별가치가 없는 것'이라는 사상에 대한 반발로 "신체와 정신은 서로 상부상조하는 관계이기 때문에 어느 하나가 중요하고 어느 하나가 저급스러운 것이 아니라 두 가지가 공존해야 한다."는 생각이 주를 이루었다.

그래서 마음과 정신만 수양하고 가르쳐서는 안 되고 신체도 가르쳐야 한다는 생각에서 체육이 교육의 한 수단 또는 분야로 자리매김하게 되었다. 그당시의 "신체를 가르친다."는 생각을 체육원리에서는 '신체의 교육'이라고 표현하고, 요즈음에는 '신체를 통한 교육'으로 바뀌었다.

즉 신체 자체를 교육하는 것에서 벗어나 신체를 이용해서(통해서) 인성과 사회성과 같은 정신적인 면도 교육할 수 있다고 의미가 확대된 것이다. 특히 요즈음에는 체육이나 스포츠 활동을 통해서 삶의 질을 향상시킨다는 웰빙(well-being)의 개념이 크게 확산되는 분위기여서 '신체를 통한 교육'을 넘어서서 '신체를 통한 삶의 질 향상'으로 바뀌어가고 있다.

(2) 체육의 목적

앞에서 체육의 정의를 설명할 때 체육의 목적이 교육에 있다는 것을 강조하였지만 체육의 정의가 근대와 현대가 다르듯이 체육의 목적도 교육에만 있는 것이 아니다. 체육의 목적을 Bookwalter는 "사회적 · 위생적 표준에 의해서 이끌어낸 선택된 전신적 스포츠나

리듬운동 등을 통해서 신체적 · 정신적으로 조화를 이룬 인간으로 발달시키는 것이다."라고 하였고, Barow는 "스포츠, 운동 및 무용과 같은 활동을 통해서 이루어지는 교육이다."라고 했으며, Tompson은 '신체운동을 통해서 이루어지는 교육'이라고 하였다.

계획적인 신체활동

움직임 욕구의 실현,
체육문화의 계승 · 발전,
건강의 유지 · 증진,
정서순화, 사회성 함양

계획적인 신체활동

그림 1-1 체육의 목적

우리나라에서는 학교체육의 목적을 "계획적인 신체활동을 통하여 미완성된 개인을 개인적 · 사회적으로 바람직한 인간으로 변화 · 형성하는 것이다."라고 하였던 것을 "움직임 욕구의 실현 및 체육문화의 계승 발전이라는 내재적 가치와 체력 및 건강의 유지 · 증진, 정서순화, 사회성의 함양이라는 외재적 가치를 동시에 추구함으로써 삶의 질을 높이는 데 공헌한다."로 바뀌었다. 그 내용의 맨 끝부분에 나와 있듯이 '바람직한 인간으로 변화 · 형성'이라는 순수한 교육적인 입장에서 "삶의 질을 높인다."고 하는 입장으로 바뀌었다. 그러한 변화의 배경에는 나라의 정책이 '민주국가의 건설'에서 '복지국가의 실현'으로 이행되어가고 있는 것과 무관하지 않은 것 같다.

체육의 목적을 체육을 통하여 얻거나 이룩하려고 하는 바를 전체적인 시각에서 진술한 것이라고 한다면 체육의 목표는 좀더 구체적인 실행목표라고 할 수 있다. 우리나라의 교육과정에서 추구하는 체육의 목표는 다음과 같다.

» 신체의 정상적인 발육발달
» 지적 · 정서적 발달
» 사회적 성격의 육성
» 안전능력의 육성
» 여가선용의 습관화

그러나 체육학자들은 체육의 목표를 심동적 영역(psychomotor domain), 인지적 영역(cognitive domain), 정의적 영역(affective domain)으로 나누어서 각 영역별로 그림 1-2, 1-3 및 1-4와 같이 제시하고 있다. 여기에서 심동적 영역은 신체기능과 관련된 목표들이고, 인지적 영역은 지식과 관련이 있는 목표들이다. 정의적 영역은 태도나 가치관과 같이 정신적인 측면과 관련된 목표들이다. 즉, 체육을 통해서 기능, 지식, 태도 등을 모두 육성할 수 있다고 보는 것이다.

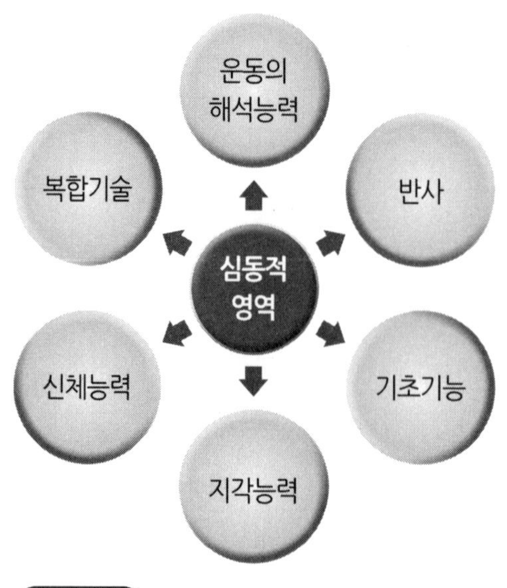

그림 1-2 체육의 심동적 영역 목표(Harlow)

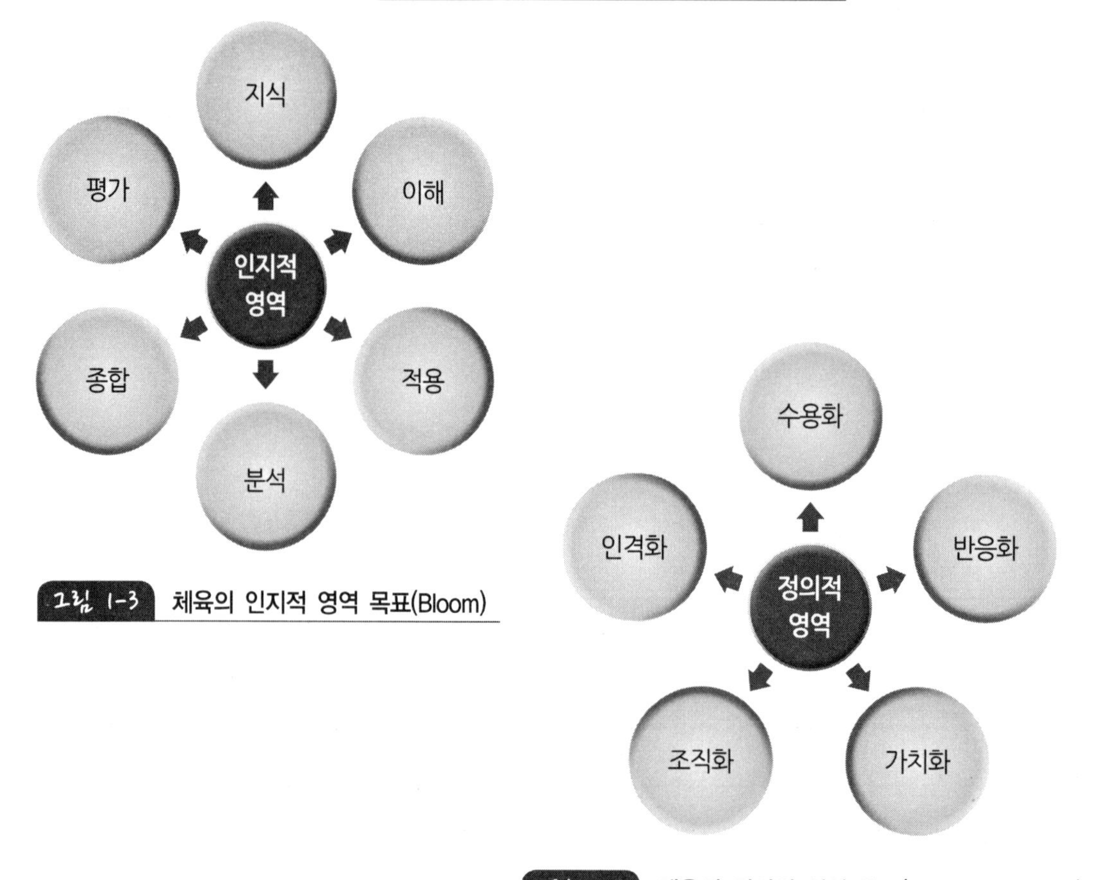

그림 1-3 체육의 인지적 영역 목표(Bloom)

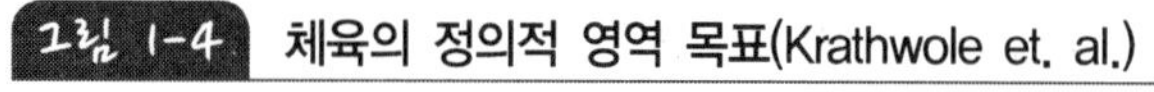
그림 1-4 체육의 정의적 영역 목표(Krathwole et. al.)

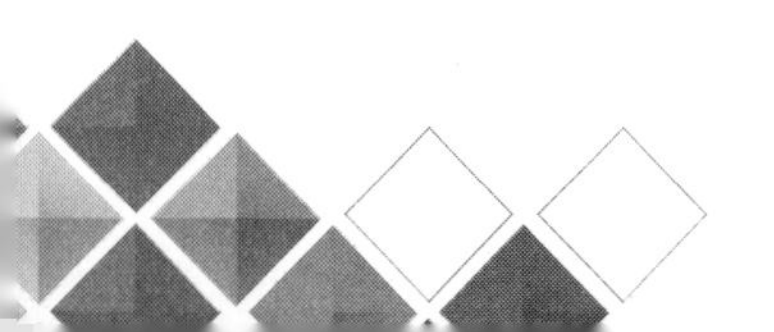

2) 체육의 철학적 이해

시대에 따라서 인간이나 세계를 보는 사상과 철학은 변화되어왔다. 인간이나 세계를 보는 사상이 다르면 자연히 체육 · 운동 · 스포츠를 보는 각도도 달라지기 마련이다. 여기에서는 체육을 보는 시각이 시대적 사상의 흐름에 따라서 어떻게 변해왔는지 아주 간략하게 살펴보기로 한다.

시대에 따라서 체육을 어떻게 생각하였는지 사상적 또는 철학적 흐름을 알면 지금 우리가 생각하는 체육이 어떤 철학적 배경에서 발생되었는지는 물론이고 체육의 목적이 왜 달라지게 되었는지도 알 수 있고, 체육이 앞으로 지향해야 할 방향에 대하여도 논리적이고 합리적으로 생각할 수 있는 능력을 갖게 된다.

구체적인 체육철학을 논하기 전에 철학은 무엇을 연구하는 학문이고, 그 체계는 어떻게 되어 있는지를 먼저 알아보아야 할 필요가 있다.

(1) 철학이란

철학이라는 용어는 philob(사랑)와 sophia(지혜)를 합성하여 philosophy(철학)라고 하게 되었다. 어원에서 알 수 있듯이 지혜를 사랑하는 것이므로 '인간과 우주에 존재하는 여러 가지 사실과 가치들을 찾아서 해석하고 평가하려는 것'이다.

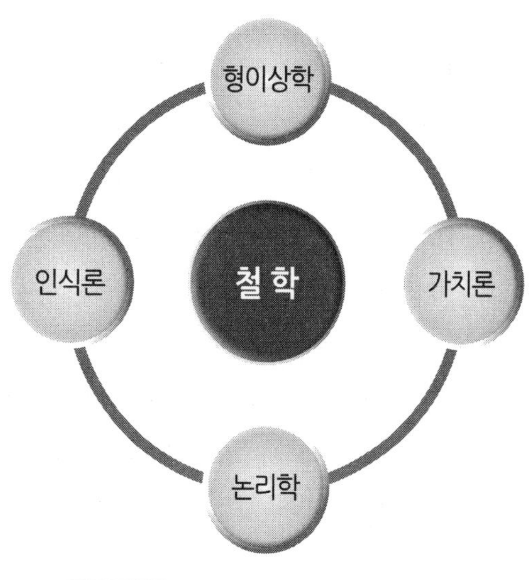

그림 1-5 철학의 기본영역(Zeigler)

Harold Titus는 인생과 우주에 대한 개인의 주체적이고 총체적인 관점, 사고의 보편성과 합리성을 추구하는 자세, 언어를 분석하고 단어와 개념을 분명히 하는 것, 부분을 종합하여 전체적인 것으로 만들려는 시도, 문제의 해답에 대하여 진리의 타당성을 제시하는 것 등으로 철학의 형태를 분류하였다.

위와 같은 분류에 모든 사람들이 다 동의하는 것은 아니다. 그러나 철학이라는 학문이 총체적인 것 또는 전체적인 것을 찾으려 하고, 보편성, 합리성, 타당성 등을 추구한다는 것을 알 수 있다.

체육과 관련지어보면 "체육이라는 과목이 있어야 하는 정당성은 무엇인가?", '체육과목 전체를 통합적으로 이해하려고 하는 것', '체육이 앞으로 나가야 할 방향을 제시하는 것' 등이 체육철학에서 하는 일이다.

철학에서 찾으려고 하는 것이 많다보니 저절로 그 연구영역 또는 범주도 다양하다. 여기에서는 철학의 중요한 4가지에 영역에 대하여 간략하게 개념만 짚고 넘어간다.

① 형이상학

형이상학이란 희랍어 meta(초월하다)와 physics(자연현상)를 합성하여 만든 용어로, '눈에 보이는 만물의 현상 또는 형상을 초월하여 궁극적인 진실과 의미를 찾으려고 하는 것'이다. 과학은 어떤 특수한 영역의 원리를 탐구한다. 예컨대 경제학은 경제법칙을 연구하고, 물리학은 물리법칙을 연구한다. 즉 과학은 어떤 특수한 시야 또는 영역으로 고정시킴으로써 그 연구대상과 방법을 얻으려 하지만, 형이상학은 모든 세계의 궁극적 근거를 연구하는 것이다.

우리가 듣고, 보고, 만진 것이 반드시 옳다고 할 수도 없고, 겉모양만 보고 그것의 본 모습을 알 수 없다. 그러므로 형이상학에서는 물질적인 것이든 정신적인 것이든 경험세계인 현실세계를 초월하여 그 뒤에 숨은 본질, 존재의 근본원리 등을 체계적으로 탐구하는데, 이때의 지식은 영역적 · 부분적인 지식이 아니라 보편적 · 전체적인 지식이어야 한다. 형이상학은 경험적 자연적 인식태도와 일반적인 것을 초월한다는 성격을 지니며 신학 · 논리학 · 심리학 등이 여기에 속한다.

체육의 관점에서 보면 "정신과 몸은 서로 다른 것인가(심신 이원론) 아니면 함께있는 것인가(심신 일원론)?", "운동을 하면 심리적으로도 성숙된다고 하는데 성숙이 무엇을 의미하는가?" 등에 대한 해답을 얻으려는 것이다.

② 인식론

지식의 본질, 기원, 근거, 한계 등에 대한 철학적인 연구 또는 이론을 인식론이라고 한다. 영어로는 epistemology라고 하는데, 이 말은 그리스어의 epistēmē(지식, 인식)와 로

고스(logos, 이론)를 결합시켜서 만들어졌다. 지식을 둘러싼 철학적 고찰은 그리스의 소피스트(sophist)들이 주장한 '상대주의적 진리관'에 상당히 발전한 인식론적 고찰이 포함되어 있었고, Socrates도 지식의 본질이나 지식획득의 방법에 대해서 논했다. 인식론의 문제의식을 체계적으로 표현하고 전개방향을 정한 사람은 Platon이다.

우리가 알고 있는 지식은 여러 가지 형태가 있다. '신이 내린 지식', 전문가에 의해서 얻어진 '믿을 만한 지식', 자신의 내적 이해와 통찰에 의해서 얻어진 '직관적인 지식', 추론과 타당한 판단을 통해서 얻어진 '합리적인 지식', 감각과 관찰을 통해서 얻어진 '경험적인 지식' 등이 그것이다.

체육에서 보면 "스포츠를 통해서 어떻게 지식을 얻을 수 있는가?", "운동기능은 어떻게 습득되는가?", "트레이닝은 어떤 방법으로 해야 가장 합리적인가?" 등에 대한 해답을 구하는 것이 인식론에 해당된다.

③ 가치론

가치론(axiology)은 가치를 연구하는 영역으로 윤리학(ethics)과 미학(aesthetics)을 포함한다. 가치는 진 · 선 · 미와 같이 객관적일 수도 있고, 어떤 목적을 달성하기 위한 수단과 같이 주관적일 수도 있다. 또 가치는 고정되어서 영구적일 수도 있고, 변화될 수도 있다. 앞에서 말했듯이 체육의 가치는 시대에 따라 다르게 평가되어왔다.

윤리학은 도덕적으로 옳은 것과 그른 것, 좋은 것과 나쁜 것, 또는 윤리적인 것과 비윤리적인 것을 구별하는 기준에 대하여 연구하는 것이다. 같은 행동이라도 상황에 따라서 윤리적인 행동이 될 수도 있고, 비윤리적인 행동이 될 수도 있다. 스포츠에서 "이기기 위해서 상대를 속이는 것이 도덕적으로 옳은 것인가?", 만약 앞의 질문에 대한 답이 옳다면 "이기기 위해서 약물을 복용하는 것은 왜 나쁜가?", 모든 사람이 평등하다고 하면 "우수선수와 비우수선수를 나누어야 하는가?" 등이 윤리학에 해당되는 문제들이다.

미학은 미의 형태와 본질을 연구하는 영역이다. 우리가 예술작품을 감상하면 우리의 마음을 뭉클하게 하는 무엇이 있는데, 그것의 본질이 무엇인지 연구하는 것이다. 스포츠나 무용을 감상할 때도 똑같은 미적 체험을 할 수 있다.

④ 논리학

논리학은 바른 판단과 인식을 얻기 위한 올바른 사유의 형식과 법칙 등을 연구하는

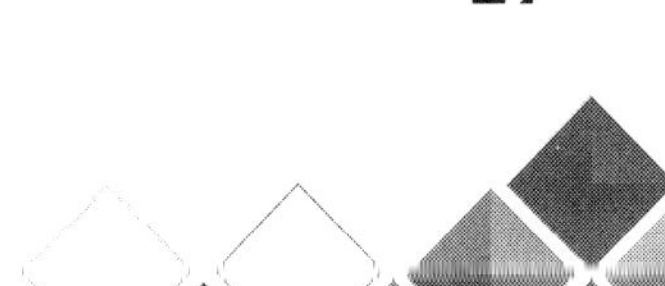

학문으로, 논증의 형식을 정리 · 분석하고, 이론의 논리적 구조를 밝히며, 이론과 사상(事象)과의 대응을 논한다. 논리학적인 지식은 귀납적 지식과 연역적 지식으로 나누어진다. 귀납적 지식은 여러 가지 사실들을 나열하여 결론을 도출하는 것이고, 연역적 지식은 명제와 명제 사이의 관계에 의하여 결론을 도출하는 것이다.

연역논리학은 연역적 추리에 관련된 많은 문제를 다룬다. 애매와 모호의 구조를 밝히고 오류의 유형을 나누며 추상 · 정의 · 분류의 개념을 명확히 한다. 사유의 법칙과 추리의 개념 체계에 대해서 간단히 서술하면 사유의 법칙에는 동일률, 모순율, 배중률 3가지가 있다. "A는 A이다."라는 것, 즉 참인 명제는 참이라는 것이 동일률이고, "어떠한 명제도 동시에 참이면서 거짓일 수는 없다."는 것이 모순율이다. "어떠한 명제도 참이거나 거짓일 뿐 그 중간치는 없다."는 것이 배중률(排中律)이다.

논리학은 어떤 주장을 하는 명제들의 논리적인 연결관계를 분별하는 원칙과 절차에 관한 학문이다. 그런데 논리학은 명제들의 연결관계에만 주목할 뿐이지, 그 명제들의 참 · 거짓을 확인하는 일은 하지 않는다. 그렇기 때문에 하나의 논증을 구성하고 있는 명제들의 일부 또는 전부가 거짓일지라도, 전체적으로는 타당한 논증이 되는 경우가 생긴다.

논리학은 체육뿐만 아니라 모든 학문을 연구하는 데 필수적인 영역이다. 우리가 학교에서 배운 여러 가지 지식들은 모두 논리학적으로 논증된 것들이고, 우리가 학생에게 무엇을 설명하거나 다른 사람에게 내 주장의 당위성을 주장할 때는 모두 연역적 또는 귀납적으로 합리적이어야 한다.

(2) 철학사상과 체육사상

① 관념론

관념론(idealism)에서는 궁극적인 실제를 관념(idea), 정신(spirit), 마음(mind)이라고 주장한다. 이러한 사상은 Platon에서 시작하여 Descartes, Berkeley, Kant, Hegel을 거쳐 이어져 오고 있다. Platon은 인간의 정신을 이념이나 관념의 세계로부터 나온 영혼으로 본다. 그러므로 이데아(idea)는 정신의 소산으로, 물질에 있는 것이 아니고 영구불변하는 이념세계에 존재한다고 보았다.

Platon은 현상적인 세계는 언제나 변하는 것이고, 경험적인 실재는 항상 불안정하며, 감각적인 지식은 불완전한 것이다. 이데아는 감각이나 경험을 초월하는 초세속적인 세계,

즉 정신세계에서만 발견할 수 있는 절대적이고 항구적인 완전한 실재라고 하였다. 또한 현상적인 사물은 이데아로 구성되는 실재의 그림자에 불과하다고 하였다.

또한 Hegel은 인간은 영원한 정신세계의 일부분으로서, 인격적으로 자신의 행동에 대해 책임을 갖는 정신적인 존재라고 하였다.

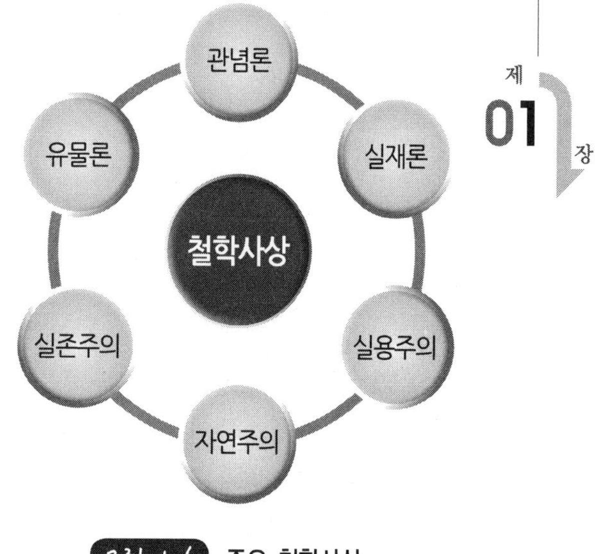

그림 1-6 주요 철학사상

관념론자들은 아동은 궁극적인 우주의 일부분이므로 교육에서는 인간과 우주와의 본질적 조화와 친밀성이 강조되어야 한다고 주장한다. 관념론의 교육은 아동의 개성을 절대적으로 존중한다는 전제 위에 인격교육, 도덕교육, 정신교육을 강조한다. 정신적 가치 · 절대적 가치의 추구를 교육의 지상목표로 삼고, 교과 면에서는 인간성의 정신적 측면, 즉 교양을 중시하는 이른바 넓은 의미의 일반 교양교육을 강조한다.

관념론적인 입장에서 체육의 목적은 신체활동을 통해서 인간의 개성과 성격을 발달시키는 데 있다. 그러므로 체육활동은 학생들의 인성발달에 도움이 될 수 있는 것을 선택해야 하고, 그러한 체육활동을 통하여 학생들의 사고가 스스로 발달하는 것을 도울 수 있다.

② 실재론

실재론(realism)은 물질의 실재와 진실된 모습(realitas, reality)을 파악한다는 입장으로 관념론에 대립되는 사상인데, Aristoteles가 그 시초이다. 일반적으로는 말이나 관념 · 상념에 의존하지 않고 독립적으로 존재하는 외계사물의 실재성을 파악하는 입장을 실재론이라고 한다. 가장 초보적인 실재론은 소박실재론(naive realism)이다. 여기에서는 우리들이 지각하고 경험하는대로 물질이 존재하고, 물질의 실재성은 지각하고 경험하는대로 파악된다고 본다.

실재론의 목표가 물질의 실재성의 인식이라고 한다면, 실재성의 인식에는 물질 측에서의 표현방법과 이를 수용하고 아는 주관 측에서의 능력 · 상태 · 상황 · 장치 등과의 공동이 필요하며, 수많은 시행착오를 거쳐서 인식된 실재성이 진리성을 띤다. 진리로서 인식

된 실재성은 인간의 지식에 편입되고, 객관적인 지식으로서 타당하게 전달될 수 있는 새로운 자료가 된다.

넓은 의미의 실재론은 감각되어 지각될 수 있는 외계물질의 실재성만이 아니라, 인류가 획득하는 참된 지식의 실재성, 즉 관념적 · 이념적인 것의 실재성도 허용한다.

관념론에서는 외계는 정신, 관념의 그림자 또는 환상으로 보는 데 반하여 실재론에서는 사람이 보든 말든, 사람이 알든 말든, 사람이 믿든 안 믿든 상관없이 '존재하는 것'은 사람의 정신과는 별개의 것으로 반드시 "구체적으로 존재한다."고 보는 것이다.

실재론자들은 교육은 학생들로 하여금 생활 속에서 참된 것을 발견하고, 해석할 수 있도록 훈련시켜서 개인이 실재의 세계에 적응할 수 있도록 하는 것이다. 실재론적인 입장에서 체육의 목적은 신체를 잘 발달시키고, 운동기술을 익혀서 행복한 삶을 영위할 수 있도록 하는 데 있다. 그러므로 체력강화, 운동기술 향상, 레크리에이션기술 습득 등을 하려면 과학적인 방법을 사용해야 한다.

③ 실용주의

실용주의(pragmatism)는 미국 사회에서 19세기 말과 20세기 초에 시작되어 전개된 현대철학의 사조이다. pragmatism은 그리스어 pragma 또는 praxeis에서 나온 말로, praxeis는 행위 또는 행동을 뜻하며, 우리나라에서는 이를 실용주의로 번역한다.

실용주의에는 다음과 같은 두 가지 일반적 특징이 있다.

» 행동적 · 실천적인 면에서 볼 때 어떤 사상이 진리를 갖고 있는지 아닌지는 그 사상 자체에 의하는 것이 아니라 그 사상을 만들어낸 행위의 결과에 의해서 결정된다.

» 동적 · 과정적인 면에서 볼 때 행위 · 실천을 중시함으로써 진리를 동적 · 과정적으로 파악한다. 즉 진리는 이미 있는 것이 아니라 만들어지는 것이며, 이것은 선천적 이유, 고정된 원리, 폐쇄된 체계, 모든 절대자 등을 배척한다.

Peirce에 의하면 이론이란 머릿속에만 있는 것이 아니고 실험의 조작을 규정하고 지정하는 동시에 그 결과에 의해서 실증되는 것이므로 실험행위에 의해 증명될 수 없는 관념은 무의미한 것이라고 한다. James는 종래 독일에서 주장된 관념론에 반대하여 진리의 근거를 실제적 효과에 두는 것으로 끝없는 형이상학적 논의를 종결시키고자 하였다. 특히 그는 실용적 가치 및 실천적 성과를 중시하여 미국인의 개척정신을 철학적으로 승화시켰다.

실용주의자들에게 진리는 경험을 통해서 얻어지는 것이며 현실이 절대적이지 않고 변하는 것처럼 진리도 변하고, 실용적이지 못한 진리는 가치가 없는 것이다.

Dewey, J.는 교육의 목표를 사회적 효용성에 있다고 보았다. 즉 학생들은 생활에 직면하는 문제를 해결할 수 있는 경험과 사회의 바람직한 구성원이 되는 방법을 학습할 기회를 가져야 하고, 교사는 학생들의 욕구를 충족시킬 수 있도록 동기유발을 촉진해야 한다.

실용주의적인 입장에서 체육은 신체적 · 정서적 · 지적 · 사회적으로 조직화된 사회적응력을 배양하기 위해서 단체경기, 집단적인 레크리에이션, 무용 등의 종목을 중시한다.

④ 자연주의

자연주(naturalism)는 프랑스를 주축으로 19세기에 있던 사실주의(寫實主義)를 이어받아 생긴 문학사조로, 프랑스 이외의 여러 나라의 소설과 연극에 많은 영향을 미쳤다. 이 사조의 창시자는 프랑스의 소설가 Zola, Emile이다.

Zola, E.는 Goncourt의 《Germinie Lacerteux, 제르미니 라세르퇴》라는 박복한 가정부의 일생을 그린 소설에 감명을 받고 이 작품을 '불결한 문학'이라고 비난하는 측에 대해 강력히 항변하고 변호하였다. 그의 선배 Goncourt는 "소설은 연구다."라고 말하여 사실주의 작가로서의 태도를 나타내었는데, Zola, E.는 한 걸음 더 나아가 "소설은 과학이다."라고 단언하였다.

그의 사상은 자연주의의 기본정신은 인간의 생태를 자연현상으로 보려는 사고방식으로 볼 수 있다. 따라서 작가의 태도도 자연과학자와 같아야 한다는 것이다. 자연현상으로 본 인간은 당연히 본능이나 생리의 필연성에 의해서 강력하게 지배된 것으로 그려지고, 외부로부터 그려지기 때문에 내면적으로는 빈약하고 단순할 수밖에 없다.

Rousseau, J. J.는 '모든 것은 자연에 따라서(everything according to nature)'라고 강조하면서 교육은 물질계를 이용해야 하고, 교사는 귀납적인 방법으로 학생 스스로 자신의 결론에 도달할 수 있도록 지도해야 한다고 하였다. 그는 정신과 신체의 교육을 동시에 해야 하고, 건강은 정신적 · 도덕적 · 사회적 기술들을 학습할 준비를 갖추게 하는 것이고, 자아교육과 자아활동을 통한 개별화된 학습의 중요성을 강조하였다.

자연주의적인 입장에서 체육은 움직이는 행동과 관련된 경험을 하여, 본래 타고 난 인간의 능력을 발전시키고 완성시키는 데에 그 목적이 있다. 그러므로 학생들의 흥미 · 요구 · 감정에 맞게 학습계획을 짜야 하고, 교사와 부모의 간섭을 덜 받는 상태에서 자연적

으로 성장하도록 해야 한다.

⑤ 실존주의

20세기 전반에 합리주의와 실증주의 사상에 대한 반동으로서 독일과 프랑스를 중심으로 일어난 철학사상이 실존주의(extentialism)이다.

실존주의의 선구자는 Kierkegaard와 Feuerbach이다. 두 사람은 보편적 정신의 존재를 부정하고, 인간 정신을 어디까지나 개별적인 것으로 보아 '개인의 주체성이 진리이다'라고 주장하였다. 즉 인류는 개별적인 '나'와 '너'로 형성되어 있다고 본 것이다. Heidegger와 Jaspers는 인간의 일반적 본질보다도 개개의 인간의 실존, 특히 타자(他者)로 대치할 수 없는 자기 독자의 실존을 강조하였다.

Jaspers는 실존이란 '내가 그것에 바탕을 두고 사유하고 행동하는 근원'이며, '자기 자신에 관계되면서 또한 초월자와 관계되는 것'이지만, 그러한 실존은 고립되어 있는 것이 아니라 '다른 실존과의 관련 속에서만 존재하는 것'이라고 하였다.

Sartre는 인간에게는 실존이 본질에 선행하며, 따라서 인간의 본질을 결정하는 신은 존재하지 않고, 개인은 완전히 자유로운 입장에서 스스로 존재방식을 선택하도록 운명지어져 있다. 만약 인간의 본질이 결정되어 있다면 개인은 그 결정에 따라 살아가기만 하면 되지만, 본질이 결정되어 있지 않기 때문에 한 사람 한 사람의 자각적인 생활방식이 중요하게 된다.

Platon과 Aristoteles는 이성을 인간의 특성으로 보고, 인간에게는 이성이 있기 때문에 과거의 잘못을 이성적으로 판단하여 다시는 잘못을 범하지 않을 것이라고 생각하였다. 그러나 현실적으로는 전쟁에서 볼 수 있듯이 인간이 이성적으로 살아간다기보다는 스스로 결단하고 부딪히면서 살아가는 존재라는 것을 알 수 있다. 즉 실존이 본질에 앞선다고 보는 것이 실존주의이다.

실존주의론자들은 자아실현을 바람직한 교육의 결과로 본다. 그러므로 교사는 학생이 자기발견을 할 수 있도록 학생들의 삶에 관여하지만 간섭을 해서는 안 되고, 실존적 경험을 쌓도록 도와주어야 한다. 그리고 전체의 틀 안에서 한 개인의 위치와 특성을 판단하려 하지 않고, 개인의 주체성과 개성을 존중해준다. 그러므로 시험성적이라는 한 가지 기준으로 학생들을 서열화하는 것이 아니라, 각자의 자질과 개성을 가진 인격체로 인정해준다.

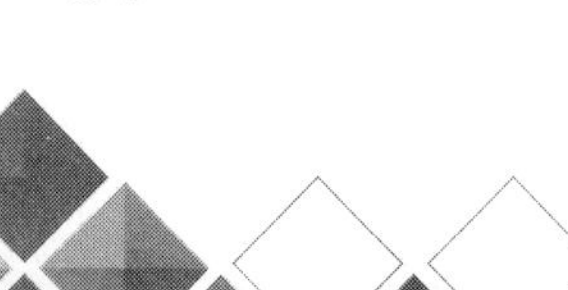

실존주의적 입장에서는 체육의 목적이 자신이 선택한 체육활동의 기회를 통하여 개인의 자아실현 능력을 배양하는 데에 있다. 그러므로 체육활동의 내용은 학생들 스스로 선택하여야 되고, 그 활동은 개개인의 특성 계발과 독립된 자아를 구현할 수 있는 것이어야 한다. 자기표현 및 창의성의 개발과 존재의식의 강화를 중시하기 때문에 놀이, 스포츠, 무용, 체조, 등산 등의 가치를 높게 평가한다.

⑥ 유물론

관념론과 대립되는 철학적 입장으로, 사물이 인간의 의식 밖에서 의식과는 독립적으로 존재한다는 것을 인정하는 것이 유물론(materialism)의 근본적 특징이다. 유물론에서는 물질이 1차적이며 정신과 의식은 2차적이고, 물질로서의 세계는 시간적ㆍ공간적으로 영원하고 무한하며, 신에 의해 창조된 것이 아니라 그것 자체로 존재한다고 한다. 따라서 정신과 의식은 물질에 기초하여 성립한다고 설명한다.

유물론은 물질 만능주의와 같은 도덕적 의미나 일반적 생활태도와는 별개의 것으로, 물질을 기초로 하기 때문에 우선 자연의 상태에 대한 해명에서 시작한다. 종교적이고 관념론적인 입장이 어떤 초자연적인 것을 기초로 하여 세계를 설명하려고 하는 것에 근본적으로 대립하여 유물론은 자연에 대한 과학적 연구와 밀접한 관계를 맺고 있다.

유물론은 고대 노예사회에서 철학이 발생함과 동시에 시작되었다는 것을 인도, 중국, 그리스에서 찾아볼 수 있다. 그들은 자연물의 운동과 변화를 받아들여 변증법적 견해를 보이게 되었고, 무수한 자연물로 이루어진 세계에서 근원적인 물질을 찾고자 했다. 즉 근원적 물질의 변화에 의해 만물이 만들어진다고 보았고, 모든 사물의 근원을 원자라고 해석함으로써 형이상학적이고 원자론적인 유물론으로 발전하였다.

중세 봉건사회의 지배적 이데올로기는 종교로서, 유럽의 기독교 신학 속에서 유물론은 유명론(唯名論)의 형태, 또는 범신론의 형태를 띠면서 존재하였다. 이들의 주장은 근대 자본주의의 발전과 함께 중세 신학사상과 관념론의 근거를 무너뜨렸다. 경험적 · 합리적인 탐구가 수행됨에 따라 종래의 종교적 · 신학적 · 스콜라적(scholastic) 사변철학을 비판하고 배제하면서 17세기에 이르러 영국에서 Bacon, Hobbes, Locke 등에 의해서 근대 유물론적인 주장이 성립되었다.

18~19세기의 근대 유물론은 인간의 사회적 실천을 유물론적 입장에서 설명하는 단계에까지는 이르지 못하였고, 정신의 작용으로 사회의 형태가 결정된다고 하는 관념론적인

오류에 빠지게 되었다. 그러한 유물론은 '세계는 상호 관련되어 있는 하나의 전체이며, 고정된 것이 아니라 부단히 운동 · 변화하고 발전하는 것'이라고 하는 마르크스주의의 변증법적 및 사적 유물론에 의해 새로운 전기를 맞게 되었다. 그는 인간의 세계에 대한 인식의 발전은 사회적 실천에 의한 것이고, 그것의 기초는 물질적 생산이라고 주장하면서 실천의 의의를 강조하고, 자연과 사회 및 인간의 의식 등 세계 전체를 모두 유물론적 입장에서 파악하였다.

유물론은 항상 사회적 실천의 발전 및 과학적 지식의 발전과 결합하여 스스로를 발전시켜 왔고, 마르크스주의 유물론 철학이 세계에 대한 진실성을 밝힘에 따라 대다수의 과학자들도 유물론을 받아들이게 되었다. 보다 중요한 것은 이러한 세계관이 현재의 자본주의 사회의 각종 모순을 해결하고 새로운 사회로의 이행을 주도할 혁명세력들이 사상적 무기로 삼고 있다는 점이다(주 : pp.23~36은 진성태 저 《체육학개론》에서 발췌 · 수정하였음).

3) 체육의 가치

체육의 목적을 "무엇을 얻으려고 운동이나 스포츠를 가르치느냐?"라고 한다면 체육의 가치는 운동이나 스포츠를 하면 "무엇이 좋아지느냐?" 또는 "어떤 이점이 있느냐?" 하는 것이다. 물론 "목적한 것을 얻을 수 있다."라고 하면 그만이지만, 우리가 어떤 목적으로 교육이나 일을 한다고 해서 그 목적을 모두 달성한다고 할 수는 없다. 체육의 의의나 필요성은 체육이 어떤 의의를 가지고 있는지, 왜 필요한 지에 대한 해답이기 때문에 의미는 좀 다르지만 내용은 대동소이하다. 여기에서의 체육의 가치만 살펴본다.

체육의 가치는 일반적으로 다음 4가지로 나누어서 설명한다.

(1) 생리적(신체적) 가치

근육을 단련하면 근육섬유가 굵어져 근력이 증가하는데, 근육섬유가 굵어져 근육이 붙게 되면 에너지원인 글리코겐 · 크레아틴 · 아데노신 등이 많이 분비되어 미오글로빈을 증가시켜 근력과 근지구력을 향상시킨다. 그리고 신체운동은 허파의 용적을 크게 하여 허

파활량을 증가시키며, 이로 인하여 허파환기량 · 산소섭취량 · 산소부채능력 등이 향상되어 최대산소소비량의 증대로 에너지발생이 원활하게 된다. 또 신경기능을 향상시켜 동작을 민첩하게 만들고 신경지배를 원활하게 하여 협응작용을 향상시킨다.

그 외에도 신체활동은 모세혈관을 발달시켜 맥압을 커지게 하고, 심장을 강화시켜 심박출량을 증가시켜 혈액순환을 원활하게 한다.

(2) 심리적 가치

체육활동은 바로 신체활동의 욕구, 자기표현의 욕구, 자기과시의 욕구, 집단생활의 욕구 등의 발로수단이 된다. 인간은 이와 같은 욕구가 충족되지 못하면 욕구불만이라는 정서적 긴장상태를 일으켜 여러 가지 심신장애를 가져올 뿐만아니라 반사회적 행동을 유발시킬 위험이 많아진다. 즉 강한 정서적 긴장은 짜증, 비관, 자학, 원망, 불평, 흥분, 분노, 불안, 초조 등의 심리상태를 낳고, 이로 인하여 발작과 공격적 성격 등을 만들어 사회적으로는 청소년비행의 원인이 되고 있다.

이와 같은 욕구불만은 체육이나 스포츠활동을 통해 순화되고 제거되는데, 스포츠활동에서 이루어지는 여러 가지 경기와 기교로서 자신의 정서를 조정하는 기회를 얻고, 기술의 발전과 기록향상의 성취감에서 만족을 얻는다. 또한 불가능을 해소시키려는 노력과 인내로서 얻은 성취감은 생활의 원동력이 되어 적극적인 성격을 갖게 한다. 궁극적으로 체육활동은 정신위생 면에도 많은 도움을 주게 된다. 스포츠맨이 명랑하고 적극적인 것은 이와 같은 스포츠활동을 통한 욕구충족에서 오는 것으로 볼 수 있다.

(3) 사회 · 문화적 가치

인간은 개체라기 보다 상호 의존적 존재이므로 사회를 떠나서는 살 수 없다. 그러므로 혼자서는 살 수 없고 사회에 적응하며 살기 마련이다.

원시시대는 먹이를 구하는 방법을 알고 그 기능만 있으면 살 수 있었으나, 오늘날은 그렇지 않다. 물질문명의 발달은 교통수단의 발달과 매스컴의 발달을 가져와 사회생활을 보다 편리하게 만들었지만, 반대급부적으로 인간끼리의 무한한 경쟁시대를 만들었다. 이와 같은 사회환경에 대처하기 위해서는 많은 지식과 훌륭한 체력을 갖추어야 한다.

체육활동은 축소된 사회의 장으로서 경쟁과 협력을 배우고 공동목표를 위해 노력하면서 책임과 의무를 배우게 된다. 즉 스포츠규칙을 지키고, 자신을 억제하며, 동료를 위해 협력하는 스포츠정신은 바로 준법정신이며 사회성 함양에 지대한 기여를 하는 것이다. 즉 협력 · 책임 · 사교 · 예의 · 주종의 질서와 규칙의 준수, 약속의 이행과 시간엄수와 같은 덕성을 배양하며 동정 · 자제 · 관용의 태도를 익히게 된다.

이러한 경험은 사회생활에서 예의를 지키며 인간관계를 원활히 하고 명랑하고 생산적인 사회로 발전시키는 원동력이 된다.

(4) 역사 · 철학적 가치

인류가 체력을 사용해온 역사를 되돌아보면 원시사회에서는 생존수단과 제례 · 의식에 이용했고, 국가가 성립된 후에는 나라를 지키고 국력을 강화하기 위해서 사용했으며, 근대사회에는 교육용으로, 올림픽대회나 월드컵대회가 생기면서부터는 국위선양과 인류화합의 수단으로, 현대에는 삶의 질을 향상시킬 목적으로 이용되고 있다.

4) 체육의 필요성

(1) 개인의 필요성

인간은 동물적 본능을 가진 하나의 생명체로서 신체활동의 욕구를 가지고 있다. 즉 인간은 움직이지 않고는 만족한 생활을 할 수 없을 뿐만 아니라, 생명을 유지할 수도 없다. 왜냐하면 인간의 신체구조는 신체 각 부위의 관절을 이용해서 굽히기와 펴기를 하도록 되어 있고, 뼈대에는 근육과 인대가 붙어 있어 자유자재로 움직일 수 있기 때문이다. 이와 같이 항상 움직이도록 되어 있는 신체가 움직이지 않게 되면 근육과 관절은 약화되고 정신적으로 부자연스럽고 속박감을 느끼게 되어 심적 불안과 정서적 안정을 해치게 된다.

체육활동은 인간의 본능적인 활동의 욕구로 억압된 정서를 순화시켜 주고 심신의 안정을 가져오게 함으로써 마음의 평화와 행복을 갖도록 해준다. 뿐만 아니라 기분을 전환시켜 재생산능력을 기르고 생활을 윤택하게 하며 생활에 활력을 불어 넣어줌으로써 인간

본연의 활동의 욕구를 충족시켜 준다. 또 체육은 자기표현의 욕구를 충족시켜주는데, 스포츠 장면에서 일어나는 동작의 균형과 조화는 동적 아름다움을 느끼게 하며, 타인이 표현할 수 없는 동작과 묘기를 발휘해 자기의 능력을 과시하는 자기표현의 욕구는 정서를 순화하고 미를 과시하는 등 심미적 경기에까지 이르게 한다.

한편 체육활동은 인간의 건강한 삶에 대한 욕구를 충족시켜준다. 인간은 누구나 건강하게 오래 살기를 원한다. 아무리 우수하고 명석한 두뇌를 가졌다 해도 건강없이는 행복한 삶을 추구하지 못할 것이다. 그러므로 건강의 유지 및 증진을 위해서는 자기의 체력에 알맞은 운동을 선정하여 생활화하고 꾸준히 실시하여야 한다. 그렇게 함으로써 건강하고 활력이 넘치는 생활을 할 수 있으며, 보람있고 여유있는 인생을 살 수 있을 것이다.

(2) 사회적 필요성

운동이나 스포츠는 경기나 체력단련을 위해서만 필요한 것이 아니고 사회생활 속에서 개인과 개인과의 관계, 개인과 집단, 집단과 집단과의 관계에서 원만한 인간관계를 이루고 훌륭한 사회인이 될 자질을 함양하는 생활의 실천도장으로 그 필요성은 무한하다. 따라서 게임이나 경기를 통하여 규칙을 지키고 승부를 위하여 최선을 다하는 자세는 일상생활에서의 준법정신, 예의, 책임감 등과 같은 사회성을 기르는 훌륭한 실습장이 될 것이다.

(3) 국가적 필요성

'체력은 국력'이라는 말처럼 체육의 역할은 국가적으로 볼 때 대단히 중요하다. 특히 과거에는 국방체육으로서의 역할이 강조되어 병사들의 훈련과목으로 실시하였고, 오늘날에는 군사적인 측면뿐만 아니라 민족발전의 기틀로서 국민의 건강을 지키고 체력을 유지 · 증진시키는 복지차원에서 그 필요성이 새롭게 부각되고 있다.

즉 과거에는 국방을 위한 군사훈련 수단으로 또는 국력 과시의 수단으로 국가 차원의 체육이 실시되어 국가를 위한 국민의 역할이 강조되었다. 그러나 오늘날에는 개인의 건강한 삶을 위하여 국가가 정책적인 뒷받침을 하고 있는데, 국민을 위한 국가의 역할이 강조되고 있다는 점에서 커다란 차이가 있다.

스포츠와 체육과교육의 본질론 3

1) 본질이란

본질(essence)이란 무엇인가? 여기에서는 그 의미를 다음과 같이 정의한다.

» 어떤 것을 그 자체로서 성립시키는 독자적 성질로, 기본적으로 보편적인 것이다.

» 변화하는 현상적 존재와는 달리 그 배후 또는 내부에 항상적으로 잠재되어 직접적으로는 인식할 수 없고 끊임없이 현상을 통해서 간접적으로 인식하는 것이다.

우리가 일상적으로 '본질적으로는.....'이라고 주장하는 것은 첫 번째의 성질을 띠고 있는 경우가 많으며, 두 번째처럼 쓰는 용법은 연구적인 측면 이외에는 사용되는 경우를 찾아보기 어렵다. 따라서 여기에서 주장하는 본질은 첫 번째의 뜻을 의미한다.

2) 스포츠의 본질

(1) 스포츠의 객관적 구조

스포츠의 본질을 다룰 때 '본질-실체-현상'이라는 철학적 논리를 활용하면 그 내용을 더욱 쉽게 알 수 있다. 그림 1-7을 보면서 다음을 검토해 보자.

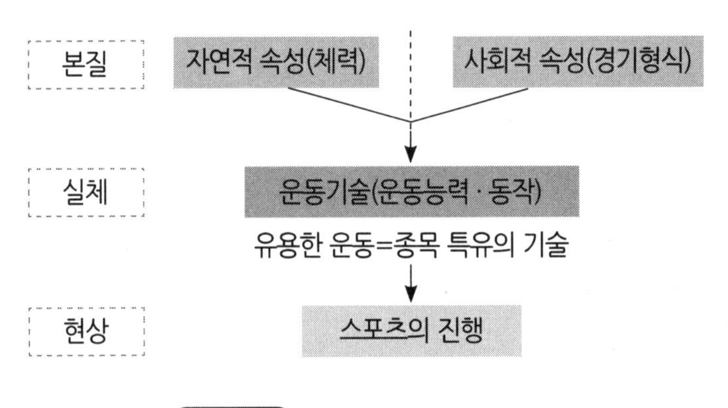

그림 1-7 스포츠의 본질과 구조

① 스포츠의 본질

스포츠의 본질은 2가지 측면으로 구성되는데, 그것은 자연적 속성과 사회적 속성이다. 전자는 스포츠의 체력적 측면이다. 스포츠는 인체를 운동하게 만들고 신체적 에너지를 연소시킴으로써 신체형성이라는 바람을 달성시킨다. 체력 만들기 또는 몸 만들기를 위해서 스포츠는 인류에게 받아들여져 실시되고 있다.

그러나 이 자연적 속성은 그에 해당되는 정도의 표현양식은 가지고 있지 않다. 그 때문에 사회적 속성을 필요로 하는데, 그것은 경기성을 중심으로 하는 규칙, 시설용구, 규칙준수의 윤리규정 등을 포함한 경기형식이다. 운동종목은 각각 다른 독자적 경기형식을 가지고 있기 때문에 각각의 종목으로 구별된다. 배구와 축구가 다른 이유는 경기형식이 다르기 때문이다.

스포츠의 본질단계에는 자연적 속성과 사회적 속성이라는 성격을 달리 하는 2개의 요소가 불가분의 관계로 결합되어 스포츠라는 문화를 구성하는데, 그 결합을 변증법적 통일이라고 한다. 예를 들어 동일한 경기성을 즐기는 문화라 하더라도 바둑, 장기, 트럼프 등은 신체 형성발달이라는 측면은 보유하지 않는다. 이는 본질적인 구성요소가 스포츠와 다르기 때문이다.

② 스포츠의 실체

스포츠의 실체란 각 스포츠종목 특유의 운동기술을 뜻한다. 여기에는 스포츠의 본질인 자연적 속성과 사회적 속성 양쪽 모두와 결합되어 있으며, 운동기술이라고 표현한다. 체력이 본질이라면 운동능력은 그 실체이다. 즉 종목에 의해서 규칙이나 기술체계도 달라지며 행동양식도 달라진다. 그 때문에 운동기술도 달라지게 된다. 그 점에서 운동기술의 습득과정은 필연적으로 본질인 자연적 속성과 사회적 속성 양쪽 모두를 습득하는 과정이 되는 것이다.

스포츠기술에는 '전이'라는 사고방식이 있다. 예를 들어 배구와 농구는 경기형식은 많이 다르지만 '큰 볼을 양손으로 처리한다'라는 공통된 기술이 있기 때문에 어느 것이든 능숙한 사람은 대체로 다른 종목도 잘 한다. 또 야구나 테니스에서도 비슷한 양상을 찾을 수 있다. 왜냐하면 거기에는 전이에 의해서 공통적인 기술이 많이 있기 때문이다. 그러나 축구와 탁구에서는 양쪽 모두 확실히 체력향상은 되지만 한쪽이 능숙한 사람이 다른 쪽도 반드시 능숙하지 않는데, 이들 종목은 관련성이 적으며 전이가 존재하지 않기

때문이다.

이러한 운동기술은 본질인 행동양식에 규정되어 종목 특유의 기술체계를 가진다. 따라서 일상적인 연습은 이 기술체계를 기초로 해서 이루어진다. 이렇게 체력을 향상하고 기초기술을 다양하게 습득하기 때문에 다양한 전술을 구사할 수 있는 것이다.

③ 스포츠의 현상

스포츠의 현상이란 본질과 실체로 구성된 스포츠가 현실에서 상대와 대치하고 경쟁관계에 있는 것을 뜻한다. 특히 축구 같은 단체구기종목에서는 상호 일상적인 기초기술을 연습한 다음 상대의 허를 찌르는 우연성 등을 다양하게 조합하여 게임을 전개시킨다. 그렇기 때문에 스포츠를 '각본없는 드라마'라고 일컫는다. 이 경우 우연성이 있기 때문에 게임이 재미있어지는 것이다.

우연성도 일어나지 않고 기초기술도 차이가 많이 나면 게임은 일방적이고 재미가 떨어진다. 축구나 야구라고 말할 때 볼을 차거나 캐치볼을 하는 것만 가지고 축구나 야구라고 하지는 않는다. 그것들은 확실히 그 종목에 필요한 한 부분이지만, 실제로는 본질, 실체, 현상 등이 어우러져 총체로서 진행될 경우에 축구나 야구라고 부르게 된다.

④ 무형문화재로서의 스포츠

이러한 구조를 가진 스포츠의 본질은 그 자체가 보이는 것이 아니다. 확실히 경기장이나 용구는 보이지만 스포츠(축구나 야구 등)의 본질은 보이지 않는다. 그것은 사람들이 구체적으로 받아들여 심신으로 표현되는 현상을 통해서 발현되며, 그것을 향유하는 사람들 각자 감상(주관)을 느낄 뿐이다.

이 경우에는 실제로 플레이하는 사람과 그 플레이를 보는 사람이 느끼는 감상이 각각 다르다. 즉 스포츠는 스포츠를 함으로써 신체가 상쾌감을 느끼거나 체력이 향상되는 즐거움 · 재미 등을 느끼도록 구성된 문화이면서 실행되는 객관적인 존재물이다. 한편 플레이를 보는 사람들 역시 감동하고 격려받으며, 나아가 선수와 관객이 일체화되는 느낌을 가지게 된다.

스포츠는 무형문화재이다. 축제나 예능과 같은 무형문화재는 특수한 의상이나 도구를 이용하여 노래나 춤을 통해 표현한다. 인간의 표현활동을 막아버리면 보는 것은 불가능하다. 그러나 표현활동을 하지 않아도 무형문화재로서 존재한다. 그것을 연출하는 사람이

나 감상하는 사람 모두 감동을 받는다.

스포츠도 이와 같다. 인간의 의식에서 떨어져 '추상적이지만 객관적인 존재'인 스포츠를 연출하면 그것을 본 사람들은 감동을 받는다. 이러한 객관적인 존재가 인간에게 영향을 끼쳐 인간의 '즐거움, 재미'라는 주관적 구조물을 만들어내는 것이다.

이와 같은 구조물로 스포츠의 개념이 확립될 때 스포츠에 의한 체력향상, 스포츠를 통한 재미, 기술을 마스터하는 즐거움, 생각하지 못한 상대의 출현에 의한 패배 등이 발현된다. 이들은 객관적인 존재인 스포츠의 구조와 관계없으며, 경기자의 주관만을 필요로 해서도 안 된다.

(2) 스포츠적 세계의 3층 구조

무형문화재로서의 스포츠는 현실사회에 존재하며 사회적으로 기능을 하고 있다. 스포츠는 지역사회에서 활동하는 개인적인 수준에서부터 팀이나 단체수준까지, 그리고 국내 연맹에서부터 국제조직으로 발전하여 올림픽이나 월드컵 같은 대회까지 다양한 조직수준에서 지지하고 향유되고 있다. 더욱이 스포츠는 학교교육에서 활용되고 있으며, 어린이들의 인격형성을 위한 교육내용이나 교재로서도 활용되고 있다.

여기에서는 스포츠가 현실사회에 존재하는 스포츠적 세계에 대해서 어떤 영향을 미치고 있는지 알아보자. 이것은 그림 1-8과 같이 3층구조로 이루어진다. 이 구조는 각각의 사회 안에서 역사적으로 변화한다. 이는 구조와 역사의 관계를 단순하게 도식화한 것이지만, 여기에서는 구조 면에 대해서만 알아보기로 한다.

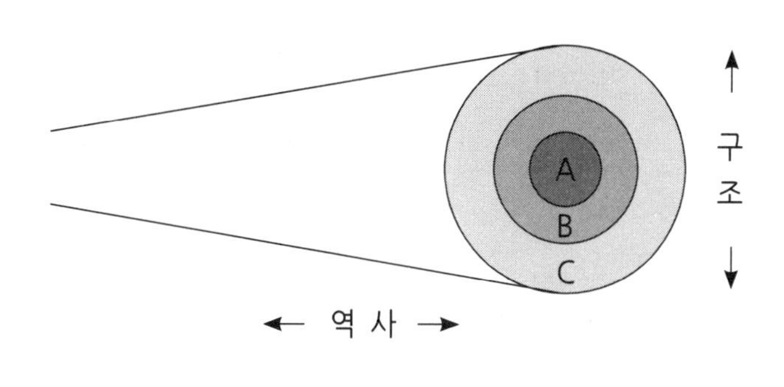

그림 1-8 스포츠적 세계의 형성

① 스포츠 그 자체(A)

스포츠의 '본질-실체-현상'은 스포츠적 세계의 중심부분(스포츠 그 자체 : A)이다. 즉 구체적으로 스포츠가 향유되는 부분이다. 이 수준을 스포츠에 관련된 조직에서 보면 팀워크라고 할 수 있다. 연습이나 시합에서 능력을 발휘하는 것은 팀워크의 좋고나쁨에 달려있다는 것이다. 이 수준에서는 사회적인 인간관계를 직접적으로 가지지 않는 편이 좋다. 이것은 다음의 스포츠조직에 관계되는 내용이지만 사장과 사원이 경쟁할 때 사원이 의도적으로 져준다면 그것은 페어한 경기가 아니며, 재미도 반감될 것이다.

여기에 관련된 연구분야는 운동생리학, 키네시올로지, 트레이닝 등이며 규칙학, 기술학, 전술론, 심리학 등도 관련되어 있다. 이것들은 모든 선수의 운동수행능력으로 집약된다.

② 스포츠조직(B)

스포츠 그 자체를 둘러싸고 있는 것이 스포츠조직(B)이다. 스포츠는 본질적으로 집단적인 문화이다. '경쟁을 즐긴다'라는 행위 그 자체가 이미 집단을 의미하고 있는 것이다. 물론 그 집단의 규모도 다양하지만, 이 수준을 조직으로 보면 클럽워크(clubwork)가 될 것이다.

'스포츠를 일상적으로 즐기려면 어떤 클럽에 소속되지 않으면 안 된다'라고 한다면 거기에는 클럽을 운영하기 위한 경영, 즉 클럽워크가 발생하게 된다. 기능 면에서 보면 회계, 섭외, 기술지도, 광고, 그리고 전체를 총괄하는 회장이 있다. 일상적으로는 월 1회 정도 소집되는 '운영위원회'도 필수적으로 만들어야 한다. 이러한 클럽은 다른 클럽과 연계해서 연맹을 형성하고 그것은 지역수준에서부터 시 · 도 · 광역시를 거쳐 전국적인 규모로 이어지게 된다. 이 수준은 스포츠 그 자체와 직결되는 것이 아니다. 그러나 클럽이 존속하기 위해서는 필수조건이며 기능이라고 할 수 있다.

그러나 현재 학교교육(체육과교육이나 운동부활동)에서는 기술지도, 즉 팀워크까지는 지도하지만 클럽워크의 지도는 거의 하지 않는다. 따라서 소규모 클럽의 운영방법마저 지도되지 않고 있는 실정이다.

한편 클럽은 기술적인 면보다는 대부분이 인간관계를 대상으로 하고 있다. 현재 인간관계의 취약함으로 인해 이 클럽에서 운영위원을 하고 싶어 하는 사람은 드물다. 왜냐하면 시간적으로도 많이 쫓기게 되고 인간관계도 매우 부담스러울 정도로 많아지기 때문이다. '운영위원을 한다면 클럽을 관두어야 한다'라고 제멋대로 생각하는 사람도 늘고 있다.

또 회장은 신망이 있는 사람이 아니면 바로 대립이 격화되어 결국에는 클럽이 무너진다. 어느 지역 스포츠클럽 회장의 말에 따르면 회장의 역할은 여러 장소에서의 '인사계'임과 동시에 '인간관계 조정계'이다. 후자는 전문적으로 사람들의 불만을 들어주는 역할이기 때문에 '듣는 커뮤니케이션이 중요하다'라고도 주장했다. 물론 클럽워크에는 팀워크도 내포되어 있다.

이와 관련되는 학문영역은 조직론, 인간관계론, 심리학, 사회학 등이다. 또한 본래의 학교교육(체육과교육과 운동부활동)도 여기에 포함되어야 할 것이다.

③ 스포츠와 사회(C)

앞에서의 A, B를 둘러싸고 있는 것이 스포츠와 사회(C)의 관계이다. 스포츠시설 하나를 예로 들어도 알 수 있겠지만, 스포츠시설은 개인이 소유하는 경우가 거의 없기 때문에 그것은 공공 또는 상업시설이다. 따라서 공공시설은 공공단체에 예약신청을 한 다음에 그것을 이용해야 하며, 상업시설의 경우 사용료인상은 시설의 사활문제로 이어진다. 또 지역사회의 스포츠시설이 부족하면 건설해주도록 공공단체와 교섭하지 않으면 안 된다. 최근에는 공공단체의 경영을 민영화하는 경향이 있지만, 이것에 의해서 지금까지 지역클럽이 활용하던 시간대가 상업활동에 의해서 다른 시간대로 바꾸어지고 자주적인 지역스포츠클럽이 쇠퇴해가는 사례도 많다. 현재 지역사회 스포츠의 현실은 일반화되어 있지 않다는 것이다.

스포츠가 지역사회에 뿌리 내리느냐 마느냐 하는 것은 국가나 공공단체의 스포츠정책의 근본이며, 그 근본에는 공공스포츠정책이 얼마만큼 시설을 제공하느냐에 달려 있는 문제라고 할 수 있다. 이것은 그 나라의 복지수준을 결정짓기도 한다. 유럽의 복지국가들은 이 공공스포츠시설을 수많이 제공하며, 그것이 지역스포츠보급에 한몫을 하고 있다. 그러나 복지국가에 도달하지 못한 우리나라에서는 GDP는 높아져도 국민의 복지수준이 낮기 때문에 스포츠 포 올(sport for all)정책도 제대로 실현되지 못하고 있다.

한편 스포츠는 평화를 전제로 성립되는 문화이다. 이는 올림픽이념인 세계평화의 실현을 보면 이해하기 쉬울 것이다. 올림픽이 내셔널리즘을 자극하고 있다고 비판하는 사람도 있지만, 올림픽을 정치에 이용하려는 경향은 올림픽의 위상이 높아지면 높아질수록 강해져 왔고, 앞으로도 더욱 강해질 것이다. 올림픽을 개최하면 그 자체로 평화가 찾아오는 것이 아니라 평화를 추구하는 운동으로서 올림픽실현을 위한 운동 역시 중요한 과제

가 된다.

스포츠와 정치는 무관계하다고 하는 이데올로기가 오래 동안 나쁜 결과를 가져다주었지만, 그것은 우리들이 잘못 이해하고 잘못 사용해서 그르친 과오이다. 스포츠는 크게 보면 정치에 의해 규제받는다. 올림픽이든 지역대회든 정치적인 지지없이는 개최가 아예 불가능한 경우도 많다. 또한 정부는 스포츠에 개입해서 자신에게 유리하게 이용하려고 하는 충동도 강하게 가지고 있다. 이것을 컨트롤하는 것은 스포츠 관련 조직과 매우 깊은 연관성을 가지고 있어서 관련 조직에게 막대한 영향을 주고 있다.

이 수준에 적합한 스포츠조직으로는 '소셜워크(social work)'를 들 수 있다. 사회적인 여러 활동과 스포츠가 무관계하다면 스포츠계도 존재할 수 없을 것이다. 소셜워크는 지역스포츠의 관점에서 보면 다른 복지 전체와의 밸런스 안에서 존재한다. 스포츠만이 눈에 띄어서 그 부분만 특별하게 발전하는 것은 불가능하다. 이것은 스포츠계도 다른 복지영역의 향상과 연계해서 전체적으로 고르게 발전해나갈 수밖에 없다는 뜻이다.

이 분야에 관련된 학문영역은 사회학, 역사학, 생산론, 도시론, 복지론, 평화론 등이다. 특히 스포츠사회학의 경우에는 클럽워크(B)를 연구대상의 일부로 삼고 있지만, 이 소셜워크는 스포츠사회학의 중요한 연구대상이다. 스포츠가 사회에서 어떠한 의미를 가지며, 사회는 스포츠에 어떠한 영향을 주는가를 검토하는 것이 스포츠사회학이다. 따라서 스포츠사회학에서 '스포츠의 본질'이라고 할 때 앞의 (A)를 가리키는 것이 아니라 사회에서 스포츠의 위치를 의미하고 있는 경우가 많다.

(3) 스포츠의 본질에 관한 연구방법

스포츠의 본질을 연구할 때에는 스포츠를 무형문화재로 보고 추상적이지만 객관적인 대상으로서 '본질-실체-현상'이 발현한 문화로 다루지 않으면 안 된다.

스포츠를 향유하는 것을 바탕으로 이끌어낸 여러 가지 주관은 주로 그 스포츠의 본질이 반영된 결과로 논할 필요가 있다. 단순한 주관만의 기술은 스포츠의 본질을 파악한 것이라고 할 수 없다. 이 점을 확실히 식별하는 것은 지금까지의 스포츠연구를 고찰하는 관점에서 보면 결정적으로 중요한 점이다.

"스포츠란 무엇인가?"를 규명하려면 플레이와 연관지어 재검토할 필요가 있다. '스포츠가 욕구로부터 출발하기 때문에 플레이론을 추구하는 것'이라고 주장한 Huizinga, J.(네덜

랜드의 역사가)나 Caillois, R.(프랑스의 사회학자)는 플레이론을 완성시켰다. 그들은 스포츠의 본질이라는 용어를 사용하고는 있지만, 플레이론에서는 결국 스포츠 그 자체는 아무것도 파악하지 못하고 스포츠의 본질을 규명하기 위한 방법론도 존재하지 않는다고 주장하고 있다. 이러한 점을 지적하는 것도 여태까지는 없었던 일이다.

그 외의 스포츠이론도 스포츠의 본질이 가져다주는 것의 단편을 병렬적으로 지적하는 경우가 많다. 특히 플레이론처럼 "스포츠란 무엇인가?"라고 하는 본질론을 물을 때에 스포츠의 본질이 가져다주는 주관적인 감정만을 서술하는 것은 본질에 접촉하지 못했다고 할 수 있다. 이것은 방법론적으로 말하면 주관적 관념론에 해당하기 때문이다.

지금까지 살펴본 스포츠의 본질론은 스포츠 자체의 파악까지는 미치지 못하고 전문가들이 수박겉핥기식으로 향유한 주관을 나열한 것이 대부분이었다.

그런데 신체형성과 규칙과 같은 "스포츠와 문화의 관련성은 어떻게 다루면 좋을까?"가 문제시된다. 스포츠의 본질은 신체형성의 '자연적 속성'과 규칙이나 경기양식과 같은 '사회적 속성'이 변증법적으로 통일된 문화라고 할 수 있다. 따라서 스포츠는 바둑이나 장기처럼 경기성을 즐기는 문화와는 차이가 있다.

이러한 스포츠의 본질은 우리에게 직접 보이는 것이 아니라 실체로서의 운동기능이라고 하는 형식이 되어 우리에게 다가오는 것이며, 더욱이 우연성을 많이 가지고 있기 때문에 스포츠라는 현상을 일으키는 것이다. 우리가 보는 스포츠는 이러한 본질이 실체 및 현상을 통해서 표현된 총체를 부르는 표현으로 볼 수 있다.

3) 체육과교육의 정책과 본질

체육과는 다른 과목에서는 과제로 다루지 않는 '신체형성'을 "왜 교과의 목적과 목표로 하며, 왜 그것이 가능한가?" 이는 "체육과는 아무래도 신체를 단련하는 교과목이기 때문이다."라는 의심할 여지가 없는 전제에 기인한다.

다른 교과목을 생각해 보자. 이과는 "왜 자연과학의 여러 영역을 가르치고 자연에 대한 지식을 알게 하며, 그와 동시에 자연에 대해 관심을 가지게 하는가?" 수학과는 "왜 수와 도형을 가르치는가?" 음악과는 "왜 사회의 여러 음악문화를 가르치는가?"

한편 체육과는 이들 다른 교과목의 목적이나 목표를 체육과교육의 목표로 정하지 않

는다. 또한 다른 교과목도 '신체형성'이라는 체육과의 목표나 목적을 교육목표로 정하지 않는다. 이러한 현상은 왜 일어나는 것일까? 교과목이란 사회에 존재하는 과학, 문화, 예술 등을 습득하기 위해 갖추어지고, 그 교과목의 목적과 목표도 기본적으로는 과학, 문화, 예능 등의 본질과 성격을 반영해서 설정된다. 체육과란 체조나 스포츠활동으로 신체형성을 달성함과 동시에 그 문화의 획득에 의해 성립되는 교과목이다.

체육교과의 목적과 목표에는 몇 가지가 더 있다. 즉 "그것들은 왜 설정되었는가?", "왜 그렇게 하는 것이 가능한가?" 등이다. 이렇게 체육교과의 본질을 규정하는 것은 사회에 존재하며 체육교과의 교육내용과 교재이기도 하며 교육방법이기도 한 체조나 스포츠와 같은 운동문화의 본질이 반영되어 있으며, 그것을 교육과정으로 받아들인 후에야 사회적인 기대도 고려할 수 있을 것이다.

(1) 체육과교육의 정책

① 학교론

현재와 같은 의무교육제도는 세계적으로 1870~80년쯤에 근대화, 즉 국민국가가 성립되는 와중에 우수한 국민양성의 일환으로 시작되었다. 국민양성이란 근대산업의 노동자와 군대의 병사양성을 뜻한다. 여기에서의 교육내용은 국가적 입장에서 보면 근대과학 · 기술 · 예술 등과 국가에 대한 충성심 · 내셔널리즘을 육성하는 도덕교육이 중심이었다. 이것을 다시 국민적 입장에서 보면 근대과학 · 기술 · 예술 등의 학습은 국가적 입장과 같지만, 또 하나의 측면인 도덕적 면에서 보면 국가에 대한 맹목적인 충성심 양성이 아니라 노동자계급의 해방을 위한 도덕적인 면을 배우게 하는 것이었다. 즉 도덕교육을 둘러싸고 자본주의사회의 계급관계가 직접적으로 반영되어 모든 나라에서 자본가계급을 대변하는 국가와 다른쪽 국가의 대립이 있었다.

학교는 이러한 사회적 요청이 다양하게 조정되고 구체화된 장소였다. 즉 학교는 사회의 목적에 의해 규정받고 있는 장소인 것이다.

② 근대국가와 체육교과의 발족

세계 각국의 교육제도에서 체육과의 목적과 목표는 거의 유사하다. 왜냐하면 체육과는 사회에 존재하는 체조나 스포츠와 같은 운동문화의 성격에 의해 규제받기 때문이다. 운

동문화는 근대사회의 성립과 함께 근대적인 신체를 추구하는 사회적 요청에 의해서 발명되고 재편되며 새롭게 탄생한 것이다. 그것은 독일의 체조이기도 하며, 영국의 스포츠이기도 하며, 또 우리나라에서 이루어진 무술의 무도화도 그 일환으로 볼 수 있다. 그 후 1800년대 후반부터 1900년대 초기에 걸쳐서 여러 선진국의 근대 의무교육제도 안에서 체육과로서, 또 운동부활동으로 수용되었다.

우리나라에서도 해방 이후 근대학교에서 '체육과'는 몸을 기르는 교과목으로서 탄생했다. 뿐만 아니라 체육과의 지도과정인 통제적인 신체활동 · 명령 등이 도덕과 결합되기 쉬웠기 때문에 국가에 대한 충성심 양성수단으로서도 자리잡았다.

세계적으로 중세 암흑시대는 종교위주의 시대로서 '정신의 우위, 육체의 열위'라는 이상과 행동이 형성되었다. 근대사회에 들어와 육체노동은 노동자계급의 전유물이 되었고, 노동자계급 천시경향과 어우러져 육체천시사상이 촉진되었다. 그 때문에 교육영역에서도 기술교과(체육과 포함)는 지식교과보다 한 단계 낮게 취급되는 경향이 나타났다.

그런데 체육과란 어떤 운동문화(체육과에서는 체조, 스포츠, 뒤에 댄스나 무도, 야외운동 등도 포함함)의 본질 및 성격에 규제받으면서 그것의 습득과정에서 학습되는 요소들로 구성되는 교과이다. 그 때문에 교과의 목적이나 목표, 방법연구의 기초인 그 문화의 본질연구가 필수이다. 예를 들면 체육과의 목적 · 목표에 '운동의(of) 교육', '운동을 통한(through) 교육'의 2가지가 있다. of의 경우는 운동문화 자체의 습득을 의미한다. 그러나 through의 경우에는 of를 내포하면서 그 과정에서 얻을 수 있는 여러 특성도 목적 · 목표로 한다. 예를 들면 of의 대상인 직접적인 학습내용은 운동기술이다. 왜냐하면 체육과의 학습은 운동기술습득 위주로 행해지기 때문이다. 그러나 through가 의미하는 것은 운동기술 습득과정에서 얻을 수 있는 집단관계뿐만 아니라 때로는 충성심까지도 포함한다. 또 '체력의 형성'도 실은 of가 아니라 through의 대상이다. 왜냐하면 체력을 직접 형성하는 방법은 없고 실제는 운동기술의 습득과정=달성과정으로 형성되는 것이기 때문이다. 이 '달성'과 '형성'이라는 교육학 특유의 개념을 이해하지 못함으로써 많은 혼란이 일어났다. 달성은 구체적인 도달목표의 설정이 가능하고, 그것을 위한 지도방법이 있으며, 그 도달도는 객관적으로 측정이 가능한 목표이다. 반면 '형성'은 큰 방향목표로서는 설정이 가능하지만, 구체적인 도달목표로서 설정하면 구체적인 지도방법이나 도달도 측정방법 등의 구체화가 불가능한 것을 말한다. 체육과의 달성목표는 기술적인 내용과 인식내용이며 체력이나 감정면의 목표는 방향목표로 형성내용이 구성된다.

체육과는 음악, 미술, 국어, 사회과 등이 대상으로는 하지 않는 학습내용과 교재를 이용하며 그것들과는 다른 목적 · 목표를 가지는 교과이다. 여기에서 학습내용과 교재는 운동문화이다. 당연하겠지만 체육과의 목적 · 목표는 그러한 운동문화를 배우는 것에서 얻을 수 있는 달성목표와 형성목표를 반영한다.

그러나 체육과의 목적 · 목표를 규정하는 것은 운동문화의 본질만이 아니다. 그것은 through로 제기되는 지도과정에서 형성되는 것, 또는 사회조건에서 크게 규정되는 것이다. 지도과정이란 학습지도요령에서 보는 학년을 중심으로 한 발달단계이며, 또는 배정된 시간수의 차이에 의해서 그 학년 그 단원에서 도달해야 할 목표가 달라진다. 한편 교사의 지도역량에도 영향을 받는다. 이들의 역사적인 축적도 체육과의 목적 · 목표를 규정한다.

이렇게 체육과의 목적 · 목표는 크게 3가지 영역으로 구성된다. 그러나 중심은 어디까지나 운동문화의 본질이다. 그것들의 관련성을 그려낸 전체모습이 그림 1-9이다.

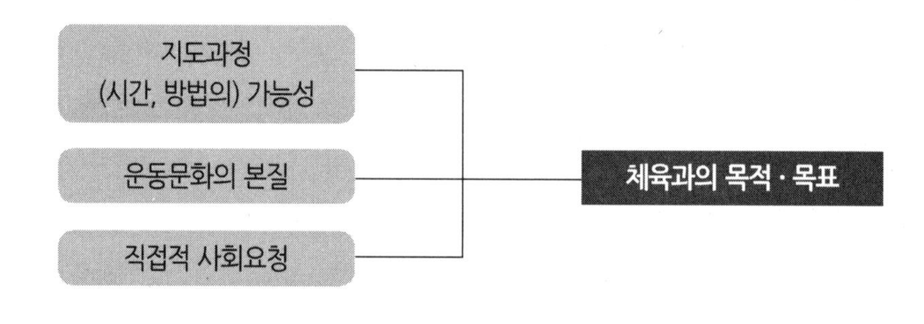

그림 1-9 체육과의 목적 · 목표를 규정하는 요인

(2) 체육과교육의 본질

① 운동문화의 본질

여기에서는 스포츠를 중심으로 하는 운동문화의 본질을 살펴본다. 체육과의 목표 · 목적은 운동문화의 본질을 반영한다. 체육과의 목적 · 목표는 정책입안자의 주관적인 의도에 의한 것이 아니라 그 사람의 주관을 '운동문화의 본질'과 그 시대의 '지도과정의 가능성'이나 그 시대의 '시대적 요청'이 의식적이든 무의식적이든 규정하고 있다는 것이다.

② 체육과에서는 무엇을 가르치는가

지금까지는 체육과의 목적 · 목표의 규정관계를 보았으며, 여기에서는 '체육과에서 무엇을 가르치는가'라는 수업실천을 분석한다.

'무엇을 가르쳐야 하는가'를 의논하기 전에 현재의 수업이 실제로 '무엇을 가르치고 있는가'라는 수업실태의 해명이 필요하다. 이것은 연구로서는 보다 현실적인 방법으로, 운동문화의 본질적인 구조와 관계를 분석하는 것이다. 이러한 관점은 지금까지 체육과연구에서 분석되지 않았던 방법이다. 이는 현재의 수업실태를 이용하여 현실의 사실관계를 바르게 반영하고 인식한 것이다.

체육과의 수업형태는 크게 다음의 5개의 범주로 분류할 수 있다. 이는 '무엇을 가르치고 있는가'라는 시점에서 본 것이다(그림 1-10).

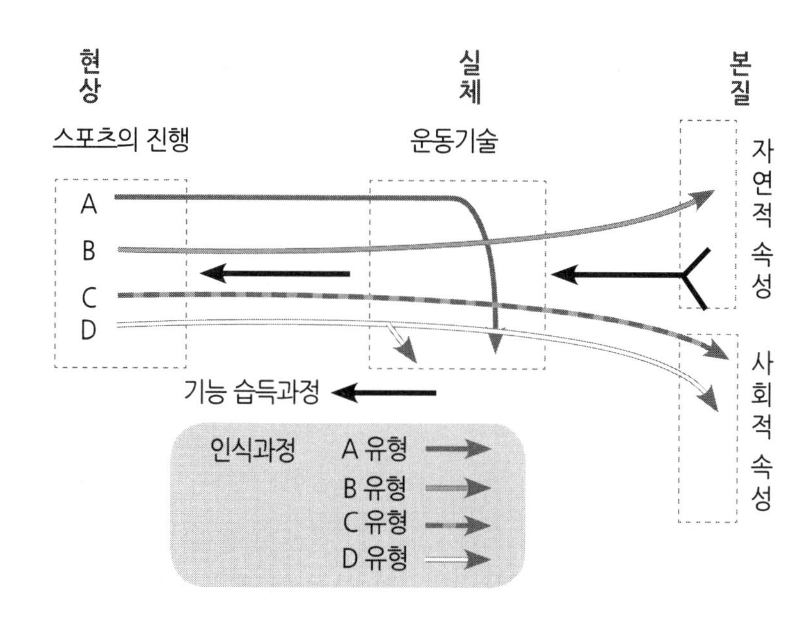

그림 1-10 스포츠의 구조와 본질의 의미

⊙ A유형

이 유형에서는 운동기술을 습득시키면서 학생들은 자신이나 동료의 신체를 주된 인식대상으로 삼는다. 이것은 기술을 습득하여도 그 기술을 배우는데 차질이 생기면 그것이

불가능한 이유를 신체에서 찾는 방법이다. 이것에 의해 신체가 가진 법칙성, 가사노동으로 피로해진 몸상태 등을 생각하게 한다.

멀리뛰기 학습을 예로 들어 보면 발구름선을 설정한 의의, 발구름선과 도움닫기의 관계, 발구름선과 발구름점의 차이 등에 관하여 보고서를 쓰게 하면 학생들의 생각을 읽고 신체에 대한 사고를 탐구할 수 있을 것이다. 또, 농구의 학습에서 드리블로 신체인식 및 기술인식을 향상시켜 신체적응 상태를 알 수 있게 한다. 이 과정에서 드리블을 잘 하지 못하는 이유나 잘 한 이유를 스스로의 신체상태에 맞추어서 '왜 잘 했는가', '왜 잘하지 못 했는가?' 등을 전날의 일상생활모습이나 피로도와 관련시켜 학급성원들과 의논하고 인식을 탐구하게 한다. 물론 실기장면에서는 농구기술을 가르치면서 교실에서는 신체인식을 탐구시켜야 한다.

⊙ **B유형**

이것은 기능을 습득시키는 과정에서 인식대상의 중심을 규칙이나 경기방식 등으로 하는 유형이다. 축구수업을 할 때에는 교사 자신의 성장경험이 교육관을 크게 좌우한다. 즉 초등학생이었을 때 규칙도 모르고 축구에서 어떻게 움직이면 좋은 것인지도 모른 채 했다는 매우 괴롭고 창피한 추억이 있는 교사라면 학생들에게 자신과 같은 경험을 시켜버리지는 않을까라고 걱정하면서 규칙을 잘 지키면서 축구를 능숙하게 할 수 있도록 지도하려 할 것이다. 예를 들면 학생들 스스로 골이나 코트를 정하게 하거나, 반칙을 하면 안 된다는 인식하에서 스스로 규칙을 만들게 한다. 더욱이 킥력이나 작전의 난이도에 따라 규칙을 더 잘 알게 하고, 나아가 규칙은 스스로의 행동을 규제하는 것이 아니라 어떤 목표를 위해 발전적으로 작용한다는 것을 자각하게 만들어야 한다.

이러한 규칙 지키기의 실천은 이 외에도 몇 가지가 있는데, 대부분 초등학교의 3~4학년의 수업내용에 들어 있다. 이 시기는 정신발달상 9, 10세 무렵으로, 추상적인 사고가 급속하게 발달하는 시기이다. 그 때문에 이 시기부터는 천동설이나 지동설의 개념도 이해할 수 있으며, 또 학급의 규칙도 선생님과의 관계만 성립하던 것이 학급원 상호간 또는 학급원 전체와 관련된 규칙으로 인식하게 된다. 또는 규칙에 대한 사고방식도 크게 변화하는 시기이다. 즉 규칙은 그때까지는 이미 정해져서 바꿀 수 없고 지키지 않으면 안되는 것이었지만, 점차적으로 변경가능해지고 스스로 만들 수 있으며 불합리한 경우에는 정정도 가능하다는 사고방식이 싹 트는 시기이다. 따라서 이 시기에는 규칙 만들기에 관련된 다양한 실천교육이 이루어져야 한다.

한편 중학생의 멀리뛰기 수업에서는 도움닫기선의 의의에 착안할 필요가 있다. 도움닫기의 반대편은 완전히 다른 세계이어서 얼마든지 멀리 뛰어도 되지만, 발구름 시에 1mm라도 도움닫기선을 넘어 버리면 무효로 처리된다. 이러한 경우를 실천적으로 가르치려면 학생들을 잡초가 무성하여 늪이 잘 보이지 않는 가까운 저수지로 데려가서 그곳을 건너게 한다. 너비 2m 정도의 하천이라 하더라도 잡초 때문에 늪이 잘 보이지 않아서 꽤 멀리서부터 도움닫기를 하는 학생도 있고, 잡초에 걸려서 저수지에 떨어지지 않고 간신히 건너는 학생, 저수지에 한쪽 발이 떨어진 학생도 있을 것이다. 이때 학생들은 스릴감과 함께 도움닫기선의 의미와 중요성을 인식하고 납득하게 될 것이다.

원시시대에는 사냥감을 쫓아가거나, 반대로 짐승에게 쫓길 때 생사를 걸고 계곡이나 하천을 뛰어넘는 일이 허다하였다. 이 경우 계곡이나 하천을 뛰어넘을 때 도움닫기지점이 도움닫기선의 원천이 되었다는 가설에 기초해서 이러한 교과관이 성립된 것이 아닐까?

⊙ C유형

이것은 기술습득을 중심으로 하되 인식대상은 그 종목의 기술에 한정시키는 유형이다. 초등학교의 체육과에서는 '운동기술에 관련된 과학을 가르친다'라는 개념하에서 감각적 인식에 의한 기술습득단계에서부터 이성적 판단에 의한 기술습득방법을 가르칠 필요가 있다.

현재의 체육과수업방식을 멀리뛰기를 보면 예로 들어 설명하면 다음과 같다. 멀리뛰기에서 '도움닫기, 발구름, 공중동작, 착지를 어떻게 하면 좋을까'를 위주로 한 연습방법에 따라 기술을 반복학습한다. 그러나 학생들이 예상을 하고 실험한 결과로부터 얻은 일반법칙을 토대로 연습시키는 지도방법이 모색되어야 할 것이다. 예를 들어 멀리서 뛰는 요인은 무엇인가에 대해서 먼저 아이들의 상상을 이끌어낸다. 먼저 도움닫기 시의 보폭변화에 관한 실험부터 할 수 있을 것이다. 이 실험 결과 초등학생의 반응은 '마지막 한 발의 보폭을 바로 앞 발의 보폭보다 길게 하면 더 멀리 뛸 수 있을 것 같다'였다. 일반경기자들은 '마지막 한 발의 보폭을 약간 좁게 한다'는 것이 상식이다. 이 차이는 일반경기자와 초등학생의 체력차 때문이라고 해석할 수 있지만, 학생들의 예상이나 실험 결과는 '마지막 한 발의 보폭은 짧게 하지 않으면 안된다'라는 통념을 결코 강제로 밀어붙여서는 안되는 것으로 나타났다. 한편 수업 중에는 보폭을 측정시켜 기술습득을 시키면서 가장 합리적인 요소를 발견하고, 그것을 마스터하도록 탐구해야 된다.

한편 중학교의 배구수업에서는 패스, 토스, 서브, 리시브, 스파이크 등의 요소를 한데 모아 지도하지만, 배구의 본질인 공격(스파이크)을 포함한 개인기술도 다루어야 한다. 학습방법은 여러 요소를 분리해서 연습한 다음에 한데 모으고, 네트를 설치하여 스파이크 플레이를 중심으로 하는 연습에 들어간다. 즉 본질 중심의 기초기술연습에서 시작하여 고급기술로 이행한다. 이러한 기술단계에 따른 학습에 의해 학생들은 공간적 · 시간적으로 인식하면서 실제 경기에서 '언제 어떠한 방향으로 자신이 행동하면 좋을까'라는 예측과 판단력이 형성된다.

⊙ D유형

이것은 기술을 습득시키면서도 학생들 스스로 집단형성에 인식의 초점을 두게 하는 유형이다. 교과지도의 목표는 어디까지나 기술의 과학적 인식에 두고, 그 기술인식을 기초로 해서 집단에 대한 인식을 심화시켜가야 한다. 또한 교과학습목표(기술의 과학적 인식)의 달성이 수업의 중심과제가 되어야 하며, 그것에 대해서 학습집단의 자치화 · 조직화가 행해져야 한다. 특히 체육과에서는 기술적 고양(기술적 습득)과 기술적 인식을 중심과제로 하면서도 그 과정에서 집단을 형성시키지 않으면 안된다.

이러한 기술인식과 집단인식의 발전을 '~였다'라는 스스로 학습한 결과를 나열하는 제1단계, '~해서 이렇게 되었다', '누구에 비해서 나는 ~했다'라는 비교를 통해서 기술습득 결과에 대한 원인을 감성적으로 탐구하는 제2단계, 그리고 '잘 해내려면 ~와 ~가 필요해'라고 하는 기술의 구조와 그 포인트가 정리되고, 나아가 다른 사람을 지도하거나 전달하는 제3단계(기술의 객관적 인식에 해당하는 단계)로 나누어 분석한다. 그리고 제1단계에서는 집단을 필요로 하지 않지만, 제2, 3단계에서는 자신의 기술을 비교분석할 동료=집단의 존재가 학습자의 기술인식을 깊게 하기 위해서는 불가결한 운동기술인식의 특징이라고 볼 수 있다.

이렇게 기술인식과 집단인식의 내적인 유대를 이끌어내려고 노력하는 점에서 이 유형은 A,B,C 유형과는 달리 한 단계 높은 차원에서의 실천이라고 할 수 있다.

⊙ E유형

이것은 앞에서 본 4가지 유형과 나란히 다룰 만한 유형은 아니다. 막연하게 수업을 하는 수준, 즉 적당히 기술습득을 시키며 교사가 지도하는 시점이 확실하지 않다. 그 때문에 학생들의 의식초점도 애매한 채로 수업이 진행되며 기술습득의 효율도 낮다. 당연하

지만 D유형을 가장 발전된 방법으로 본다면 이 E유형은 가장 뒤떨어진 방법이다.

이 유형의 전형적인 지도요령은 '실천보고'이다. 지도요령, 지도서, 교과서, 해설서 등의 내용에 너무 의존한 나머지 교재를 어떻게 해석하고 무엇을 목표로 할 것인지라는 '교재연구'를 제대로 하지 않으면 항상 E유형의 수업이 되어버린다. 아무리 우수한 교사라고 해도 경험주의적이 되면 역시 E 유형의 수업을 하게 된다. E유형은 즐거운 수업이 아니다.

타교과로부터 '체육은 놀이만 시킬 뿐 아무것도 지도하지 않는다'고 비판을 받는 것도 이 E유형 때문이다.

③ 체육과수업의 근거

앞에서 체육과수업은 기술습득(기능습득)을 중심으로 하지만 인식대상은 각각 다르다는 것을 알았다. 그리고 A, B, C, D 유형의 수업에서 어떤 하나만을 지적하여 체육과수업이라고 인정할 수는 없다. 왜냐하면 A, B, C, D 유형은 각각 체육과수업양식의 하나를 이루면서 전체를 이루는 체육과수업의 실재모습일 뿐만 아니라 체육과수업은 하나의 형태로만 이루어지는 것이 아니기 때문이다.

"체육과란 무엇을 가르치는가?"라는 물음에 대하여는 다음과 같이 답을 할 수 있다. 즉 "체육과수업에서 가르치는 것은 기술습득을 중심으로 하면서도 인식대상으로서는 신체, 기술, 규칙, 그리고 집단이다."

한편 실천연구로부터 학생들이 느끼는 '좋은 체육과수업 모습'으로는 다음의 4가지가 지적되고 있다.

» 열심히 운동시킨 수업
» 기술과 힘을 늘린 수업
» 친구와 사이좋게 학습시킨 수업
» 무엇인가를 새롭게 발견시킨 수업

체육과 유사한 개념

사회체육 1

1) 사회체육의 개념

(1) 사회체육의 의의

오늘날의 사회체육 운동은 모든 국민이 그들의 여가시간을 활용하여 자발적으로 즐겁게 참여하는 여러 형태의 신체활동을 통하여 개인이 건강하고 행복한 삶을 영위토록 하며, 복지국가 건설에 바탕을 이루는 사회적 활동이라 하겠다.

현대사회에서 사회체육이 지니는 의의는 크게 개인적 측면과 사회적 측면에서 접근할 수 있다.

① 개인적 측면

사회체육은 인간의 전생애를 통한 바람직한 삶을 영위할 수 있는 신체활동을 보장한다. 인간의 성장과 발달, 건강과 체력증진, 자기실현과 행복추구는 평생을 통하여 추구되고 성취되기를 원하는 것이다. 따라서 사회체육은 참여자로 하여금 건강한 신체를 소유하고, 삶을 즐길 수 있으며, 인간생활에 계속적인 의미를 부여함으로써 삶의 질을 제고시키는 중요한 사회활동의 하나로 간주되고 있다.

한편 사회체육은 세대 간의 격차를 줄일 뿐만 아니라 동일세대 안에서의 간격을 좁혀주는 역할을 담당한다. 사회체육은 체육 및 스포츠라는 한계적 범위 내에서의 상호 신체적 접촉을 강조하기 때문에 서로 다른 가치관과 의식을 지니고 있는 개인과 세대를 가장 효과적으로 연결하여주는 사회적 연결망이 되기도 한다. 또한 격렬한 신체접촉, 경기규칙의 준수, 상대방의 존중 등을 통하여 대인관계의 지식과 방법을 배우게 한다.

② 사회적 측면

사회체육은 광의의 사회현상 속에서 고려될 수 있기 때문에 현대사회의 복합성에 따라 그 관점도 여러 가지로 나타날 수 있으나, 크게 두 가지 측면에서 살펴볼 수 있다.

» 사회체육은 사회의 모든 계층에게 신체활동을 충분히 즐길 수 있는 기회를 부여함으로써 사회적 불평등을 해소하는 데 기여할 뿐 아니라, 서로 다른 계층 간의 상호작용을 증진시킴으로써 사회적 갈등의 해소에 도움이 된다.

» 학교체육 및 전문체육 중심에서 대중 중심의 체육으로 이행되고 있는 체육의 추세에 부응함으로써 체육의 평등화에 이바지한다.

이외에도 사회체육은 근래에 커다란 사회문제로 대두되고 있는 청소년문제를 해결하는 효과적인 수단이 될 수 있다. 즉 스포츠활동을 통하여 사회적 고립감의 해소, 공동체의식 함양, 여가선용 등을 경험할 수 있게 한다. 또 지역사회 단위의 체육은 사회통합기능을 제공하여 국민적 일체감을 조성할 수 있다.

(2) 사회체육의 유사개념

① 생활체육과 국민체육

사회체육이라는 용어가 우리나라 체육 관련 기관에서 공식화된 것은 지난 1961년 대

한체육회 내 여성체육진흥분과와 사회체육분과가 각각 산하분과로 설립되면서부터인데, 지금껏 그에 대한 개념정의라든가 대상의 구분없이 그대로 이어 오고 있을 뿐이다. 원래 사회체육이라는 용어는 일본이 1948년에 사회교육법을 제정하면서 사용하기 시작한 것이다.

교육을 가정교육, 학교교육, 사회교육으로 구분하는 것과 같은 차원에서 체육을 구분할 경우 가정체육, 학교체육, 사회체육이라는 용어가 사용될 수 있는데, 이때의 사회체육은 사회교육적 기능이 크게 강조된 것이다. 즉 청소년교육 등 스포츠를 통한 교육이 중요시될 때 사회체육이라는 용어가 적절하다는 것이다.

그러나 미국 등 선진국처럼 사회체육이 생활을 위한 스포츠이고, 즐거움을 얻기 위한 레크리에이션적 의미가 강조될 때 생활체육이라고 하는 것이 가장 바람직하다. 정부에서는 편의상 생활체육이라는 용어를 사용하는데, 이는 사회체육이 평생체육으로 생활화되어야 한다는 것을 강조하고 있는 것으로 풀이된다.

한편 국민체육은 군국주의나 전체주의 국가에서 스포츠를 국민통합을 위한 하나의 수단으로 사용할 경우에 쓰여지는 용어로 풀이될 수 있다. 이것은 체육 매스게임과 같은 집체적인 스포츠활동을 의미하는 것으로, 우리에게는 적합하지 않는 용어라는 것이 학자들의 견해이다.

② 평생체육

평생체육이란 개인적으로는 전 생애에 걸쳐 참여하는 스포츠를 의미한다. 또, 사회적으로는 사람들이 일생 동안의 각 시기 또는 생활의 각 분야에서 필요할 때 행할 수 있는 다양한 스포츠 프로그램의 제공과 이론을 위한 문화적 환경정비를 의미한다.

이러한 생각은 특히 유럽과 미국을 중심으로 전개되고 있으며, 이들 나라에서는 최근 평생을 통해 행해지는 스포츠를 학교교육에서 적극적으로 활용하는 경향을 보여주고 있다. 또한 교육적 관점에서는 스포츠의 즐거움을 경험시키고 스포츠 애호심을 길러, 그것이 기반이 되어 자기 인생의 각 단계에 상응하여 여러 가지 스포츠를 즐길 수 있는 생활태도를 중시하는 경향이다. 유아기, 아동기, 학생기, 청년기, 성년기, 장년기, 노년기 등 인생의 각 단계에 상응한 발달과제와 스포츠의 적시성에 기초를 둔 평생스포츠를 중시한다. 우리나라는 체육이 주로 학교체육과 사회체육의 두 분야에서 실시되어 왔으나, 생활수준의 향상과 여가시간의 증가에 따라 일생을 통한 평생체육의 필요성이 더욱 요구되고 있다.

③ 학교체육

학교체육이란 사회체육에 대비되는 개념이다. 사회체육이 일정한 조직과 시설을 중심으로 하여 주로 근로청소년 또는 성인에 의하여 이루어지는 체육활동이다. 이에 반하여 학교체육이란 한 국가의 사회에서 합의한 체육교과과정을 내용으로 하여 주로 학교시설을 이용해서 자격있는 교사가 초 · 중 · 고교 학생들을 대상으로 실시하는 의도적 · 계획적 · 합리적인 체육활동을 의미한다. 학교체육은 신체적 발달 및 체력증진을 도모하고 심리적 · 정서적 · 사회적 발달과 함께 지식과 기능, 도덕적 규범이나 가치체계를 함양시키는 교과과정의 하나이다.

최근에는 정규체육활동 외에 특별활동, 특기 · 적성활동 등 다양한 체육활동 프로그램을 학교시설뿐만 아니라 사회체육시설도 적극 활용하여 많은 청소년들에게 사회체육활동의 경험을 제공하여주고 있다.

④ 놀 이

놀이(play)는 갈증을 의미하는 라틴어 플라가(plaga)와 독일어 스피엘(spiel)에서 유래된 말로, 인간의 본능적이며 무조건적인 요구를 반영하는 행동을 뜻한다.

놀이는 막연한 휴식이 아니라 일정한 육체적 · 정신적인 활동을 전체로 하며, 정서적 공감력과 정신적 만족감을 바탕으로 이루어지는 활동으로 인간적인 삶의 재미를 적극적으로 추구하고 즐기고자 하는 의지적인 활동이다. 그러므로 놀이는 재미있어야 하고, 모든 제약으로부터 해방시켜주는 자유스러움과 자발적인 참여가 보장되어야 한다. 다시 말해서 놀이란 현실세계와는 다른 일정한 시간과 공간을 설정하여 최소한의 규칙성을 가지고 행위자체 외에는 어떠한 목적도 갖지 아니하고 즐거움과 흥겨움을 동반하는 자신의 내적 욕구를 만족시키기 위한 자발적이며 가장 자유롭고 해방된 인간활동이다.

⑤ 게 임

게임은 독일어 가만(Gaman)에서 유래된 말로 '기쁨'을 의미한다. 게임은 정신적 노동 · 정신적 건강 · 일상적 책임 등에서 벗어나 휴식을 취하는 활동이다. 놀이가 보다 본능적이며 자유스럽고 아동적인 여가활동이라면, 게임은 보다 고도의 구조적 · 조직적 · 규칙적 여가활동으로서 경쟁적 갈등상황(competitive conflict situation)까지도 내포하고 있다.

게임이 스포츠와 다른 점은 다음과 같다. 스포츠는 신체활동과 연관되는 반면, 게임은

신체활동을 수반하지 않는다는 것이다. 게임은 허구적이고, 비생산적이며, 비현실적이고, 그 결과를 예측할 수 없다. 또한 게임은 규칙에 의해 통제되며, 결과는 신체기능, 확률, 전술적 사고능력 등에 의해서 결정되는 경쟁적인 인간활동이라고 할 수 있다.

⑥ 스포츠

스포츠는 필수적으로 신체운동의 요소를 기초로 하며, 조직성을 내포한 경쟁적 활동이고, 여러 가지 스포츠종목은 사회체육을 위한 필수적 요소이다. 따라서 스포츠는 국민 모두의 사회체육활동 프로그램 중에서 가장 큰 비중을 차지함과 동시에 사회체육의 목적을 달성하기 위한 가장 구체적인 수단이다.

스포츠란 허구적이고 비생산적이며 현실생활과는 분리된 세계에서 그 결과를 예측할 수 없고 규칙에 의해서 통제되며 전술과 결합된 신체기능과 기량에 의해서 결과가 결정되는 경쟁적인 신체활동이라고 정의할 수 있다.

⑦ 체 육

체육(physical education)은 인간의 신체활동이 지닌 잠재능력과 가치를 충분히 발휘할 수 있게 하고, 그 신체활동을 수정 · 정리하여 완성된 인간을 형성해가는 교육이다. 다시 말하면 신체적 · 정신적 · 사회적으로 미완성된 인간을 완성된 인간으로 형성하기 위한 신체활동을 말한다. 그러므로 체육 즉, 신체활동은 전인 형성 내지 달성을 목적으로 하는 수단이라고 할 수 있다.

⑧ 여 가

여가는 일에서 벗어난 단순한 자유시간이 아니라 참여자의 자발적인 선택의지, 활용하는 방법 등 구체적인 기능까지를 포함하는 적극적인 활동개념으로 파악해야 한다. 이런 의미에서 "여가란 생존을 위한 노동으로부터 벗어난 자유시간으로서, 참가자로 하여금 일상생활의 스트레스를 해소하고 유쾌하고 즐거운 마음으로 자신의 발전을 위해 행해지는 자발적 행동이다."

여가는 인간의 생활 중에서 노동 · 수면 이외의 가장 광범위한 활동이다. 여가를 노동, 레크리에이션, 스포츠 등의 유사개념과 관련시켜 보면 육체와 정신, 회복과 발전이라는 측면에서 볼 때, 여가는 그의 영역에서 레크리에이션 · 관광 · 스포츠를 내포하고 있으며, 발전보다는 회복적인 측면이 강조되면서 정신과 육체 어느 쪽에도 치우치지 않는 활동이

라고 할 수 있다.

⑨ 레크리에이션

레크리에이션이란 자유시간, 곧 레저에 개인적 또는 집단적으로 강제됨이 없이 그 일 자체에 직접적인 의미가 부여되는 자유롭고 즐거운 활동을 총칭한다.

레크리에이션에는 두 가지 뜻이 있는데, 하나는 리-크리에이션(re-creation)이고, 다른 하나는 레크리에이션(recreation)이다. 전자는 '개조 · 재창조 · 새롭게 만든다'는 뜻이며, 후자는 '오락 · 위안 · 취미 · 기분전환 · 유희 · 휴양 등'의 뜻을 가지고 있다. 그러나 참다운 레크리에이션은 레크리에이션을 통해 리크리에이션이 되어야 한다.

이같은 레크리에이션은 지적 · 사회적 · 예능적 · 신체적 · 취미적 · 관광적 레크리에이션으로 구분할 수 있는데, 우리가 말하는 스포츠 곧 사회체육은 신체적 레크리에이션의 한 영역이 될 수 있다. 이러한 레크리에이션이 자유시간에 영위되어 순수한 즐거움을 얻기 위한 가치창조적인 자발적 활동이란 점에서 사회체육과 공통성을 갖고 있다.

2) 현대사회의 특징과 사회체육의 필요성

(1) 현대사회의 특징

근대 유럽에서 시작된 과학기술은 공업화 · 정보화 · 대중화로 특징지워지는 산업사회를 형성하였으며, 최근에는 탈산업화 · 탈공업화 · 탈대중화로 설명되는 후기산업사회에 들어서 있다. 후기산업사회의 특징은 정보가 중시되어 '탈산업화'단계로 들어가는 사회이며, 그 특징은 다음과 같다.

» 혁신을 요구하는 격변상황에 적응하는 문제점으로 인해 관료주의가 약화된다.
» 개인의 선택을 존중하고 자기 발전을 위한 기회나 자유를 추구하는 경향이 증대함으로써 대중화현상이 약화된다.
» 새로운 매체의 발명과 확산으로 인해 정보의 보유와 활용이 중시된다.
» 새로운 기술혁신에 적응할 수 있는 고도의 사고능력과 전문성을 갖춘 인력이 요구된다.
» 자본보다는 노하우가 중시되며, 과거지향적이 아닌 미래지향적 사회이다.

한편 과학기술의 발달은 인류에게 물질적 풍요와 생활의 편리를 줌으로써 자기만족과 자아실현의 기회를 증대시킬 수 있도록 해주었다. 반면 사회구조, 인간관계, 가치관 등의 변화도 수반되어 점점 탈공동체적 개인주의가 확산되고 있다.

이러한 긍정적인 면 이외에 쉽게 알 수 있는 부정적인 면들은 에너지고갈, 인구팽창, 환경오염, 대량 살상무기의 발달로 인한 전쟁의 위협, 기술지배로 인한 인간의 소외문제 등을 들 수 있다. 최근의 인간복제에 대한 논란 역시 고도로 발달한 과학기술이 가져온 문제로서, 인간복제의 득실을 떠나 급속하게 발전하는 과학수준을 따라가지 못하는 대다수의 사람들에게는 쉽게 받아들일 수 없는 문제이다.

(2) 사회체육의 필요성

현대사회에서 사회체육의 필요성이 크게 강조되고 있는 이유는 사회체육이 건강과 활력을 되찾아주고 생활에 여유와 밝은 정신을 갖게 하기 때문이다. 이것은 인간생활을 풍부하게 하는 귀중한 문화활동의 일환으로, 고유한 사회적 가치인식과 그와 같은 운동을 성립케 하는 사회적 조건의 변화라는 것이다.

이와 같은 사회체육의 필요성이 강조되고 있는 변화와 요구에 대한 여러 조건 중에서 중요한 내용은 다음과 같다.

① 건강과 체력증진에 대한 요구증대

현대 산업사회는 인간의 정신과 육체 양면에서 문제를 야기시키고, 나아가 운동부족에 의한 건강약화, 체력저하 등의 현상이 많은 사람들에게 나타나고 있다. 이와 같은 허약으로부터 벗어나기 위하여 건강과 체력증진에 대한 요구가 증대되고 있다.

② 여가시간의 증대와 대중스포츠 인구의 증가

오늘날 산업의 기계화 · 자동화에 의한 근무시간의 단축, 정년의 조기화로 활동시간의 증가, 경제적 윤택으로 생업투여시간 감소 등으로 여가시간이 증가되었다.

과거의 스포츠인구는 남성 그중에서도 학생이나 부유층 중심이었으나, 오늘날에는 여성 · 노동자 · 농어민 · 신체장애인 등에게까지 참여의 범위가 확대되었다. 이러한 현상은 여가시간 및 여가를 즐기는 사람의 수가 동시에 증가함으로써 스포츠가 일상생활에 확산되어가고 있음을 말해주고 있다.

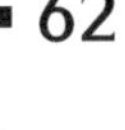

③ 국민의 체육에 대한 가치관과 태도의 변화

현대인들은 외면적 보상 때문에 스포츠활동에 참여하는 것이 아니라 내면적 만족을 추구하기 위하여 체육관 형성과 운동참여를 습관화 · 생활화함으로써 긍정적인 방향으로 태도개선이 이루어지고 있다.

④ 야외활동에 대한 요구증대

현대사회의 도시화와 인구집중은 환경오염을 심화시키고 신체활동 공간을 제한시킴으로써 다양한 야외활동에 참여하고자 하는 요구가 증대되고 있다.

현대사회에서 어쩔 수없이 파괴되어 가고 있는 인간성을 회복하고 신체적 · 정신적으로 건강한 전인적 인간완성을 지향하는 수단으로써 사회체육진흥이 절실히 요구된다고 할 수 있다. 더구나 우리나라와 같이 급격한 사회변동을 통해 전통사회에서 중간단계를 거치지 않고 현대사회로 넘어옴으로써 스포츠활동이 일반화 내지 사회화되지 못한 나라에서는 사회체육의 필요성이 더욱 절실하다.

3) 사회체육의 역할

(1) 인간성회복

사회체육 활동을 통하여 자연상태에서 일탈된 인간성을 되찾을 수 있다. 다시 말해서 인간성회복을 꾀할 수 있을 것이다. 그 이유는 바로 스포츠활동에는 유연성 · 명랑성 · 친교성 · 창조성 · 공동성 · 사회성 · 도덕성 등이 그대로 발휘되는 건강하고 유쾌한 명랑사회 즉 복지사회의 건강한 민주시민을 기르는 역할이 내재되어 있기 때문이다. 따라서 사회체육의 본질적 역할은 파괴되어가는 인간성을 회복하고, 이를 통하여 전인적 인간완성을 지향하는 데 있다.

(2) 평생교육

평생에 걸친 여가활동의 하나인 운동 · 스포츠생활의 교육이 체육의 중요한 목표가 된다. 따라서 최근 평생교육론과 관련하여 논의되고 있는 평생스포츠론은 시대적 요청으로

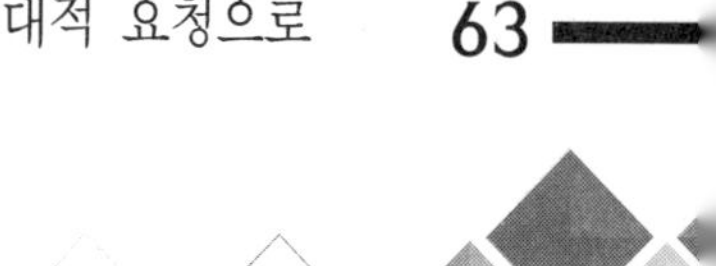

볼 수 있다. 앞으로 사회체육이 평생교육의 역할을 다하려면 성별 · 연령별 특성, 지역 · 직업별 특성 등을 고려한 합리적인 운동프로그램이 개발되어야 할 것이다.

(3) 국민 건강증진

우리나라의 2014년에 1인당 GDP는 28,738달러에 달하면서 국민의 생활패턴에 큰 변화를 가져왔다. 따라서 높아진 소득수준에 맞는 국민 건강증진이라는 차원에서 사회체육의 역할기능은 매우 중요하다.

(4) 지역사회개발

현대사회의 특징인 사회기구의 거대화 · 합리화로 인해서 인간관계가 비인격화되고, 개인이 비개인화되어 점점 상호간의 친밀성이나 연대의식이 결핍되어 고독하고 불안한 정서적 불균형을 느끼게 된다. 이와 같은 생활환경을 탈피하기 위해서는 지역사회체육이 필요하다.

(5) 청소년선도

오늘날 가정의 교육기능 약화, 학교교육의 권위 저하, 사회의 비교육적 요인의 증대 등으로 청소년문제는 가정의 범위에서 벗어나 사회적 · 국가적 문제로 대두되고 있다. 그러므로 건전한 청소년육성을 위한 교육은 전인적인 활동에 의해서 가능하다고 볼 때 건전한 스포츠활동의 여건조성을 통한 청소년비행의 예방 및 선도는 사회체육이 담당해야 할 하나의 중요한 기능이라 할 수 있다.

(6) 여가선용

여가는 일로부터 야기되는 육체적 피로와 정신적 스트레스를 해결하고 지친 몸과 마음을 재충전시키기 위한 기회가 된다. 현대사회에서 여가란 결코 남아 돌아가는 잉여시간이 아니라 행복하고 바람직하며 인간답게 살기 위해 추구되는 일보다 중요하고 가치 있는 '실천하는 여가'가 필요하다.

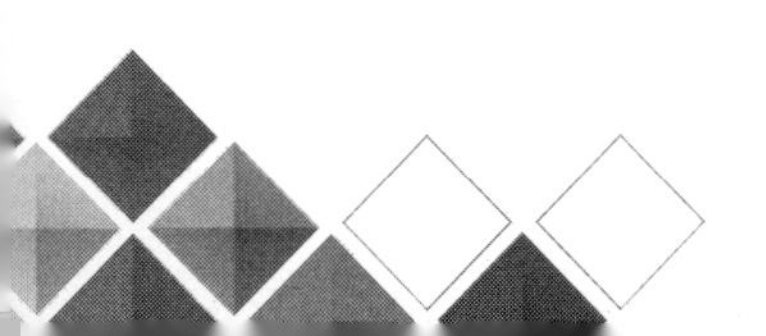

신체적 여가활동인 체육관과 운동장을 찾아가서 스포츠활동에 직접 참여하기, 경기장의 관람석에서 신나게 응원하기, 가까운 공원이나 산을 찾아 캠핑 또는 하이킹을 즐기기 등이 여가를 바람직하게 보내기 위한 사회체육 활동이 된다.

레저스포츠 2

1) 레저스포츠의 개념

레저스포츠라는 말이 오늘날처럼 우리들의 일상생활에서 애용되기 시작한 것은 그리 오래 되지 않았다. 레저스포츠라는 용어는 사회체육, 생활체육, 생활스포츠 등과 비슷한 개념으로 사용되고 있다.

레저스포츠라는 용어는 leisure + sports의 합성어로서 글자 그대로 해석하면 '여가시간을 활용하여 즐길 수 있는 스포츠'이다. 우리나라에서는 간혹 레저스포츠를 줄여서 레포츠(leports)라는 용어를 사용하는데, 이것은 우리나라에서만 통용되고 있는 용어로서 국제화된 말은 아니다.

레저스포츠의 개념을 설정하려면 먼저 레저의 개념과 스포츠의 개념을 레저스포츠의 개념 속에 모두 포함시켜야 한다. 따라서 레저스포츠의 개념 속에는 다음과 같은 내용들을 모두 포함시킬 필요가 있다.

» 여가시간에 행하여지는 여가활동으로서의 스포츠
» 생계유지 목적이 아닌 순수한 스포츠활동
» 의무적이거나 강제적인 성격이 포함되지 않은 스포츠활동
» 자발적이고 흥미로운 스포츠활동
» 건강을 유지 · 증진하고 기분전환을 할 수 있는 스포츠활동
» 자기계발을 위한 여가시간의 스포츠활동

이와 같이 레저스포츠는 여가시간에 이루어지는 순수한 여가활동을 위한 스포츠이다.

이 때문에 아마추어선수나 프로선수와 같은 엘리트스포츠 선수들은 의무적 또는 직업적으로 스포츠활동을 하기 때문에 그들의 행위는 당연히 레저스포츠의 범주에 포함되지 않는다. 그러나 선수들의 경기모습을 관람하는 관중의 입장에서 보면 여가시간의 일부로 볼 수 있기 때문에 비록 간접적인 참여방법이지만 레저스포츠의 참여로 볼 수 있다.

이러한 내용들을 모두 포함시킨 상태에서 레저스포츠의 개념을 한마디로 정의하기에는 어려움이 따른다. 따라서 레저스포츠의 개념을 협의와 광의로 나누어 정의할 필요가 있다.

(1) 협의의 레저스포츠

스포츠의 개념을 협의로 볼 때 경쟁성과 규칙성을 강조하였듯이 레저스포츠도 같은 맥락으로 해석하여야 할 것이다. 따라서 협의의 레저스포츠는 '여가시간을 이용하여 생계수단이 아닌 자발적인 스포츠 참여방법으로서, 제정된 규칙과 방법에 의하여 실시되고 있는 스포츠'로 정의할 수 있다.

(2) 광의의 레저스포츠

스포츠의 개념을 광의로 보면 경쟁적인 스포츠활동뿐만 아니라 여가시간에 자발적으로 행할 수 있는 야외활동, 예술활동, 건강운동 등 'sport for all'의 범주에 속하는 종목들을 모두 포함시키는 것으로 볼 수 있다(한왕택, 1996).

역사를 통하여 보아도 많은 사람들이 스포츠를 대중오락 형태로 이용하여 왔다. 특히 경제성장에 따른 복지추구형 사회는 건강 및 체력향상을 위한 스포츠, 기분전환 · 자기계발에 관련된 여가를 위한 스포츠 등을 선호하게 된다.

따라서 광의의 레저스포츠는 "여가시간을 이용하여 기분전환과 자신의 건강증진 및 자기계발을 위하여 자발적인 의사에 의하여 행하여지고 있는 스포츠활동, 야외활동, 예술활동, 각종 건강활동 등을 총칭한다."라고 정의할 수 있다.

(3) 사회체육과 레저스포츠의 개념

우리나라에서는 사회체육과 레저스포츠를 비슷한 개념으로 사용하고 있지만, 구분하여 보면 표 2-1과 같은 차이점을 발견할 수 있다. 즉 사회체육은 우리들의 일상생활과 함께

표 2-1 | 사회체육과 레저스포츠의 구분

구 분	사회체육	레저스포츠
참여목적	목적지향성이 강함	자유재량성이 강함
이용방법	일상생활과 함께	한가한 여가시간을 이용
이용거리	주거지와 가까운 곳	주거지와 먼 곳
이용시간	활동시간이 적음	활동시간이 많음
이용시설	기존의 시설	자연을 활용한 시설
참여종목	기존의 종목	새로운 종목
참여비용	저비용	고비용

할 수 있는 스포츠활동으로서, 일반적으로 우리들의 생활주변에서 행하여지고 있다. 가장 조직적인 사회체육 단체로는 조기축구회, 조기배드민턴회 등과 같은 각종 운동클럽을 들 수 있다.

여기에 비하여 레저스포츠는 여가활동 중에 실행하는 스포츠활동이다. 일반적으로 레저스포츠는 주말이나 휴일 등 일상생활권을 벗어나서 실행하는 경우가 많다. 가장 조직적인 단체로는 낚시동우회, 등산동우회, 골프동우회 등과 같은 스포츠동우회가 있다.

한편 사회체육은 자신의 건강, 특정한 스포츠종목의 기량향상 등과 같은 어떤 목적을 위해서는 생활필수시간을 줄여서라도 참여할 수 있는 목적지향성이 강한 스포츠활동인 반면, 레저스포츠는 그런 의무적인 목적이 배재된 자유재량적인 여가시간을 이용하여 신체활동 그 자체를 즐기는 순수한 스포츠활동으로 볼 수 있다. 레저스포츠는 신체활동 그 자체를 즐기는 스포츠로서 운동 그 자체의 즐거움에 중점을 둔다. 나아가 이를 통하여 건전하고 적극적인 여가시간을 보내게 되면 몸과 마음이 건강해 질 뿐만 아니라 삶의 질을 한층 더 높일 수 있다.

따라서 레저스포츠는 사회체육에 비하여 참가비용이 많이 들며, 자연친화적인 스포츠활동인 경우가 많다.

(4) 레저스포츠의 특징

현대생활에서 행하여지고 있는 레저스포츠의 특징은 다음과 같다.

첫째, 자연을 활용하는 경우가 많다. 그 이유는 자연을 벗삼아 자연에의 동화를 추구하는 과정에서 신체적 · 정신적으로 건강을 추구할 수 있을 뿐만 아니라, 자연으로 되돌아가고 싶은 인간의 본능적인 욕구를 조금이나마 만끽할 수 있기 때문이다. 특히 복잡하고 삭막한 도시에서 생활하는 현대인들에게는 자연에의 친화가 절실히 요구되고 있으며, 하루가 달리 급변하는 정보화의 홍수 속에서 레저스포츠는 스트레스를 해소할 수 있는 유익한 방법 중의 하나가 될 수 있다. 따라서 산, 바다, 강, 호수, 항공 등 자연과 함께할 수 있는 레저스포츠활동은 앞으로도 더 많은 사람들의 관심을 끌게 될 것이다.

둘째, 모험이나 극기를 즐기는 레저스포츠가 각광받고 있다. 현대생활은 자동화 · 기계화 등으로 인하여 육체노동보다는 정신노동에 시달리고 있으며, 단순작업의 반복으로 인하여 매일 똑같은 생활이 중복되고 있다. 이러한 생활의 반대급부적인 현상으로 자기 자신을 시험하기 위하여 극기훈련에 참여하기도 하며, 배낭을 메고 목적지도 없이 고행의 여행을 떠나기도 한다. 또한 모험적인 스포츠활동인 빙벽타기나 암벽타기에 만족하지 않고 인공적으로 암벽을 만들어 스포츠활동으로 즐기는 현상까지 나타나고 있다.

셋째, 레저스포츠를 즐기는 계절적인 구분이 줄어들고 있다. 과학기술의 발달로 인하여 잔디스키나 실내스키, 윈드크루저 등 신종 레저스포츠 종목의 등장으로 인하여 특정 계절에만 즐기던 레저스포츠의 활동범위가 점차 넓어지고 있다.

2) 현대사회의 특징과 레저스포츠

현대사회는 여가시간의 증대, 도시의 인구집중, 인구의 고령화 등으로 레저활동을 필요로 하고 있다. 또한 과학문명의 발달로 인한 경제성장, 교통기관의 발달, 매체산업의 발달 등은 레저스포츠에 참여할 수 있는 여건을 제공하여주고 있다. 이와 같이 현대사회의 특징은 레저 및 스포츠와 상당히 밀접한 관계에 놓여 있음을 알 수 있다.

(1) 경제성장과 레저스포츠

스포츠와 경제는 불가분의 관계에 놓여 있다. 경제적인 문제는 엘리트스포츠뿐만 아니라 레저스포츠에도 직접적인 영향을 미치고 있다. 즉 가정적 · 경제적인 어려움 앞에서는

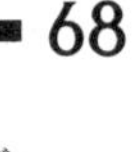

레저스포츠에 참여할 수 있는 마음의 여유조차 없는 것은 당연하다. 왜냐하면 레저스포츠에 참여하기 위해서는 최소한의 돈과 시간적인 여유는 있어야 하기 때문이다.

(2) 여가시간의 증대와 레저스포츠

농경사회에서는 일과 여가시간이 뚜렷하게 구별되지 않았을 뿐만 아니라, 일반서민들에게는 여가시간을 즐길 수 있는 기본적인 여건마저 전혀 조성되지 않고 있었다.

그러나 산업사회는 노동시간과 여가시간이 명백하게 구분되어 누구나 많은 여가시간을 향유하고 있을 뿐만 아니라 기계문명의 발달 등은 일반대중들에게도 스포츠의 필요성을 더욱 절실히 느끼게 하는 하나의 동기가 되었다. 앞으로는 여가시간이 우리들에게 더 많이 주어질 것으로 예상되므로 레저스포츠의 참여기회도 역시 더욱 많아질 것이다.

늘어나는 여가시간을 건전하고 보람되게 보낼 수 있다면 우리들의 삶이 윤택하여지겠지만, 잘못하면 향락주의적이거나 퇴폐적인 사회분위기가 조성될 수도 있다. 많은 여가활동 중에서 스포츠 참여가 가장 적극적인 여가참여의 방법 중의 하나이며, 또한 자기계발의 수단이 될 수도 있다.

(3) 도시의 인구집중현상과 레저스포츠

도시의 급격한 인구집중현상에 대응하기 위해서는 주택, 상하수도, 도로, 쓰레기처리 등 생활환경시설의 정비와 더불어 문화 · 교양과 스포츠 · 레크리에이션시설 등 시민이 문화적 생활을 즐길 수 있는 제반시설의 정비가 필수적이다. 인간의 본능적 욕구에는 자기표현의 욕구, 사회참여의 욕구, 종족보존의 욕구, 자연에 대한 회귀욕구 등이 있다. 그 중에서도 "인간은 자연에서 태어나 자연으로 돌아간다."는 유명한 격언도 있듯이 자연에 대한 동경심은 인간의 본능으로 볼 수 있다.

(4) 인구의 고령화와 레저스포츠

미래에 각광받을 사업은 노인들을 위한 실버산업이 될 것이다. 또한 노인들도 건강을 유지하기 위해서는 여가시간을 소극적으로 보내기보다는 적극적인 여가활동의 참여가 더욱 효과적이라는 것을 이제는 많은 사람들이 인식하고 있다.

(5) 과학기술의 발달과 레저스포츠

과학기술의 발달은 우리들에게 편리함을 주고 있지만 반대급부적인 사회병리현상도 초래하고 있다. 기계의 자동화로 인하여 육체노동이 감소한 반면, 정신노동과 업무의 단순화로 인하여 인간이 기계의 고용인이 되어 고독감, 소외감, 창의성상실, 인간소외 등의 현상을 초래하고 있다.

레저스포츠의 참여는 이렇게 소외된 인간들에게 기계보다는 사람들과 함께할 수 있는 기회를 제공하여 줌으로써 대중들에게 더욱 사랑받고 있다. 왜냐하면 레저스포츠는 혼자서 참여하는 것보다 가족이나 친구 또는 이웃에 있는 동료들과 함께 참여하는 것이 훨씬 보람있고 즐거움을 주기 때문이다.

한편 발달된 과학기술은 최첨단 스포츠장비를 개발하여 계절에 따른 특정종목의 스포츠 참여한계를 극복해주고 있다. 즉 겨울철에만 즐길 수 있는 스키를 여름에 잔디 위에서도 즐길 수 있게 되었다(잔디스키). 또한 얼음 위에서도 즐길 수 있는 윈드서핑(윈드크루저 ; 윈드서핑의 동호인들이 겨울철에 윈드서핑을 즐길 수 없는 것이 안타까워 고안해 낸 것이다. 윈드서핑과 스케이트보드를 접목시킨 신종 레저스포츠로, 4개의 바퀴가 달린 데크에 윈드서핑세일을 달아 땅위에서 바람의 힘을 이용해 즐기는 레저스포츠이다), 스포츠 클라이밍(sports climbing) 등 많은 신종 레저스포츠종목들의 개발이 이어지고 있다.

(6) 교통기관의 발달과 레저스포츠

교통기관의 발달은 단순히 산업경제분야뿐만 아니라 국민의 레저생활에도 커다란 변화를 가져왔다. 최근 여행객수의 증가는 국민소득의 향상 · 여가시간의 증가 등의 이유도 있겠지만, 교통수단의 증가에 그 원인이 크다고 보아야 할 것이다.

자동차를 소유하고 있는 가정이 증가함에 따라 여가시간을 이용하여 관광이나 고급스포츠를 즐기는 인구도 급증하고 있는데, 이것을 보면 여가를 향유하는 양식도 변화하고 있음을 알 수 있다. 골프, 스키, 사냥, 낚시 등과 같이 장비의 이동을 필요로 하는 레저스포츠종목은 자동차가 없으면 불편하기 때문에 1회성 참가로 끝날 것이다.

(7) 매체산업의 발달과 레저스포츠

현대사회에서는 지구촌 곳곳에서 벌어지고 있는 스포츠경기를 안방에서 해설과 더불어 자세히 시청할 수 있다. 이렇듯 매체산업의 발달은 관람스포츠문화를 정착시키고 스포츠에 대한 관심과 수준을 한층 높여주고 있다.

특히 스포츠 전문 일간지나 각종 스포츠잡지뿐만 아니라 인터넷이나 PC통신을 통하여 선수들의 기록이나 사생활까지도 언제든지 엿볼 수 있게 되어, 스포츠는 이제 우리들에게 일상생활의 일부분으로 자리매김하고 있다. 이와 같은 인기와 관심에 편승하여 기업에서는 유명선수와 인기스포츠팀을 대상으로 스포츠마케팅을 실시하여 기업홍보에 많은 효과를 얻어내고 있다.

이와 같이 매체산업의 발달은 국민들에게 스포츠에 대한 관심과 수준을 한 단계 높여줌으로써 스포츠참여의 기회도 확산시키고 있을 뿐만 아니라 스포츠발전에도 많은 공헌을 하고 있다.

3) 레저스포츠의 분류

(1) 참여형태별 분류

오늘날 실시되고 있는 스포츠의 특징 중 하나는 고도화와 대중화를 들 수 있다. 이 현상에 의하여 스포츠를 행하는 사람과 스포츠를 보는 사람으로 구분할 수 있다. 경제발전, 여가시간의 증대, 교통기관의 발달, 스포츠장비의 개발 등으로 인하여 스포츠에 직접 참여하는 사람들도 증가한 반면, 프로스포츠의 출범과 매체산업의 발달로 인하여 유명한 선수들의 경기장면을 관람하며 여가를 즐기는 사람들도 많이 늘어나고 있다.

레저스포츠 참여를 형태별로 분류하면 그림 2-1과 같다. 즉 1차적 참여는 레저스포츠 활동에 직접 참여하는 것이며, 2차적 참여는 관람을 통하여 간접적으로 참여하는 방법이다. 그리고 관람을 통한 2차적 참여는 스포츠경기장에서 직접 관람하는 1차적 관람과, TV나 각종 매스컴을 2차적 관람으로 나눌 수 있다.

레저스포츠 참여형태 — 1차적 참여(스포츠활동에 직접 참여)
레저스포츠 참여형태 — 2차적 참여(관람) — 1차적 관람(경기장에서 직접 관람)
레저스포츠 참여형태 — 2차적 참여(관람) — 2차적 관람(TV나 매스컴을 통한 간접 관람)

그림 2-1 레저스포츠 참여형태

(2) 참여종목별 분류

레저스포츠는 참여하는 계절에 따라 봄 · 가을 레저스포츠, 여름 레저스포츠, 겨울 레저스포츠, 사계절 레저스포츠 등으로 분류할 수 있으며, 실시하는 장소에 따라 하늘, 물, 땅으로 분류할 수도 있다. 이 내용들을 종합하여 레저스포츠종목들을 계절별 · 유형별로 분류하면 표 2-2와 같다.

4) 레저스포츠의 기능 및 과제

엘리트스포츠와 레저스포츠는 스포츠라는 동일한 개념하에서는 비슷한 기능이 있지만, 각자 추구하는 목적이 다르기 때문에 그에 따른 효과와 부작용도 각각 다르다. 왜냐하면 엘리트스포츠는 경쟁을 통하여 승부를 결정지어야 하지만, 레저스포츠는 승부보다는 참여하는 그 자체에 목적이 있기 때문이다.

(1) 레저스포츠의 순기능

① 교육적 기능

레저스포츠는 신체활동을 통하여 건강한 신체를 유지시켜주기도 하지만, 또 이러한 기회와 관심을 통하여 건강에 관련된 많은 정보와 지식을 주기도 한다.

건강에 관련된 정보와 그 중요성은 모든 사람들의 최대관심사일 뿐만 아니라 이러한 지식은 일평생 필요하다. 또한 스포츠에 관심이 많거나 직접 참여하기를 좋아하는 사람

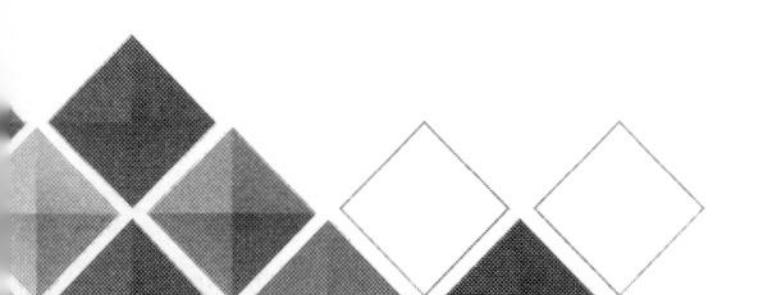

표 2-2 | 레저스포츠 종목의 계절별 · 유형별 분류

유형 \ 계절	봄 · 가을 레저스포츠	여름 레저스포츠	겨울 레저스포츠	사계절 레저스포츠
탐험 레저스포츠	답사여행, 동굴탐험, 산악마라톤, 산악사이클, 암벽타기, 인공암벽, 오리엔티어링, 오토캠핑, 전파방향탐지기, 천문관측, 탐석여행, 트레킹		온천산행, 빙벽타기	인공암벽타기, 암벽타기
항공 레저스포츠	롤러코스트, 모형비행기, 번지점프, 스카이다이빙, 열기구, 조인경기, 초경량 항공기, 파고제트, 패러글라이딩, 패러세일링, 텐덤스카이다이빙, 행글라이딩			스포츠카이트
해양(수상) 레저스포츠		낚시, 드레곤보트, 로우링, 래프팅, 모터보트, 수상스키, 수영, 스노클링, 스쿠버다이빙, 요트, 인플레터블, 카누, 워터슬레이, 윈드서핑, 제트스키, 조정, 카누, 카약, 파워보트, 호버크레프트		
지상 레저스포츠	골프, 롤러블레이드, 산악자전거, 서바이블게임, 전파방향탐지기, 필드캐스팅	비치발리볼	눈썰매, 스노보드, 스노서핑, 스노스케이팅, 스케이팅, 스키, 윈드크루저	공기권총, 게이트볼, 그라운드골프, 모터사이클, 모터스포츠, 사이클, 석궁, 스네이크보드, 승마, 잔디스키, 클레이사격
실내 레저스포츠				다트, 당구, 라켓볼, 배드민턴, 볼링, 수영, 스쿼시, 실내스키, 요요
리듬 레저스포츠				스포츠댄스, 에어로빅

들은 그렇지 않은 사람들에 비하여 신체적으로도 건강할 뿐만 아니라, 건강에 관련된 지식과 정보도 많이 제공받고 있다.

이와 같이 레저스포츠는 스포츠활동을 통하여 건강한 신체를 유지시켜줄 뿐만 아니라 건강에 대한 지식과 정보를 제공하여주며, 건전한 레저문화를 창출하여 줌으로써 인간의 삶을 풍요롭게 영위할 수 있는 능력을 향상시켜주는 역할을 하기 때문에 교육적인 기능도 가지고 있다고 볼 수 있다. 교육의 3대 목표가 지 · 덕 · 체의 조화로운 발육에 있듯이, 레저스포츠는 우리가 살아가는 데 없어서는 안 될 생활의 중요한 일부분으로 자리잡고 있다.

② 생리적 기능

현대사회는 산업구조의 급격한 변화, 단조로운 기계노동의 연속, 과학기술의 발달 등으로 인간의 가장 기본적 에너지발산처인 노동력마저 기계가 대신하기 때문에 신체의 움직임이 급격하게 줄어들고 있다.

한편 농촌인구의 도시집중현상은 도시사람들에게 그만큼 활동할 수 있는 기회와 공간을 빼앗는 결과를 초래한다. 어떤 사회학자는 "자동차 대수의 증가와 심장병환자의 증가현상은 비례할 것이다."라고 예언하였다. 그리고 몇 백년 후 인체의 진화현상은 "머리의 활동은 왕성하여 양적인 발달을 함께 가져올 수 있으나, 다리는 사용할 기회가 점차 줄어드는 관계로 퇴화할 것이다."라고 예언하기도 하였다.

이와 같이 현대인들의 건강부족현상은 갈수록 심화될 가능성이 높으며, 또한 운동부족으로 인한 각종 질병의 증가현상은 그에 비례하여 계속 증가할 것으로 예상된다.

③ 심리적 기능

현대인들의 복잡하면서도 매일 변화되는 새로운 정보에 대처하기 위하여 항상 긴장 속에서 살아가고 있다. 적당한 긴장은 살아가는 데 의욕을 불러일으킬 수도 있으므로 일상생활에서 반드시 필요한 현상이지만, 현대인들은 이미 감당하기에 어려울 정도의 높은 스트레스에 시달리고 있다. 현대인들은 큰 기계군에 연결된 생산대중이며, 기계조직에 종속된 부품으로 전락되었다고 볼 수 있다. 개인은 이 틈바구니에서 집단에 봉사하고 그에 복종하면서 살 수밖에 없기 때문에 인간은 이미 개체성이 상실되어버렸다.

스포츠나 각종 신체활동은 개인의 특성과 구체적 자아를 찾게 해주므로, 이러한 긴장

과 불안 및 스트레스를 해소시키고 허탈에서 벗어나게 하는 유일한 방법으로 볼 수 있다.

④ 사회적 기능

사람의 성장과정을 보면, 가족 이외의 사람과 직접적인 관계를 가지는 리더와 동료가 생기면서 주 · 종 관계를 이루게 된다. 이들은 여기에서 협력과 조언, 설득과 이해를 배우고 대립과 타협을 체득하게 된다.

이러한 경험은 환경에 대한 자신의 행동을 수정 · 발전시켜 사회생활에서의 인간관계를 원활히 하고, 생산적 사회로 성장해가는 저력을 기르게 한다. 스포츠에서의 경쟁은 단적인 대결이 아니라 합의된 경쟁이요, 협력적 대치이므로 상대는 적이 아니라 더불어 행동하는 '우리'라는 개념 속의 구성원이다. 여기에서 그들은 협력 · 책임 · 사교 · 예의 등을 몸에 익히고 발전시키며, 주종의 질서와 규칙준수 · 약속이행 · 시간엄수 등과 같은 덕성을 함양하여 주고받는 상호혜택은 물론 동정 · 자제 · 관용의 태도를 배우게 된다.

⑤ 여가선용의 기능

레저스포츠 활동은 여가시간을 이용하여 기분을 전환시키는 역할을 하고, 더욱더 열심히 일할 수 있도록 활기를 북돋우며, 생업에 시달리는 직업인들의 운동부족을 메워준다. 특히 단순한 작업을 반복적으로 하는 사람들의 작업에서 오는 편중적 장애를 교정하여주는 효과도 있다. 청소년들은 성장발달에 도움이 되며, 성인들은 질병을 사전에 예방할 수 있으므로 건강에 도움이 된다. 한편 개성의 발휘 · 명랑성 · 적극성 등을 향상시켜 사회생활이나 인간관계를 원활하게 하고 청소년들의 탈선을 예방할 수 있는 방법이 되기도 한다.

이와 같이 레저스포츠활동은 우리들의 생활에서 없어서는 안 될 필요불가결한 요소로 작용하고 있기 때문에 여가시간을 이용하여 이러한 스포츠의 기능과 지식을 배우는 것은 매우 중요하다.

⑥ 경제적 기능

스포츠용품업은 레저스포츠 관련 상품을 생산하는 제조업체로 레저스포츠용 의류 · 가방 · 운동화, 스포츠음료, 스포츠장비 등을 제조하는 업체를 말한다. 스포츠 서비스부문은 스포츠활동장소에서 이루어지는 스포츠와 관련된 모든 산업을 지칭한다. 이와 같이 레저스포츠의 경제적 기능은 레저스포츠와 관련된 생산과 소비부문에 미치게 된다. 경제에서

의 생산과 분배는 상품과 서비스를 팔 시장을 요구한다. 새로운 상품의 요구와 서비스는 생산성과 소비 사이의 차이를 잘 해결하여줌으로써 경기부양의 단초가 될 수도 있다.

이와 같은 현상들과 현대인들의 레저 및 스포츠에 대한 관심도 등을 연관시켜 보았을 때 앞으로 레저스포츠가 경제에 미치는 영향은 지대할 것으로 예상된다. 특히 프로스포츠의 활성화는 많은 사람들에게 스포츠에 대한 관심을 불러일으킴으로써 일반대중들의 스포츠참여를 간접적으로 유도하는 데 공헌하고 있다.

(2) 레저스포츠의 역기능

① 모방화

서구 사회의 레저스포츠 활동이 가족 중심적이라면, 우리나라의 레저스포츠 활동은 서구에 비하여 아직까지 친구 및 직장 중심으로 이루어지고 있다. 이러한 사회조직 속에서 소속감을 얻기 위하여 레저스포츠 참여방법들이 분수에 맞지 않은 사치와 낭비를 가져오기도 하고, 나아가 소비성향을 자극할 우려도 있다.

특히 현대인들의 레저스포츠 활동은 자기실현의 수단으로 행하기보다는 타인에게 내보이기 위하여 행하는 경우가 허다하다. 값싸고 질좋은 국산장비나 스포츠웨어가 시중에 많이 있음에도 불구하고 동료들의 시선을 의식하여 값비싼 외국제품을 구입하여야 하고, 자신의 신분을 과시하기 위하여 값비싼 승용차를 구입하여 자기를 실제 이상으로 과시하거나 위장시켜 그들의 시선을 집중시키기도 한다.

이러한 유행심리는 일반대중들에게도 전염되어 레저스포츠에 대한 부정적인 의식을 가져오게 할 수도 있다. 오늘날 산업사회의 발전에 따른 레저스포츠의 대량화 · 대중화 현상은 자칫 잘못하면 유행심리나 모방성이 작용하여 맹목적인 추종이 사회풍조화되고, 레저스포츠의 획일성과 전염성이 전 사회적에 파급되어 급기야는 대중문화의 중독성을 초래할 수도 있다.

복잡하게 얽혀 있는 현대생활 속에서 레저스포츠의 잘못된 인식은 자기 자신이 지향하는 방향으로 참여하지 못하고 주변의 여건과 사회환경에 의하여 많이 모방되고 있다. 이러한 역기능은 어쩌면 사회생활에서 살아남기 위한 하나의 방법인지도 모른다.

② 상업화

최근에는 골프관광, 스키관광, 온천관광 외에 넓게는 강정호 미국 ML 야구관광, 박인비 미국 LPGA 골프관광 등 이른바 스포츠관광 상품이 인기리에 판매되고 있다. 이러한 현상은 패키지관광의 일종으로 예정된 비용, 저렴한 가격, 보장된 수익, 보장된 참가 · 관람, 시간절약이라는 현대인들의 특성에 맞아떨어지는 현상으로 국민들의 건강복지 차원에서는 권장할 사항이지만, 잘못하면 레저스포츠를 기업의 이윤추구의 목적으로 이용될 가능성도 없지 않다. 특히 매스미디어의 발달과 프로스포츠의 활성화로 인하여 스포츠스타나 스포츠경기 장면들을 대상으로 한 기업들의 이윤추구는 일반인들의 상상을 초월하고 있다.

이러한 레저스포츠의 상품화는 일반대중들에게 소비를 조장하고, 나아가 이윤추구의 대상이 되며, 일시적 유행의 대상이 되어 새로운 것에 의해 계속 교체되는 등 일관되지 않은 소비형태를 조장하여 올바르지 못한 레저스포츠 문화를 조성할 우려마저 있다.

③ 향락화

레저스포츠가 다양화 · 상품화되면서 건전한 활동이 되지 못하고 향락적 · 쾌락적 방향으로 흐른다면 인간은 그 속에서 가치관을 찾지 못하고 혼란에 빠지게 될 것이다. 관광지의 현란한 분위기 속에 술타령이나 도박 등과 같은 일탈행동에 접하다 보면 사회적 · 도덕적 책임감이 결여될 뿐만 아니라 윤리적 통제기능마저 상실되어 향락성을 극대화시킬 수도 있다.

특히 스포츠참여 후 샤워를 마치고 나면 갈증이 생겨 애주가가 아니라도 때에 따라서는 한 잔의 술이 꿀맛같은 경우도 있을 수 있다. 스포츠참여 후 마시는 2~3잔의 술은 혈액순환과 정신건강에 도움이 될 수도 있겠지만, 과음은 오히려 건강을 해칠 뿐만 아니라 경제적인 손실을 가져와 지속적인 스포츠참여에 장애를 가져오게 된다. 이렇게 올바르지 못한 스포츠참여 태도는 잘못된 습관으로 이어져 주위사람들의 조롱거리가 되거나 불신의 대상이 될 수도 있다.

④ 중독화

중독증은 자신의 요구와 욕구에 따를 수밖에 없거나 저항할 수 없는 충동에 빠지는 것을 의미한다. 즉 스포츠현장에서 중독증행동이란 지나치게 운동에 이끌리고 이러한 욕

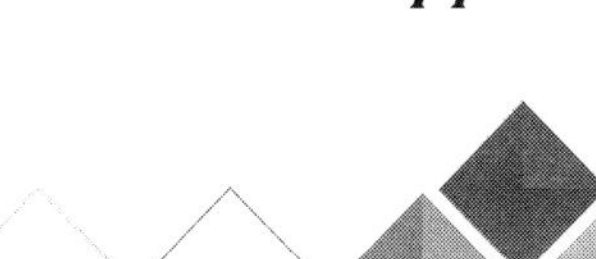

구를 억제하지 못하는 특성을 가진 행동이라 할 수 있다.

Sachs(1981)는 심리적 · 생리적 특성의 운동중독은 운동을 멈춘 다음 24~36시간이 흐른 후에 나타나는 금단증세로 특징지울 수 있는 규칙적인 운동섭생 의존성이라고 하였다. 이 정의는 심리적 · 생리적 요인들을 모두 포함하고 있다는 점에 주목해야 한다. 가장 보편적으로 주목되는 금단증세들은 불안, 긴장, 죄의식, 성급함, 신경과민, 근육경련, 들뜬감 등이다(Sachs & Pargman, 1984).

Glasser(1976)는 "운동하는 사람은 약물 남용자가 약물에 중독되는 것과 동일한 방식으로 운동에 중독된다. 운동과 약물은 모두 중독자들이 자제하지 않는다면 금단증세를 유발한다. 운동중독은 결과가 이로울 수도 있기 때문에 긍정적인 중독이며 반면, 약물중독은 약물의 효과가 중독자에게 해를 주기 때문에 부정적인 중독이다."라고 하였다.

(3) 레저스포츠의 과제

① 참여방법과 태도에 대한 교육적인 문제

스포츠활동에 참여한다는 자체가 모두 건강에 이로운 것만은 결코 아니며, 잘못하면 심각한 해악이 될 수도 있다. 스포츠활동에는 기본적인 기술습득과 올바른 태도, 그리고 자신의 체력이나 능력에 맞도록 참여하여야 한다.

스포츠활동은 위험을 방지하기 위하여 규칙과 방법을 먼저 습득하여야 한다. 그렇게 하여야 부상을 예방할 수 있다. 또한 주위사람들에게 방해를 주지 않도록 경기장에서는 예의를 지킬 줄 알아야 한다.

학교에서는 올바른 레저스포츠 참여를 유도하기 위하여 학교체육시간을 통하여 레저스포츠의 기술 · 규칙 · 방법 · 태도 등을 올바르게 숙지시켜야 한다. 그리고 생활체육을 관장하는 단체에서는 누구나 쉽게 스포츠에 참여할 수 있도록 적절한 홍보를 하여야 하고, 참여자들에게는 최상의 서비스를 제공하여 즐거운 레저활동이 될 수 있도록 최선을 다하여야 한다.

② 참여기회 불평등의 문제

현대사회에서는 레저스포츠가 대중화되었음에도 불구하고 참여할 수 있는 기회가 불평등한 원인은 여가시간의 부족과 경제적인 어려움이다. 산업사회에서 빈부의 격차는 어

쩔 수없는 현실이지만, 이러한 레저스포츠활동을 대중화시키면 계층에 따른 사회의 불만을 어느 정도 해소할 수 있다.

특히 2000년부터 대중골프장이나 스키장에서도 특별소비세가 면제됨으로써 지금까지 부유층의 전유물처럼 여겨졌던 부정적인 편견이 줄어들 가능성이 있을 뿐만 아니라 스포츠에 참여하는 비용부담도 한층 줄어들게 되었다. 따라서 스포츠 전반에 대한 부정적인 인식들도 많이 없어질 것이다.

③ 프로그램 개발 및 보급문제

프로그램이란 조직이나 단체의 효율적인 운영의 기초가 되는 일련의 기본운영계획으로, 기획 · 수행 · 평가 등을 내용으로 한다. 시설 · 공간이 아무리 잘 갖추어져 있다 하여도 프로그램이 빈약하거나 이용자들에게 적합하지 않으면 유명무실해져 버린다.

레저스포츠 프로그램은 넓은 관점에서 보면 레저스포츠 전체의 진행방향을 설정하는 것부터 각 종목경기, 야외활동, 스포츠교실 등과 같은 행사에 이르기까지 포괄적인 내용과 관련되어 있다. 또한 각 스포츠종목에서는 전체내용의 구성이나 진행방법을 구체화시키는 것이 중요하다. 레저스포츠 프로그램이란 사회단체, 각종 민간시설, 공공기관 등에서 조직적으로 계획하고 실시하는 스포츠활동이라 할 수 있다. 이러한 레저스포츠 프로그램은 모든 사람들에게 합리적이고 효과적인 신체활동을 보장해주는 구체적인 수단이 되며, 레저스포츠의 저변확대와 적극적인 참여유도를 위한 필수요소이기도 한 것이다.

이러한 레저스포츠 프로그램은 국민 개개인에게 스포츠활동을 실천할 수 있는 동기와 방법을 제시해 주어야 한다. 또한 일반국민들에게는 합리적 · 효과적 스포츠활동을 보장해 주어야 하며, 사회체육이나 레저스포츠 활동의 참여증대를 위한 필수적 요인이 되어야 한다. 따라서 다양한 사회체육과 레저스포츠 프로그램의 개발 및 보급은 레저스포츠 진흥을 위한 실제적 과제로 볼 수 있다.

④ 레저스포츠 지도자 양성문제

사회 변화에 따라 스포츠에 대한 관심과 참여가 날로 증대하는데, 이에 부응하여 스포츠지도자의 필요성도 점차 강조되고 있다. 스포츠시설, 조직, 프로그램 등이 완벽하게 준비되어 있어도 그것을 지도하고 관리할 우수한 지도자가 없다면 레저스포츠의 발전은 기대하기 어렵다.

스포츠를 가르칠 수 있는 기능뿐만 아니라 경험, 지능, 지식, 교양, 인격, 협동심, 지도력, 열성적인 봉사정신 등을 고루 갖춘 스포츠지도자의 양성이 요구되고 있다. 스포츠지도자는 스포츠참가자들의 요구사항에 부응할 수 있어야 하며, 나아가 시설활용을 극대화하고 프로그램 운영의 효율성을 도모할 수 있어야 한다.

놀이와 게임 3

1) 놀 이

놀이는 인간의 본능적인 행동에 가까운 신체활동으로 즐거움을 얻으려는 행위이다. 그러므로 놀이는 재미있어야 하고 자발적인 참여로 이루어져야 한다. 또, 놀이는 현실세계와는 동떨어진 시간과 공간을 설정해서 하고, 놀이 그 자체를 즐기는 것이지 다른 목적은 아무것도 없다.

놀이의 기능과 특징을 간단히 요약하면 다음과 같다.

» 놀이는 어린이의 성장과 언어발달을 돕는다.

» 놀이는 자발적인 활동이다.

» 놀이는 행동의 자유와 가상의 공간을 제공한다.

» 놀이는 그 자체 속에 모험의 요소가 있다.

» 놀이는 어린이들이 서로의 관계를 만들어낸다.

위와 같이 놀이는 인간의 의식과 문화가 성장할 수 있는 토양을 제공하고, 스스로 하고 싶은 내적동기에 의해서 이루어지는 아주 순수하고 자유스러운 인간의 모습이다.

인간이 왜 놀이를 하는지 그 원인을 알아보려고 하는 것을 '놀이이론'이라고 한다. 다음은 놀이이론 중에서 중요한 몇 가지 이론들이다.

» 잉여에너지설……일하고 남은 에너지를 방출하기 위해서 놀이를 한다.

» 본능설, 준비설……환경에 적응하고 생존경쟁에서 이길 수 있는 기술을 배우기 위해

서, 또는 앞으로 다가올 생활에 대비하기 위해서 본능적으로 연습한다.

» 정화이론……놀이를 통해서 불만, 억제된 감정, 공격성 등을 해소하거나 발산시킴으로써 건전한 생활을 할 수 있다.

» 학습이론……문화 또는 중요 타자(예;부모)를 모방하고 학습하기 위해서 놀이를 한다.

2) 게 임

놀이를 본능적이고 자유스러운 어린이들의 여가활동이라고 한다면 게임은 어린이로부터 노인에 이르기까지 즐기는 여가활동이고, 놀이보다 더 조직적이고 규칙적이다. 그러므로 게임의 종류는 아주 다양하고 신체활동이 별로 포함되어 있지 않아도 된다. 게임은 다음의 요소를 갖추어야 게임으로서 수명을 오래 할 수 있다.

» 간편성……시간, 장소, 대상 등에 제한이 없거나 아주 적어야 하고, 비용이 적게 들고, 방법이 간단해야 한다.

» 건전성……사행성, 사치성, 음란성과 같은 것이 많이 포함되어 있으면 사회적으로 비난이나 통제를 받을 수 있으므로 게임은 건전성이 있어야 한다.

» 분리성……일상생활과 분리되고, 정해진 시간과 공간에서만 이루어진다.

» 준수성, 규칙성……일시적으로 일상적인 규범이 일시적으로 적용이 안 되고, 게임에서 정하는 규범이 유일하게 통용된다. 그러므로 게임의 규칙을 지키지 않으면 게임 활동 자체가 성립되기 어렵다.

» 허구성, 비현실성……비생산적 · 허구적 · 비현실적이고, 결과를 예측할 수 없어야 한다.

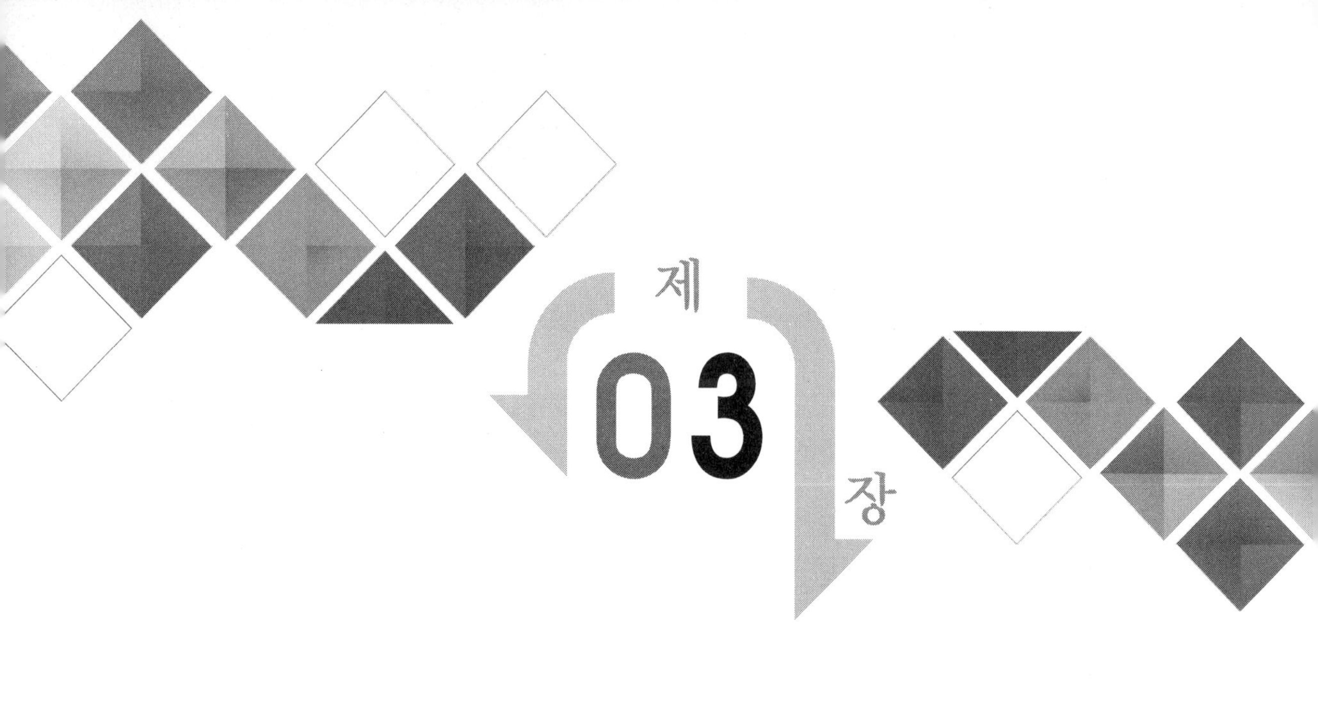

근대 스포츠의 문제점과 경기스포츠의 본질

근대 스포츠의 문제점 1

우리 주변에서 매일매일 이루어지고 있는 스포츠는 '근대 스포츠'라고 할 수 있다. 근대란 일반적으로는 봉건제사회 이후에 나타난 자본주의사회를 말한다. 현재 스포츠종목의 대다수는 이 근대시대에 들어와서 생기고 발달해서 우리나라에 전해졌다. 그러나 이 근대 스포츠는 오늘날 '현대'에 들어와서는 도핑 등으로 대표되는 수많은 문제를 만들어 내고 있다. 여기에서는 이 근대스포츠의 문제점에 대해서 생각해 본다.

1) 근대 스포츠의 특징

역사학자 Eichberg, H.는 여러 지역에서 행해지는 축제적 · 전통적 게임이나 신체활동

이 규율 · 훈련적 스포츠로 이행된 것에서 스포츠의 근대화가 시작되었다고 하였다. 축제적 반복이라고 하는 '시간'은 미래로 향하는 직선적인 '진보'로 변하고, '공간'은 지역의 일상생활환경에서 분리되어 전문화 내지 표준화된 경기장 속으로 들어갔다. 그리고 신체의 강건함에 대해 흥미를 느끼던 사람들은 스피드나 속도의 매력에 빠지게 되었으며, 또 결과의 산출을 중요시하게 되었다. 이 결과산출의 객관성을 얻기 위해서 게임은 표준화되고, 업적은 측정 · 기록되고 수량화되었다. 이 업적원리의 지배하에 '보다 빠르게, 보다 높게, 보다 강하게'가 추구됨으로써 토너먼트와 선수권대회라는 '권한시스템(hierarchy system)'이 만들어졌다고 주장하였다.

Eichberg, H.의 지적과 같이 근대 스포츠는 근대올림픽의 표어인 '보다 빠르게, 보다 높게, 보다 강하게'가 상징하는 것처럼 '결과의 산출'로 방향이 잡혔다. 이에 따라 스포츠라고 하면 일반적으로 야구나 축구처럼 서로 경쟁하는 것을 떠올리게 되었다. 게다가 경쟁에는 반드시 '승 · 패'라는 결과가 발생하는데, 그 승패가 근대 스포츠를 특징짓는 중요한 이원적 코드임과 동시에 도핑으로 대표되는 근대 스포츠가 가진 여러 문제점들의 원천이 된다.

표 3-1 | 스포츠의 근대화 요소

시간	직선적인 진보(미래로 향하는 것)
공간	전문화, 표준화, 격리
에너지	스피드나 속도의 매력
가치, 이념	결과 생산, 업적, '보다 빠르게, 보다 높게, 보다 강하게'
객관성	표준화, 수량화, 측정, 기록
제도	토너먼트와 선수권대회의 권한시스템

2) 승패와 모럴문제

Keating, J. W.은 '스포츠(sports)'와 '경기스포츠(athletics)'를 구분할 것을 주장했다. 즉 스포츠에서 본질적인 목적은 '즐거움'이며, 경기스포츠의 목적은 '승리'이므로 둘은 서로 용납될 수 없는 것이다. 그런데도 '승 · 패'라는 이원적 코드를 스포츠 전체에 적용

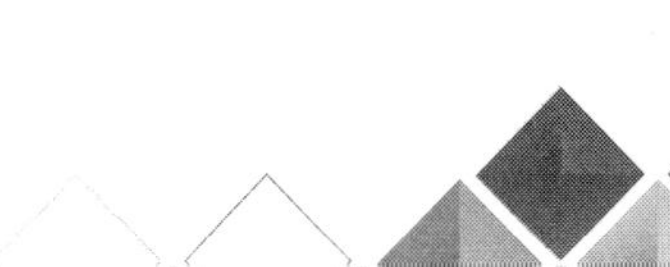

시키게 된 것을 비판하였다. 그러나 Feezell, R. M.은 경기스포츠에서도 승리를 추구하는 활동을 하면서 즐거움의 추구가 가능하다고 설명하면서 스포츠와 경기를 나누어 말하는 Keating, J. W.의 주장을 반박하였다.

근대 스포츠가 '즐거움'이라는 스포츠의 본질적 의미를 추구하는 것이 가능한지 아닌지에 대해서는 많은 논의가 있지만, 업적원리가 지배하는 '달성'을 목표로 하는 근대 스포츠는 '승 · 패'가 많은 문제를 발생시키는 것은 확실하다. Keating, J. W.은 스포츠에서 윤리적인 문제가 승패 때문에 일어난다는 것을 지적하면서 다음과 같이 말했다. "경기스포츠에서 발생하는 모럴문제의 대부분은 고도로 경쟁화된 스포츠의 성격에서 비롯되었다고 볼 수 있다. …(중략)… 승리를 바라는 욕구가 도를 넘어섬에 따라 승리를 얻기 위해서 부도덕한 수단을 쓰게 된다. 그때 이 모럴문제가 발생하는 것이다."

예를 들면 농구에서 '나이스 파울(nice foul, good foul)'이라는 말이 쓰이는 경우가 있다. 이는 파울을 한 팀이 유리한 상황을 차지하는 경우에 쓰이는 말이다. 즉 본래 허용되지 않는 파울이지만, 승리하는 데 효과적인 방법이라면 파울도 나이스 플레이가 될 수 있다는 인식이다. 특히 시합 종반에 지고 있던 팀이 공격횟수를 늘리기 위해서 의도적으로 파울을 해서 프리드로를 하게 하는 경우가 자주 일어난다. 이 파울이 시합에 승리하기 위한 효과적인 행위라는 사실은 농구규칙에 결함이 있음을 뜻하지만, 승리를 위해서 의도적으로 파울을 하는 행위는 모럴문제가 있다고 볼 수 있다.

또 '속임수(cheating)'에서도 모럴문제를 찾아낼 수 있다. 치팅은 골프에서 스코어를 속이거나 심판이 보고 있지 않을 때에 상대선수의 유니폼을 끌어당기거나, 볼을 차징(charging)하려는 것처럼 보이게 하면서 상대선수의 발을 밟는 행위이다. 스포츠심리학자 Fuoss, D. E.는 다음과 같이 말하였다. "어떤 희생을 치러서라도 이기면(win at all cost) 된다는 전략에는 승리를 위해서는 어떤 짓도 한다는 것이 포함되어 있다. 그렇게 해서도 이기지 못한다면 이기기 위해서 '속임수'를 써도 좋다는 논리도 성립될 수 있으며, 상대편만이 아닌 다른 모두를 '속인다'도 가능하다'. 이러한 의도적인 규칙위반이나 치팅은 더욱 조직적으로 변해서 '도핑'으로 대표되는 스포츠 존재 자체를 흔들리게 하는 모럴문제로까지 발전되었다."

3) 결과(승리)가 중요한가, 과정(즐거움)이 중요한가

근대 스포츠는 '승 · 패'라는 이원적 코드에 의해서 특징지어졌다고 하지만, 중요한 것은 '결과(승리)인가, 아니면 과정(즐거움)인가'라는 문제이다.

스포츠철학자인 Scott, J.은 결과로 나타나는 승리를 절대시하는 것은 생산을 목표로 하는 시스템을 지지하는 미국의 전통적인 윤리라고 하면서 그것을 '롬바르디안윤리(Lombardian Ethic)'라고 불렀다. '롬바르디안윤리'란 신이라고 불린 프로축구 코치 Lombardi, V.의 승리에 대한 사고방식을 기초로 명명된 것이다.

Lombardi, V.는 "너에게 있어서 이긴다는 것이 전부인가?"라는 물음에 대해서 "이기는 것은 전부는 아니다. 그것은 유일한 것이다(Winning isn't everything, it's the only thing)."라고 대답했다. 스포츠사회철학자 Eitzen, D. S.은 이 "롬바르디안윤리에서 '승리는 유일한 것이다'라는 말의 뜻은 수단을 정당화시키는 것을 의미한다."라고 하면서 그 승리를 위해서 인간을 도구로 취급하거나 경기 중에 속임수를 쓰거나 규칙을 위반하는 것과 같은 윤리적인 문제가 발생한다고 했다.

한편 Scott은 이 '롬바르디안윤리'와는 대조적으로 '결과가 아닌 과정(어떠한 플레이라도)'을 중요시하면서 스포츠는 스포츠 그 자체를 즐길 수 있어야 하며, 비본질적인 보수인 승리추구에 있는 것은 아니라는 입장을 '카운터컬쳐윤리(Counter Culture Ethic)'라고 불렀다. 카운터컬쳐윤리의 제안자들은 활동의 가치는 그 과정에서 발생하는 것이지 생산물(결과)로부터 발생하는 것이 아니라고 했으며, 결과를 부정함으로써 '경쟁과 협동의 중요도가 바뀌었다'라는 것을 제언하였다. 그러나 이 카운터컬쳐를 주장하는 사람들 중의 일부는 생산물(결과)을 부정하기 때문에 스포츠경기에서 득점제도를 폐지할 것을 제안한다.

이렇게 결과(승리)를 절대시하는 사고방식 때문에 승리를 위해서 수단과 방법을 가리지 않는 행위나, 결과가 수단을 정당화시키는 상황이 발생하게 된다. 반대로 과정만 중시하고 결과(승리)의 추구를 부정하면 '시합(서로 겨루는 것)'이 성립되지 않기 때문에 경기스포츠 자체의 존재이유가 소멸하게 된다. 근대 스포츠는 이 '승 · 패'라는 이원적 코드 때문에 많은 모순을 안고 있다고 볼 수 있다.

4) 근대 스포츠의 사회적 배경

스포츠는 문화 속에 짜여진 하나의 사회적 제도이며, '승리의 추구'가 사회적인 배경에 의해서 강조되고 있다. 이것은 여러 가지 문제를 일으키고, 동시에 많은 비판을 받고 있는 것이 현실이다.

스포츠사회철학자인 Sage, G. H.와 Eitzen, D. S.은 미국 스포츠의 현재상황을 다음과 같이 지적했다. "미국국민들은 학교, 비즈니스계, 정치계, 스포츠계 등 어디에서든지 승리자를 찾고 있다. 스포츠에서 승리할 것을 요구하고 있다. 코치들은 성공(즉 승리)하지 못하면 바로 해고된다. 팀이 성공하지 못하면 다같이 욕을 먹는다".

스포츠사회학자 Coakley, J. J.는 다음과 같은 주장을 하였다. "승리는 유일한 것이다. 지는 것은 죽음보다 나쁘다. 왜냐하면 졌다는 인식을 가지고 살아가면 안 되기 때문이라는 관념에 대해서 많은 사람들의 적극적인 찬동여부에 관계없이 사회는 경쟁적인 성공을 강조한다." 이와 같은 경쟁적인 사회배경에 의해서 근대스포츠는 그 결과(생산물)인 '승리'를 중요시하게 되었다.

또 이러한 근대스포츠의 업적원리는 비즈니스의 논리와 일치한다. Sage, G. H.는 미국 대학스포츠를 예로 들어 다음과 같이 말했다. "이 대학스포츠의 분명한 특징은 경기스포츠가 시장원리에 따라서 엄밀하게 조직화되어 있다는 점이다. 즉 그것은 학생을 위한 개인적 · 사회적 필요에 대해서 신체적 레크리에이션을 만족시키는 것이 아니라 자본축적욕구를 만족시키는 것이다. 한마디로 비즈니스이다."

나아가 Sage, G. H.는 이 시장원리에 따라서 조직화된 스포츠집단에서 나타나는 소외를 다음과 같이 비판하고 있다. "많은 코치들은 팀성원을 하나의 인간으로 보는 것이 아니라 코치의 도구와 다름없는 기계의 부품 중의 하나로 보는 경향이 있다. 따라서 선수들은 타인(코치)의 도구가 되거나 조직된 집단의 목적 및 목표에 도달하기 위해서 이용되고 있다. 그들은 조직이라는 기계의 톱니바퀴일 뿐이다."

이렇게 경쟁적인 사회배경에 따라서 가속화되는 근대스포츠는 교육적인 관점에서도 많은 문제를 일으키고 있다. 스포츠철학자 Thomas, C. E.는 다음과 같이 서술했다. "우리는 스포츠를 경쟁적 행동을 가르치는 수단으로써 가치가 있다고 생각해 왔다. 어린이들은 경쟁하는 것을 배움과 동시에 이기는 것을 중요하게 여긴다. 또한 승자가 패자보다 훨씬 좋다는 인식을 가지게 되며 사회화된다. …(중략)… 어린이들은 어려서부터 어떤 목

표를 향하여 노력하는 것의 중요성(좋은 계급, 좋은 교육, 좋은 직업, 권력, 지위, 명성, 많은 친구, 훌륭한 집 등)을 알게 되고 사회화된다. 그리고 그 사회에서는 세상에 나가서 싸워 이겨서 그것을 얻지 않으면 안 된다는 것을 가르친다." 즉 어린이들은 반드시 승리자가 되어야 한다는 것을 배우게 된다는 것이다.

이러한 사회적 상황하에서 어린이들이 스포츠라는 경쟁에서 이기는 데 전념할 수 있도록 지도자들이 모든 일을 결정하고 돌봐주는 현실을 Thomas, C. E.는 다음과 같이 비판했다. "탁월한 교육이라는 미명하에 영웅을 추구하는 욕구 때문에 스포츠바보들(athletic brats)을 만들었다. 그들은 온정주의적인 경기스포츠의 온상(paternal athletic nest)의 쾌적한 범위에서 멀어졌을 때에는 스스로를 아는 것도 불가능할 뿐만 아니라 자신에게 관심을 가지는 것도 불가능하게 될 것이다."

이렇게 근대 스포츠의 '승 · 패'라는 이원적 코드와 '달성'이라는 목표지향적 사고는 근대를 특징짓는 목표지상주의 사회와 밀접하게 관련되어 있다. 따라서 근대 스포츠에 대한 비판은 근대에서 현재에 이르는 현재사회의 모습에 대한 비판이기도 하다.

경기스포츠의 본질 2

오늘날 '스포츠'라고 말하면 승패를 다투는 경기스포츠(athletics)가 중심이고, 신문의 스포츠면도 이들 경기스포츠의 시합결과로 채워져 있다. 학교교육에서도 이 경기스포츠가 교과내용으로 채택되어 중심적 역할을 하고 있다.

여기에서는 Keating, J. W.이 주장한 '스포츠(sports)'와 '경기스포츠(athletics)'의 2가지 개념을 이용하여 경기스포츠(athletics)의 의의, 경기스포츠의 또 다른 체험, 경기스포츠의 근본적인 문제점을 살펴본다.

1) 경기스포츠의 의의

Lenk, H.는 자신의 저서인 《Social Philosophy of Athletics》에서 '스포츠운동(sporting movement)'을 '문화적으로 침투되고 교육된 프레임워크 안에서 고유한 목표달성을 지향하는 운동'으로 보고, 그것은 '의식적으로 계획되고 표준화되고 목표를 지향하고 특수화되고 퍼포먼스에 의해서 규제되고 있는 관념적으로 형식화된 패턴'이라고 했다.

여기에서는 Lenk, H.의 '스포츠운동'을 실마리로 해서 '경기스포츠'의 의의를 생각해 보자.

(1) '목표-지향-달성'에서 본 경기스포츠

Lenk, H.는 '스포츠운동'은 '가능성과 표현형식'일 뿐만 아니라 그것들은 인간이 세계로 나아가기 위한 특징적인 매개물(vehicles)이자 세계와 자기 자신에 대한 의미있는 체험기회라고 하였다. 나아가 그는 스포츠운동은 '자기 자신의 수행의 표현'이라고 해석할 수 있음과 동시에 '사회적으로 제도화되고 제한된 프레임워크 안에서 통합'되는 것으로도 해석할 수 있다고 하였다.

우리나라에서도 목표지향적인 스포츠운동의 실천에 대해서 똑같은 지적을 받고 있다. 예를 들면 어떻게 해서든 1초 더 빨리, 1cm라도 더 멀리 · 높이 기록을 내기 위해 노력하고, 어떻게 해서든지 골을 넣으려는 의지, 무한한 자기 가능성을 실현하기 위해 힘쓰는 선수들의 모습 등에서 창조성을 발견할 수 있을 것이다. 목표를 행한 개인적인 노력과 극기에 의해서 길러지는 의지력 · 정신력 · 인내력 등의 획득은 경기스포츠에서 일반적으로 좋게 평가된다. 이러한 경기스포츠에서는 목표를 설정하고 그것의 달성을 목표로 하는 것보다 '더 나은' 결과를 원하는 스포츠운동을 실천하는 것을 볼 수 있다. 이것은 퍼스널리티의 표현인데, 이것에 의해 자기 발전을 위한 성과를 가져다 주고 그것에 의해 경기스포츠의 의미있는 체험을 맛보는 것도 가능하다.

(2) '사회적 행동'에서 본 경기스포츠

Lenk, H.는 젊은이들이 사회적 행동을 플레이로서 배울 수 있는 기회가 스포츠 안에서

일어나고 있는데, 스포츠 안에서 일어나는 교육은 다음과 같다고 하였다. "규칙을 따르고, 그것을 학습함으로써 눈에 보이는 형식과 관리하기 쉬운 상황에 맹목적으로 적응한다는 의미가 아니라 양호한 사회적 역할행동을 학습한다는 의미로 사회적-윤리적 트레이닝과 같은 의미를 가지는 것으로 바르게 이해되어져 왔다. 이 스포츠 행동패턴과 규범의 사회화효과는 중요한 교육적 관련성을 만들어내게 한다."

일반적인 개념인 페어플레이, 스포츠맨십, 스포츠맨적 성격 등의 육성도 이러한 사회적 행동의 학습에 의해서 나타나는 것으로 볼 수 있다. 이렇게 스포츠운동을 실천함으로써 중요성이나 사회적 역할행동을 학습할 수 있으며, 나아가 '경기스포츠'의 의미있는 체험도 할 수 있게 된다.

2) 경기스포츠의 또 다른 체험

지금까지 스포츠운동의 실천에 따르는 '목표-지향-달성'과 '사회적 행동'의 관점에서 경기스포츠의 의미를 살펴보았다. 다음에는 경기스포츠의 실천이 만들어내는 또 다른 체험을 살펴본다.

(1) '목표-지향-달성'의 또 다른 면에서의 체험

목표를 설정하고 그것을 달성하려는 스포츠운동의 실천은 그 결과에 의해서 영향을 받게 된다. 승리를 지향하는 활동인 경기스포츠의 결과는 당연히 승리이다. Miracla, A. W.과 Rees, C. R.는 스포츠에서의 승리에 대해 "미국인의 경우 그것은 인생에서 말하는 승리와 닮아 있지만 과정에 비중을 두는 것이 아니라 결과에 비중을 둔다."라고 말했다. 그들은 시합 후에 "좋은 플레이를 했군.", 또는 "즐거웠어."라고 말하는 경우가 적고 "스코어는 몇 점이었지?" 또는 "이겼다."라고 말하는 경우가 많다는 것이 그 증거라고 하였다.

이러한 결과를 중시하는 사고방식을 Thomas, C. E.와 Ermler, K. L.은 '공리주의자(즉 결과론자)의 윤리'라고 부르면서 그 공리의 원칙에 대해 다음과 같이 주장했다. "행위는 그 만족을 증진시키는 경향에 비례해서 올바르다고 생각하면 그 행위의 결과는 매우 중요해진다. 그러나 행위 그 자체가 올바른가 아니면 나쁜가라는 것은 없다. ……(중략)바

꿔 말하면 결과가 만족을 낳는 한 결과가 수단을 정당화시키는 것이다."

Thomas, C. E.와 Ermler, K. L.가 지적한 것처럼 공리주의자(즉 결과론자)의 윤리는 경기스포츠의 모럴원칙이며, 결과가 가장 중요하게 자리잡게 된다는 것이다. 더욱이 그 결과를 얻기 위해서는 수단을 가리지 않거나, 또는 결과가 없으면 과정은 인정되지 않는다는 사고방식이 존재한다. '목표-지향-달성'으로 특징지어진 경기스포츠에서는 승리라는 목표를 설정하고 그것을 달성하기 위해서 승리보다 '더 나은 것'을 지향하는 스포츠운동의 실천방식을 볼 수 있으며, 거기에서 의미있는 체험을 맛보는 것이 가능하다고 한다. 그러나 동시에 목표에 도달하려고 노력하는 과정보다도 그 과정의 결과인 승리가 사회에서는 중요시되고 있다는 현실도 체험하게 된다.

(2) '사회적 행동'의 또 다른 면에서의 체험

스포츠운동의 실천에서 맛볼 수 있는 '사회적 행동'의 의미있는 체험으로서 규칙에 따르는 학습을 예로 들 수 있다. 축구경기의 TV 중계방송에서 상대선수의 유니폼을 잡아당기는 선수의 모습을 볼 수 있다. 확실히 페어플레이는 아니지만 반칙을 주는 경우는 없다. 그것을 본 어린이 축구선수는 그것이 효과적인 기술이라고 학습하게 된다. 현재의 어린이 축구시합에서도 당연하다는 듯이 상대선수의 유니폼을 잡아당긴다. 이렇게 경기스포츠 안에서 자주 일어나는 '잘한다', '따냈다'라는 체험을 하게 되는 것이다. '나이스 파울(good foul)'의 사례처럼 스포츠운동의 실천에서 규칙을 깨버리거나 아니면 속임수의 발휘도 체험하게 된다.

한편 순수하게 규칙에 따라 페어플레이한다고 해도 경기스포츠에서는 게임의 본질적인 가치원리를 체험하는 것밖에 되지 않는다. '스포츠문화로서의 게임이란 작전을 세우고 상대의 약점을 찾아내며 득점을 하는 과제를 해결하는 것'이다. 즉 경기스포츠에서는 상대가 싫어하는 행동을 하면 그것이 '나이스 플레이'이고, 상대가 기뻐하는 행동은 '실수했다'라고 하는 체험을 시켜준다는 것이다.

이렇게 스포츠운동의 실천에 따라 규칙을 따르는 중요성이나 사회적 역할 행동의 학습을 볼 수 있고, 경기스포츠의 의미 있는 체험을 맛볼 수 있는 것이 가능하다. 그러나 동시에 규칙을 속이거나 효과적인 역습이나 상대의 약점을 찌르는 행동의 상쾌감도 체험하게 된다.

3) 경기스포츠의 문제점

'경기스포츠가 의미있는 체험을 가져다 준다'는 것은 부정할 수는 없다. Lenk가 말한 것처럼 경기스포츠를 사회적 서브시스템(subsystem)으로 다룰 수도 있으며, 그것의 실천은 사회적이고 문화적인 것이기 때문에 그 사회적 규범에 따라서 영향을 받는다. 왜냐하면 경기스포츠에서 체험한다는 것은 모든 이상적 공간에서 하는 것이 아니라 경쟁적 문화(competitive culture)에 지배된 공간 안에서 체험하는 것이기 때문이다. 따라서 Grupe, O.가 지적한 것처럼 "스포츠, 특히 선수권대회의 형식을 특징짓는 특정한 지표가 한쪽 면에서 보면 보다 풍부한 의미적 가능성과 경험 가능성을 제공하고, 다른 면에서 보면 이런 가능성을 축소시켜버린다."

현대 스포츠가 결과를 중시한다고 지적한 Miracle과 Rees는 경기스포츠가 인격형성에 공헌하는가 아닌가 하는 문제에 대해서 수많은 사례와 조사를 통해서 '경기스포츠가 인격을 형성한다'라는 것은 신화에 지나지 않는다고 주장하면서 다음과 같이 결론을 내렸다. "스포츠는 인격을 형성시킬 수 없다. 적어도 많은 미국인들의 생각을 보면 스포츠는 실질적 · 교육적 · 사회경제적인 도달을 촉진시키지 않는다. 고등학교의 스포츠는 비행이나 인종적 편견을 감소시키지 않는다. 더욱이 인생에서 고등학교 스포츠는 사회적 성공이나 건강을 촉진시키지 않는다. 요약하면 긍정적인 장기이익에 관해서는 고등학교에서 스포츠를 하는 사람과 그렇지 않은 사람 사이에서 통계적으로 의미있는 차이를 발견할 수 없었다."

즉 '경기스포츠의 의의'와 '경기스포츠의 또 다른 체험'에서 본 것처럼 경기스포츠는 양날의 검으로 다루어지고 있다. 그리고 그 성격은 경기스포츠가 승리를 추구하는 것이라는 점에서부터 발생한다. 왜냐하면 승리지상주의, 또는 과열이라고 불리는 듯한 승리를 추구하는 강도가 문제가 아니라 경기스포츠의 본질에 '양날의 검'이라는 문제가 있기 때문이다.

스포츠와 승패 3

앞에서 '승 · 패'가 근대 스포츠를 특징짓는 중요한 이원적 코드이며, 또 '결과(승패)'가 중요한가, 아니면 '과정'이 중요한가라는 경기스포츠의 본질을 알아보았다. 여기에서는 '롬바르디안윤리'와 '카운터컬쳐윤리'에 대한 Scott, J.의 비판을 검토한 다음 스포츠와 승패의 관계를 살펴본다.

1) 승패의 윤리

Scott, J.은 스포츠의 결과(승패)와 그것을 이루기 위한 과정을 3개의 윤리적인 입장에서 분석했다. 그것은 롬바르디안윤리와 카운터컬쳐윤리이며, 다른 한 가지 비판은 그가 주장한 래디컬윤리이다.

» 롬바르디안윤리(Lombardian ethic) : 결과(승패)가 전부이다(결과가 방법을 정당화시킨다는 입장).

» 카운터컬쳐윤리(counter culture ethic) : 과정이 전부이다(결과는 중요하지 않다는 입장).

» 래디컬윤리(radical ethic) : 탁월한 결과도 중요하지만, 그것을 이루기 위한 과정도 똑같이 중요하다는 입장이다.

2) 롬바르디안윤리

롬바르디안윤리에서 '승 · 패'에 관한 사고방식은 Lombardi, V.의 다음과 같은 말에서 찾을 수 있다. "이긴다는 것은 모든 것이 아니라, 그것은 유일한 것이다(Wining isn't everything, it's the only thing.)." 즉 승 · 패라는 결과가 절대적이는 입장이다. Scott, J.은 롬바르디안윤리를 미국 스포츠의 전통적인 윤리라고 취급하면서 다음과 같이 요약하였다.

"롬바르디안윤리 또는 미국의 스포츠윤리는 빼어난 생산물을 만들어낸다는 생산목표

시스템을 지지하고 있다. 이 시스템은 많은 사람들의 희생과 하드워크(hard work)를 요구하고 그것을 받아들인다. 스포츠에서 가장 좋은 결과인 승리하기 위한 가장 좋은 방법은 승리가 모든 것이 아닌 유일한 것이라고 사람들을 믿게 만드는 데 있다. 근대 스포츠는 이러한 윤리에 따르면서 발전해왔다. 이 윤리의 입장에서 보면 우수한 상대선수는 승리를 쟁취하기 위해서 쳐부숴야 하는 장애물이자 최악의 적으로 간주하는 것은 놀랄만한 가치가 아니다."

Kew, F. C.는 롬바르디안윤리가 스포츠경기에서 발생하는 모럴과 사회적 가치를 빼앗는 것으로 보고 다음과 같이 비판하였다. "롬바르디안윤리는 시합에서 플레이방법을 중요시하지 않고 선수가 승리라는 결과에 얼마만큼 공헌하느냐에 따라서 그 선수의 가치를 결정하는 것을 의미한다. 선수는 도구로 여겨지게 되었고, ……(중략)…… 플레이목적, 시합의 의미, 개인의 경험 · 감정 · 미적인 만족감 등은 승리라는 유일한 목적과 부합되지 않으면 아무런 가치도 없게 된다." 다시 말해서 롬바르디안윤리에서는 승리라는 시합의 결과가 가장 중요한 것이며, 그것을 이루기 위한 과정이나 플레이하는 선수의 개인적인 만족감 등은 결과에 공헌하지 않는 한 의미가 없게 된다. 즉 모든 것은 '승리를 위한 것이므로 그 결과인 승리만 얻으면 된다'라는 것이다.

3) 카운터컬쳐윤리

롬바르디안윤리와 대조적인 사고방식으로 카운터컬쳐(counter culture, 대항문화)에 기초한 윤리가 있다. 이 카운터컬쳐윤리에서 '승 · 패'에 관한 사고방식은 다음과 같다.

"카운터컬쳐윤리에서는 이기냐 지느냐가 중요한 것이 아니라 어떻게 플레이하느냐가 중요한 것이다." 다시 말해서 이는 결과가 아닌 과정을 중요시하는 입장이다.

Scott, J.은 카운터컬쳐윤리를 생산지향성보다는 과정에 주목하자는 뜻에서 다음과 같이 주장했다. "카운터컬쳐윤리에서는 승리를 상금과 같은 비본질적 보수로 간주하여야 하며, 스포츠는 스포츠 그 자체로서 즐거워야 하고, 그것에 따르는 보수를 추구해서는 안 된다". 그리고 Scott, J.은 일부 카운터컬쳐윤리의 제안자들이 주장하는 게임의 득점제를 폐지하자는 제안을 예로 들면서 "그들은 활동가치란 과정에서 생겨나는 것이며 생산물(결과)로부터 생겨나는 것은 아니라고 본다. 따라서 득점제의 유지는 결과인 생산물에 주

목하고 있는 것으로 볼 수 있다."라고 주장했다.

이렇게 과정을 중시하는 것은 중요한 일이지만, 일부 카운터컬쳐윤리의 제안자들처럼 결과(승패)를 완전히 부정하는 것은 시합 자체를 부정하는 결과일 뿐만 아니라 시합의 존재목적을 소멸시키는 행위이기도 하다. '지려고 하는 시합'은 '승리'라는 결과를 완전히 부정하기 때문에 스포츠시합을 성립시키지 않게 된다.

Scott, J.은 "이기는 것은 아무래도 좋다라는 말은 이기는 것이 유일하다라는 말만큼 잘못된 것이다."라고 주장하면서 카운터컬쳐윤리가 스포츠를 성립시키는 사회적 가치를 이해하지 않고 스포츠의 본질과 스포츠제도상의 현실을 구별하지 못하기 때문에 의견차이가 일어난다고 비판했다.

4) 래디컬윤리

Scott, J.은 이러한 '결과냐, 과정이냐'라는 극단적인 두 가지 견해를 비판하면서 '래디컬윤리(radical ethic)'를 주장했다. 래디컬윤리는 경기스포츠의 본질은 기본적으로 나쁜 것이 아니며 스포츠에서 경쟁은 건전하며 본질적인 가치가 있는 인간활동으로 본다. '결과냐 과정이냐'라는 문제에 대해서 Scott, J.은 "래디컬윤리에서는 좋은 결과의 획득은 중요하다고 인식한다. 그러나 그 좋은 결과의 획득과정도 결과만큼 중요하다고 인식한다." 라고 주장하면서 두 가지 윤리의 중요성을 인정하고 있다.

Scott, J.이 제안한 래디컬윤리는 다음의 견해에서도 잘 나타나 있다. "래디컬윤리는 경기자를 스스로 자신을 표현하려고 노력하는 예술가로 파악한다". "대전상대는 승리를 향한 과정에서 만나는 장애물이 아니며, 또한 개인적인 영광을 위해서 이용되는 도구도 아니다. 진정한 의미에서 대전상대는 챌린지(challenge)를 제공해주는 동료이다."

이러한 Scott, J.의 래디컬윤리에 대해서 Kew, F. C.는 "경쟁적 게임에서의 래디컬윤리는 주로 게임을 플레이하는 교육학적 기능으로 귀결되는 것이다."라고 주장하면서 스포츠 그 자체가 아닌 다른 목적을 위해서 이용되고 있는 것을 비판하고 있다. 즉 '결과냐 과정이냐'라는 문제에 대해서 양자를 모두 인정하려고 하는 래디컬윤리는 승리라는 '결과'와 승리를 얻기 위한 '과정'에 의한 '결과(예를 들면 교육적 효과)'를 중요시하며, 스포츠 자체의 가치를 인정하려는 것은 아니라는 점을 비판하고 있다.

한편 결과와 과정 모두를 인정하게 되면 현실의 스포츠현장에서는 모순된 상황을 만들어낼 수도 있다. 예를 들면 농구시합의 최종국면에서 이기고 있는 팀은 구태여 공격을 하지 않고 시합종료를 기다리는 전략을 취하는 경우가 있다. 포인트제도가 된 유도에서도 이러한 경우를 볼 수 있다. 이것은 승리를 위해서 취하는 당연한 전략이므로 비판받는 경우도 없다. 야구에서도 강타자를 경원하여 구태어 승부를 보지 않으려는 경우도 있다. 이러한 전략도 앞에서 본 전략처럼 당연하며 정당한 것이다.

그러나 과정을 중요시하는 관점에서는 이런 것은 용납되지 않고 마지막까지 최선을 다한 플레이가 중요하다고 한다. 질지도 모르는 위험요인을 감수하면서 최선을 다해 플레이할 팀이나 선수가 얼마나 될까?

이렇게 '결과냐, 과정이냐'의 문제는 양자를 모두 중요시해야 한다는 해결책으로 풀 수 있는 단순한 문제가 아니다. 다음에서는 이러한 '결과냐, 과정이냐'라는 문제를 일으키는 '시합'과 그 결과 때문에 발생하는 '승패'의 의미를 알아보기로 한다.

5) 시합과 승패의 의미

스포츠철학자인 Fraleigh, W. P.는 스포츠시합의 존재목적을 "동의된 규칙에 의해서 규제받는 제한적 범위 내에서 어느 쪽이 시공간 안에서 신체 · 용구를 잘 이용하는 능력이 뛰어난 지를 서로 간에 겨루도록(contesting) 공평한 기회를 제공하는 것이다."라고 주장했다.

또 스포츠철학자 Pearson, K. M.은 스포츠경기의 목적에 대해서 "그것은 특별하게 주의 깊게 규정받는 활동으로서 어떤 개인이나 집단이 다른 개인이나 집단보다 기능적으로 뛰어난 지를 결정하기 위한 기능테스트이다."라고 주장했다. 이들은 '서로 겨루거나(contesting)' '어느 쪽이 뛰어난가'를 테스트한다는(시험하는) 말처럼 여러 개인이나 그룹이 승리를 추구함으로써 경기스포츠가 성립된다고 지적하였다.

그렇다면 그들이 추구하는 '승리'와 결과인 '승 · 패'는 어떠한 의미를 가지고 있을까? Fraleigh, W. P.는 '승 · 패'란 다음과 같은 5가지 의미가 있다고 하였다.

① 시합의 종착점으로서의 승패 : 시합이 끝났다는 의미를 가지는 승패

② 시합의 특정상황 종착으로서의 승패 : 어느 팀이 3세트를 얻으면 시합이 종료된다

는 규칙에 의한 승패

③ 시합 안에서 설정된 다른 목표달성으로서의 승패 : 예를 들어 자기의 최고기록을 달성했(달성하지 않았)다 라는 의미를 가지는 승패

④ 시합의 승패에 따라서 외재적 목표가 달성된다 라는 의미를 가지는 승패 : 예를 들어 이기는 것으로 선수권전의 패자가 된다는 목적달성 의미를 가지는 승패

⑤ 시합에 이기려고 노력한다, 혹은 지지 않으려고 노력한다 라는 의미를 가지는 승패 : 시합에서 '이기려고 노력한다'라는 의미를 가지는 승패

Fraleigh, W. P.는 이러한 승패의 의미 중에서 ① 시합의 종착점으로서의 승패, ② 시합의 특정상황 종착으로서의 승 · 패, ⑤ 시합에 이기려고 노력한다, 혹은 지지 않으려고 노력한다 라는 의미를 가지는 승 · 패가 '좋은 시합'을 만들어낸다고 하였다. 다시 말하면 시합이 존재하기 위한 종착점으로서의 '승 · 패', 어느 쪽이 보다 뛰어나다를 결정하기 위한 '승 · 패' 등에 의해서 시합은 완전한 것이 되고 그 시합을 '이기려고 노력하는 것, 혹은 서로 노력한다'라는 의미를 가지는 '승 · 패'가 좋은 시합을 만들어낸다는 것이다.

그리고 Fraleigh, W. P.는 ③ 시합 안에서 설정된 다른 목표달성으로서의 승패는 그 다른 목표가 시합참가자에 의해서 다르게 변한 경우(예를 들면 한쪽은 이기려고 노력하는데 반해서 다른 쪽은 시합에 져도 상관없기 때문에 슛성공률을 높이려는 목표를 달성하려고 하는 경우)에는 시합이 성립되지 않는다고 주장했으며, 더욱이 ④ 시합의 승패에 따라서 외재적 목표가 달성된다 라는 의미를 가지는 승패(예를 들면 내기 맥주, 선수권, 상금, 장학금 등의 획득)가 없으면 '좋은 시합'이 이루어질 가능성이 희박하다고 주장하였다.

6) 이기려고 노력하는 것

여기에서는 Fraleigh, W. P.가 말한 '승패의 의미'에 기초해서 스포츠에서 말하는 승패를 생각해 보자. 먼저 결과가 수단을 정당화한다는 '롬바르디안윤리'는 부정되어야만 한다. 왜냐하면 그것은 '승리'라고 하는 생산물 즉, Fraleigh, W. P.가 말한 ④ 시합의 승패에 따라서 외재적 목표가 달성된다 라는 의미를 가지는 승패를 유일한 것으로 생각하여 의도적인 규칙위반이나 '속임수'가 승리라는 결과에 의해서 정당화될 가능성이 있기 때

문이다. 또 결과(승리)를 유일한 것으로 생각함으로써 플레이어는 기록이나 결과(승리)의 생산에 기여한 공헌도만을 측정받게 되어 승리를 위한 도구로서만 가치를 인정받게 되기 때문이다.

한편 결과보다도 과정을 중시하는 '카운터컬쳐윤리'는 '롬바르디안윤리'를 부정한다는 의미에서는 올바르다고 생각할 수 있다. 그러나 결과(승패)를 완전히 부정하는 것은 Fraleigh, W. P.가 말한 ① 시합의 종착점으로서의 승패, ② 시합의 특정상황 종착으로서의 승패도 부정하게 될 뿐만 아니라 시합 그 자체를 부정하는 것도 된다. 또 ⑤ 시합에 이기려고 노력하는 것을 부정하는 것은 선수들로 하여금(대전상대에게 있어서도) 불성실한 플레이를 하게 만들며, 동시에 선수들이 최선을 다한 노력을 부정하는 것이기도 한다.

이렇게 스포츠의 승패에 관한 논의의 혼란에 대해서 Fraleigh, W. P.는 "이기는 것, 이기려고 노력하는 것의 두 가지 의미를 모아 한마디로 '이긴다'라는 말로 표현하고 있기 때문"이라고 주장하였다. 스포츠시합은 그 최종상황이 '한쪽이 이기고 한쪽이 진다'라는 제로섬게임(zero-sum game)이다. 토너먼트게임에서는 1회전에서 참가팀(플레이어)의 반은 진다(부전승이 없는 경우). 또 그들은 한 번도 '승리'하지 못하고 대회를 종료하게 된다. 그리고 마지막까지 이겨서 최종적으로 승리를 거두는 것은 단 한 팀(플레이어)뿐이다. 그러나 '이기려는 노력'은 스포츠시합에 참가하는 모든 사람의 시도이다. 1회전에서 져서 한 번도 '승리'하지 못한 팀(플레이어)도 '이기려고 노력한다'는 것은 가능하다. 이렇게 결과로서의 '승리'와 '이기려고 노력하는 것'을 나누어 생각함으로써 스포츠에서 말하는 승패의 문제를 재고할 기회가 생긴 것이다.

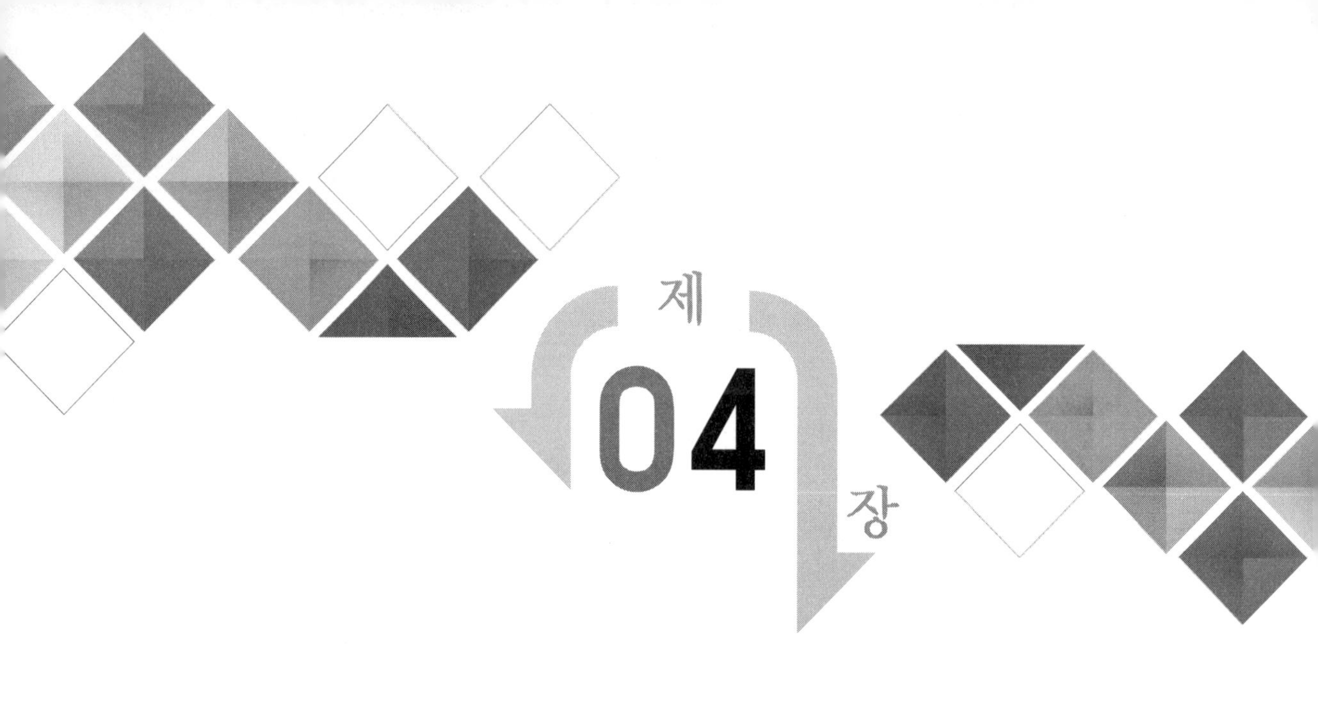

아마추어리즘과 프로스포츠론

아마추어리즘 1

1) 스포츠계의 현황과 아마추어리즘

근대 스포츠의 역사도 결코 평온한 것은 아니었다. 아마추어리즘에 의한 계급차별 · 여성차별 · 인종차별 등과 그것에 대한 대항, 스포츠와 내셔널리즘의 결합, 스포츠의 정치이용, 스포츠의 상업주의화, TV방영권료의 상승, 도핑문제, 올림픽유치에 관련된 IOC 위원의 뇌물수수문제 등, 스포츠 안팎에서 여러 문제가 얽힌 문제의 역사이기도 하다. 이것은 스포츠가 사회로부터 분리되어 진공 속에서 운영되는 것이 아니라 진정한 사회를 이루는 하나의 요소로서 기능하고 있다는 증거이다. 따라서 현실주의와 스포츠의 관련, 특히 현대자본주의사회의 정치 · 경제적인 동향을 기반으로 해서 스포츠를 다루지 않으면 안 된다. 그러나 스포츠 연구를 하다 보면 이러한 점을 잊을 수도 있다.

근대 스포츠는 긴 세월 동안 아마추어리즘(amateurism)이라는 강력한 이데올로기에 의해서 통제받아왔으며, 내적으로는 많은 문제점이 있으면서도 표면상으로는 비교적 평온을 유지해 왔다. 그러나 1970년대 이후 스포츠세계화(sports globalization)가 이루어지는 가운데 상업주의화, 프로화, TV방영화 등이 크게 진전되고, 스포츠계의 구조전환이 발생했다. 많은 톱선수들이 프로화하여 보다 많은 상금 · 계약금에 의존하게 되고, 유명선수는 탤런트화하여 스포츠의 상업화가 크게 진전되었다.

또 국제시합에서 국가 간 경쟁은 더욱 심해졌고 도핑문제도 심각한 수준에 이르렀다. 스포츠맨과 그들을 한데 묶는 서포트시스템(support system)윤리의 저하 내지 혼란이 발생하고 있다. 이 영향은 톱선수뿐만 아닌 젊은선수에게도 미쳐서 이대로 방치하면 장래 스포츠계(또는 올림픽계)의 신뢰추락은 피하기 어렵게 될 것이다. 이 때문에 페어플레이를 중심으로 하는 새로운 스포츠관이 필요하게 되었다.

이러한 현상에 대한 우려에는 아마추어리즘에 대한 향수가 배어 있다. 아마추어리즘이 붕괴되었지만 '아마추어리즘도 좋은 점이 있다'고 하는 견해가 있다. 예를 들면 아마추어리즘에는 '비원조, 자치의 정신'이 있는데, 지금 그것의 유지가 중요하며 공적인 원조=개입을 배제해야 한다고 하는 Lincoln, A. "Lincoln Allison(2001). Amateursim in Sport-An Analysis and a Defence, Frank Cass."의 주장이 바로 그것이다.

한편 윤리관 · 도덕관의 붕괴를 바로 잡으려면 아마추어리즘의 페어플레이 등을 다시 한 번 생각할 필요가 있다. 그러나 단순히 '페어플레이=아마추어리즘'으로 보아서는 아마추어리즘을 제대로 이해할 수 없다. 따라서 "아마추어리즘은 무엇일까?"라는 본질의 이해가 선행되어야 할 것이다.

2) 아마추어리즘의 개념

아마추어리즘이란 아마추어규정(규칙)을 포함한 이데올로기인데, 여기에는 많은 의미가 포함되어 있다. 원래 아마추어리즘은 1800년대 중엽 영국에서 자본가계급(즉 지배계급)이 노동자계급을 배제하기 위해서 만들어진 것이다.

그 후 아마추어리즘은 1970년대에 개최된 올림픽부터 그 규칙과 사고방식이 사라질

때까지 약 100년간 세계의 스포츠계를 석권했다. 그 역사 속에는 자본주의의 본질인 상업화 · 시장화나 선수들의 프로화 · 상금과 상품수수 등의 문제가 있었지만, 지배계급의 입장에서는 큰 비판없이 오히려 '순수한 스포츠관=아마추어리즘'이라고 하는 이데올로기로 지지받았다. 이상한 점은 이론상의 비판은 별로 없이 오히려 경기단체 및 선수가 처한 현실이 아마추어리즘의 금욕주의로는 한계에 달하여 프로화나 상업화가 해금되기 시작하는 단계에서도 역시 아마추어리즘은 살아남았다는 것이다.

그러나 1970년대에 경기단체나 IOC에서 아마추어 규정을 폐기하고 아마추어리즘을 채용하지 않은 단계에 이르러서도 역시 제대로 된 아마추어리즘 연구는 이루어지지 않았다. 그 이유는 비록 아마추어리즘이 붕괴되더라도 지배계급(즉 자본가계급)의 이데올로기인 아마추어리즘의 비판적인 연구는 경우에 따라서는 자본주의사회 그 자체에 대한 비판도 될 수 있기 때문이다.

이러한 과정에서 '스포츠는 아마추어리즘 · 아마추어스포츠가 진실이며, 프로는 가짜이다', '아마추어스포츠는 순수한 것이며, 프로는 불순물이다' 등의 이데올로기마저 퇴출시키게 되었다. 이것은 스포츠계의 연구 후진성을 나타내는 일단이며, 스포츠에서 사회과학적 연구를 퇴보시킨 역사적 손실이다.

그러나 다행스런 일은 최근 아마추어리즘 향수론이 일어나고 있다는 점이다. 이것은 아마추어리즘의 발상국인 영국을 비롯한 세계적인 추세이다.

3) 아마추어리즘의 변천과 구조

(1) 아마추어리즘의 변천

근대 스포츠는 영국의 지배계급인 자본가계급들에 의해 만들어진 운동문화로, 그들의 아이들이 다니는 퍼블릭스쿨(사립 엘리트학교)에서 근대 스포츠로서 가다듬어지고 규칙의 통일이 이루어지면서 크게 보급되었다. 그들은 옥스퍼드대학교(University of Oxford)나 케임브리지대학교(University of Cambridge)에 진학하였고, 거기에서도 스포츠를 보급시켰다. 퍼블릭스쿨이나 대학의 졸업생들은 전국으로 나가 그곳에서 여러 가지 스포츠클럽을 조직하고 경기대회를 개최했다.

한편 육체노동자인 노동자계급은 노동을 하면 스포츠 트레이닝도 되기 때문에 그들이 경기대회에 나가면 상위입상을 독점하게 되었다. 이것은 자본가들에는 계급지배의 근본을 뒤집는 일이기도 해서 노동자계급을 경기대회에서 배제하는 방안을 찾기 시작했다. 이렇게 해서 점차적으로 확립된 것이 아마추어규정이다.

아마추어규정은 1830년대부터 존재했던 것으로 추정되지만, 현존하는 최고 오래된 성문화된 규정은 1866년 전영국 육상경기대회의 '참가자자격규정'인데, 그 내용은 다음과 같다.

"이전에 상금을 목적으로 프로들과 함께 또는 그들에 대항해서 경기한 자, 생활비를 얻기 위해서 운동을 코치하거나 그것을 직업으로 하는 자, 비고용자로서의 기계공(mechanic), 직공(artisan), 노동자 등은 아마추어로 인정할 수 없다."

이렇게 해서 전영국 육상경기대회는 노동자계급과 프로들을 배제했다. 이 경기대회는 William Penny-Brooks 박사의 올림피언협회(Olympians Association)가 추진하는 '올림픽 부흥운동'의 런던대회에 대항해서 개최되었다. 올림피언협회의 경기대회는 누구든지 참가할 수 있었지만, 전영국 육상경기대회는 계급성을 전면에 내세워서 대항했다. 이것은 '참가자자격규정'에서 볼 수 있는 것처럼 노동자, 기계공, 직공 등 직업을 명시하거나 코치 등을 명시해서 배제한 명확한 계급적 규정이었다. 그 후 스포츠는 영국 전체에서 세계로 보급되었다. 왜냐하면 근대의 국민 국가를 형성하는 나라들에게는 영국과 같은 운동문화를 필요로 하였으며, 학교교육에서는 체조를 가르치고 엘리트층에서는 '아마추어리즘으로 포장된 스포츠'를 필수로 익혀야 했기 때문이다.

이 아마추어규정은 그것을 흡수한 여러 사상과 종합되어 아마추어리즘이라고 명칭을 붙이게 되었다. 즉 "아마추어스포츠는 순수하고 진정한 스포츠이다. 한편 프로스포츠는 불순하고 가짜이다."라고 하는 아마추어리즘은 계급적 차별을 명확하게 합리화하는 궤변에 불과하였다.

이윽고 1800년대 종반에 접어들면 경기대회에 참가해서 상금 · 상품을 받는 행위나 휴업보상 등의 금지와 같은 경제적 규제가 출현하게 된다. 그 후 노동운동이 활발해지고 노골적인 계급규정이 필요 이상으로 노동자계급을 자극했기 때문에 그 규정은 삭제되었지만, 그대신 경기에서 노동자계급의 배제를 실질적으로 확보하는 경제적 규제가 주류를 형성하게 되었다. 서유럽 선수들은 일을 끝낸 후에 지역스포츠클럽에 참가해서 스포츠를 즐겼다. 일요일은 크리스트교에서 안식일로 삼았고, 또 오전 중에는 교회에서 기도를 하

고 오후에는 가정에서 가족화합의 도모가 이상이었기 때문에 일요일은 경기대회가 없었다. 게다가 토요일도 반일(半日)노동이 아니었기 때문에 경기대회에 참가하려면 일을 쉬지 않으면 안되었다. 노동자들은 휴업분을 보장받거나 그것을 상금으로 획득하지 못하면 실질적으로 경기대회 참가는 불가능하였다.

경제적 규제는 바로 이런 점을 노린 것이다. 그렇기 때문에 아마추어리즘도 20세기 초기에는 교통비나 숙박비 등의 실비지급은 인정했지만, 그 이상의 상금 · 상품이나 휴업보상은 인정하지 않았다. 그러나 20세기 초중반쯤이 되어 국내 및 국제경기대회가 활성화되자 이러한 경제적 규제도 뒷전(under table)에서는 지켜지지 않았고, 또 경기대회도 많이 개최되자 주최측은 보다 많은 관객을 모으기 위해 보다 유명한 선수를 초빙하지 않으면 안되었고, 그 때문에 경쟁적으로 출전료를 지급하게 되어버렸다.

이러한 사태를 막을 수 없게 된 1930년대에 접어들면 '아마추어는 품위를 가진 자'라든가 '페어플레이정신이 넘치는 자' 등의 윤리규정을 전면에 내세워 프로나 노동자계급을 배제하려고 했다.

물론 1866년 최초의 아마추어규정이 탄생된 이후부터 스포츠는 지배계급에게 널리 깊게 침투해갔다. 그것은 '아마추어리즘에 싸여진 스포츠'이다. 스포츠가 독자적으로 보급된 것이 아니라 계급적 특징을 가지고 보급된 것이다. 각국의 지배계급들도 그것을 기대하고 있었기 때문에 스포츠는 급격히 세계로 보급된 것이다.

(2) 아마추어리즘의 구조

전술한 바와 같이 아마추어규정은 3가지 규제(계급적 규제, 경제적 규제, 윤리적 규제)로 구성되어 있다. 이것은 사회와 스포츠계의 관계 변화이다. 다시 말해서 자본주의의 발전에 따라 변하는 스포츠계와 사회의 관계변화인 것이다. 이러한 3가지의 규제가 변화되어 노동자계급과 고도의 기량을 가진 선수를 지칭하는 프로를 직접적인 규제에서 배제하게 되었다. 그러나 아마추어리즘은 이것만을 뜻하는 게 아니다.

확실히 직접적으로는 프로(고도의 기량을 가진 노동자계급 선수)를 배제했지만 그것은 실질적으로 노동자계급의 배제이기도 했다. 이러한 배제에 대한 반발로서 1920~30년대의 노동자스포츠운동과 노동자올림픽의 대두를 들 수 있다. 즉 노동자계급배제라는 표현 안에서 스포츠고도화와 대중화라는 2가지 측면에서의 배제가 행해졌다는 것이다.

그것에 의해 스포츠의 대중화가 억압받았다. 대중화는 시장화이기도 하다. 자본주의사회에서 자본의 축적 및 획득을 업으로 하는 자본가 스스로가 스포츠를 자기들 계급에서만 독점하기 위해 스포츠의 시장화를 억제시키려는 모순을 드러낸 것이다. 이것은 자본주의사회 내에서 기본적인 최대의 모순이다. 따라서 이 모순은 아침저녁으로 폭발하여 붕괴되는 운명을 걷게 되었다.

이 아마추어리즘은 1800년대 후반에 완성되었지만, 아마추어리즘은 노동자계급의 배제를 도모하는 한편 당시의 국민국가형성상 자본가계급들의 사회적 통합방침의 일환이기도 했다. 새로운 계급으로서 아직 불안정한 그들의 사회적 통합은 '전통창조'에 따른 확립을 눈앞에 두고 있었던 것이다. 그렇기 때문에 아마추어리즘도 그 일환으로서 이용되었다.

그리고 이데올로기적으로 본다면 아마추어리즘은 자본가들의 개인주의를 통해서 지지받고 있다. 확실히 봉건제사회의 귀족에게서 평민인 자본가들이 향유할 수 있는 수준으로 스포츠를 이끌어낸 것은 스포츠의 민주주의 혁명이다. 그와 동시에 '스포츠는 스스로의 재산으로 꾸려가고 타인으로부터의 원조를 받지 않는다'라고 하는 윤리관을 따르는 것이 되었다. 이것은 경제적 규제인 동시에 윤리적 규제이기도 하다. 이렇게 해서 스스로 재산을 가지지 않은 노동자계급이 스포츠에서 배제되거나 국가나 자치단체로부터의 원조를 얻는 것이 불가능했다. 이렇게 해서 노동자계급의 배제가 다양한 측면에서 이루어졌으며, 이것에 의해서 자본가클럽은 Lincon, A.이 주장한 것처럼 '타인의 개재를 허용하지 않는다'라는 권한을 얻게 되었다.

지금까지 살펴본 아마추어리즘의 구조를 요약하면 다음과 같다.

» 자본가들이 봉건귀족으로부터 해방시킨 스포츠는 자본가 민주주의혁명이며 이것은 스포츠의 자치권이자 자유권이다.
» 그것은 노동자계급를 스포츠에서 배제한 것이다.
» 노동자계급의 배제를 도모하는 한편, 자본가들 자신의 사회적 통합이기도 하다.
» 노동자계급의 배제를 통해서 인구의 압도적 다수를 차지하는 층에 대한 스포츠보급을 억제하게 되었다.
» 그것은 자본주의사회에서 스포츠시장화를 억제했다. 자본주의사회에서 자본가 스스로가 시장화를 억제한다는 모순을 드러내게 되었다.
» "스포츠는 개인의 재산으로 향유되는 것이며 타인으로부터 원조는 받지 않는다."라

는 자본가적 개인주의이다.

이 경우 아마추어규정의 내용뿐만 아니라 거기에 내포된 요인 · 영향을 가미하면 다음과 같은 아마추어리즘의 개념규정이 생긴다. 즉 "아마추어리즘이란 스포츠의 고도화와 대중화를 통해서 노동자계급을 배제함과 동시에 자본가들 자신의 사회적 통합수단이며 스포츠시장화를 배제했다. 그리고 그것을 지탱하는 것은 자본가들의 개인주의이다."

4) 아마추어리즘의 붕괴

아마추어리즘은 노동자배제(고도화, 대중화), 자본가들의 사회적 통합, 시장화억제, 자본가들의 개인주의 등과 같은 특성이 있다. 그리고 생성과 발전과정에서도 모순의 내포와 현재화과정을 지니고 있기도 하다.

다음에 서술하는 각각의 사상은 그것들의 몇 가지 특성을 부정하는 내용을 포함하면서 아마추어리즘의 붕괴요인이 되었다.

(1) 1920~30년대의 선택

제1차세계대전은 1914~18년까지 계속되었다. 당초 누구라도 전쟁이 단기간에 끝날 것이라고 생각했지만, 예상 외로 장기전이 되어버렸다. 각국은 총력전을 펼치게 되자 자본주의국가들은 국가총동원을 위해 노동조합이나 사회주의 진영에도 크게 양보하면서 국민의 전의(戰意)의 유지 · 향상에 힘쓰지 않으면 안 되었다. 그 때문에 전시 및 전후에 국가가 피폐해진 것을 제외하고는 국민들의 여러 권리는 상대적으로는 진보하였다. 특히 1917년의 러시아혁명에 의한 사회주의국가 소비에트의 탄생과 주 48시간 노동제의 도입은 서유럽의 자본주의국가에게 큰 충격을 주었다. 이에 따라 여러 가지 사회주의 타도수단을 취하는 한편, 사회주의에 대항하기 위해 국내의 복지도 일정한 향상정책을 취하지 않으면 안되었다.

이렇게 해서 1920~30년대에는 노동자뿐만 아니라 여성의 스포츠참여와 참정권이 크게 향상되었다. 그 일환으로 각종 운동경기대회가 개최되었다. 1920년대에는 노동자 스포츠운동, 노동자 올림픽을 개최하여 자본가위주의 아마추어리즘에 저항했다. 올림픽은

국제주의를 내걸기는 했지만 아마추어리즘에 의한 계급차별, 여성차별, 인종차별 때문에 진정한 국제주의라고는 할 수 없다고 비판했다. 그리고 자신들의 노동자 스포츠운동, 노동자 올림픽이야말로 오는 사람을 거부하지 않는 진정한 국제주의라고 주장했다.

또한 아마추어리즘은 백인, 남성, 중 · 상류계급의 것이며 여성차별을 한다고 비판하면서 1920년대부터 국제여성스포츠대회, 국제여성올림픽도 개최하였다. 이것은 중산계급의 여성들이 중심이 되어 일으킨 운동이다.

이 노동자와 여성들 각각의 스포츠운동은 1930년대 후반에는 파시즘에 의해서 억압되어 버렸지만, 이때 고양된 이념과 운동은 전후 올림픽으로 계승되었다. 이 때문에 아마추어리즘의 모순에 대해 많은 의구심을 가지고 아마추어리즘을 붕괴시킨 크나큰 요인이 되었다.

(2) 스포츠 포 올(Sport for All)

Sport for All정책은 복지국가의 제2단계 시책이다. 이것은 노동형태, 생활형태의 생력화(省力化)와 동시에 일상생활에서 운동의 감소, 영양 향상, 스트레스 증가 등에 의한 생활습관병의 만연에 따른 의료비상승을 기반으로 한다. 또한 복지국가의 제2단계인 '새로운 인권'의 일환으로 고양된 국민의 스포츠욕구를 충족시키기 위한 방안이기도 하다.

이렇게 해서 Sport for All정책는 국민복지의 필수과제가 되었다. 그리고 '국민이 스포츠를 향유하는 것은 기본적인 권리이다'라는 스포츠권에 의해서 지지받고 국가나 공공기관은 그것을 위한 조건정비를 행할 의무를 가지게 되었다. 이것은 스포츠권리가 자유권에서 사회권으로 발전했다는 것을 의미한다. 즉 자본가들의 개인주의에 기초한 스포츠자치권은 스포츠를 자신들의 개인재산으로 운영하면서 공공기관의 개입을 배제하는 자유권이었다. 그러나 20세기 복지시대에 접어들면 그러한 자유권도 국가나 공공기관이 조건을 보장하지 않으면 기능을 다하지 못하는 시대가 되었다. 여기에서 국가나 공공기관이 보장하는 필요성의 시대, 즉 사회권의 시대가 대두하게 된 것이다.

과거에는 지역주민들이 자치단체에게 스포츠시설의 건설을 요구하더라도 "그것은 스스로 하십시오. 자치단체는 그에 대한 자금도 없습니다."라고 하면서 개인주의적 범주로 대응해왔다. 그러나 Sport for All 시대가 되면서 그것은 기본적으로 국가나 자치단체의 책임이 되었고 자본가들의 개인주의는 근본적으로 부정되었다. 즉 Sport for All에서는 아마

추어리즘을 근원적으로 부정한다. 1970년대 아마추어리즘 붕괴의 배후에는 이러한 부정도 그 뿌리에 존재하고 있었다.

(3) 프로스포츠의 탄생

영국에서는 1880년대에 이미 축구에서 프로리그가 탄생했다. 아마추어보다도 프로 쪽이 실력도 인기도 위였기 때문에 그 후 영국의 축구협회(FA : Football Association)는 프로가 중심이 되었다. 이것이 축구가 다른 스포츠종목보다 특이한 점이다.

1896년에 개시되어 지속되어온 근대올림픽의 아마추어리즘과 축구의 프로 지향은 대립관계의 초점이 되었다. 1928년 제9회 암스테르담올림픽을 둘러싸고 대립이 격화되어 FIFA는 올림픽협회에서 탈퇴하여 독자적으로 월드컵개최를 결정하고 1930년에 제1회 우루과이월드컵을 개최했다. 이 대립은 올림픽대회의 축구경기에 프로선수의 참가에 대한 올림픽협회의 비판에 대응해서 FIFA가 반론을 주장하면서 시작되었다. 결국 아마추어리즘에 대한 대항이 월드컵을 탄생시키게 된 것이다.

FIFA에서 월드컵을 개최한 다음 스포츠종목별 국제연맹(IF : International Federation)의 역사는 대부분 아마추어리즘과 프로화라는 대립의 역사였다.

경기가 고도화됨에 따라 선수 트레이닝에 막대한 시간과 비용이 들어가게 됨으로써 스포츠와 직업의 양립은 불가능하게 되었다. 그 때문에 고도의 기량을 갖춘 선수는 관객의 호응을 얻을 수 있고, 또 그것에 의해 그들의 생계유지가 가능하다면 프로화의 지향은 필연일 것이다. 프로는 아마추어보다 고도의 기량을 보유함으로써 '보여 주는 스포츠'로서 훨씬 매력을 준다. 이렇게 프로의 인기가 높아지고 국민들의 지지도 얻게 되면서 아마추어리즘을 고집할 필요성조차 없어져버렸다.

동계스포츠종목에서도 똑같은 현상이 일어났다. 서유럽에서 복지국가화가 이루어지는 가운데 레저붐이 일어나고, 특히 알프스지방은 스키리조트로 대표되는 유럽의 레저중심지가 되었다. 알프스와 가까운 프랑스, 스위스, 오스트리아, 이탈리아 등에서는 자국의 선수가 세계대회에서 좋은 성적을 내면 그것을 관광객유치수단으로 활용하게 되었다. 이 때문에 우수선수양성은 국책의 일환이 되었으며, 선수양성을 위해 일찍부터 국가 및 관련기업의 원조가 뒤따랐다. 이에 따라 선수 개인에게도 많은 수입이 생기게 되었다. 하지만 IOC 측은 이것은 아마추어리즘 위반으로 보고 금지시켰다. 이것이 올림픽참가자격을 둘러싸고 항상 대립하게 된 이유이다.

또 스포츠선수의 TV출연, 나아가 탤런트화도 필연이 되었다. 프로선수로서 인기를 높이려면 TV를 위시한 매스컴 노출도를 높이지 않으면 안되는데, 그것이 선수의 탤런트화이며 이것에 의해 그 스포츠의 인기 역시 높이는 효과를 얻는다.

과거의 아마추어리즘하에서 '프로선수는 비열한 자이다'라고 비판받았지만 지금은 프로선수는 스타이며 국민의 동경의 대상이 되었다. 그리고 프로선수의 일거수일투족이 국민을 격려하고 때로는 국민 한 사람 한 사람의 인생에도 막대한 영향력을 미치고 있다. 그 때문에 주목의 대상이 된 것이다. 어느 쪽이든 프로의 우위성이 부동의 위치를 차지하게 됨으로써 아마추어리즘의 권위는 소실되어버렸다.

(4) 스포츠의 시장화

마지막으로 스포츠의 시장화문제를 들 수 있는데, 시장화에는 다음과 같은 측면이 있다.

» 선수의 프로화라는 시장화이다.

» 스포츠산업은 상품판매와 직결된다.

» 기업이 스포츠 또는 선수 개인을 기업의 선전매체로 활용한다.

이들 시장화는 현재의 TV, 매스컴=산업계=그리고 스포츠계와 소비자인 국민을 연결하고 있다. 스포츠계도 현재 산업계의 지원 없이는 활동이 불가능하며 TV나 매스컴도 스포츠이벤트가 없으면 방송 · 뉴스를 구성하기 어렵다. 오늘날 스포츠계는 하나의 거대한 산업부문을 형성하고 있다. 이것들이 아마추어리즘을 거부할 뿐만 아니라, 오늘날 사회도 아마추어리즘을 거부하고 있다.

프로스포츠론 2

1) 프로스포츠의 의의와 탄생

(1) 프로스포츠의 의의

① 문화개발 및 보급

프로스포츠야말로 스포츠문화의 개척자로서 스포츠발전과 보급에 큰 영향을 미치고 있다. 프로스포츠선수는 고도의 기술을 관람자에게 보여주는 것을 직업으로 한다. 그리고 개척된 기술은 국민의 '하는 스포츠'에 응용되면서 보급되고 있다.

② 경제적 효과와 지역활성화

프로팀의 프랜차이즈화(franchiser, 홈그라운드화) 또는 대규모 스포츠이벤트의 유치 · 개최가 지역경제에 파급되는 효과가 지적되고 있다. 또 팀이나 선수의 캐릭터상품이나 관람자의 방문 · 숙박 등의 촉진이 기대된다. 그러나 미국에서 이루어진 몇 개의 연구에서는 야구 구단의 유치나 스포츠이벤트가 개최되어도 투자한 만큼 이익은 올라가지 않는다는 지적도 있다.

③ 지명도 향상

프로구단의 홈그라운드가 됨으로써 지역이름 알리기나 스포츠이벤트 개최에 의한 개최지의 지명도 향상이 있다. 전국 또는 전 세계적으로 지명도가 올라가면 관광자원으로서의 위치는 결정적으로 중요해진다. 대도시에서 대규모 스포츠이벤트를 개최하는 배경에는 최근 이 관광자원으로 위치매김하려는 요구가 기반으로 깔리는 경우가 많다.

④ 도덕적 효과

프로스포츠선수는 국민의 동경의 대상이다. 그들은 특히 청소년에게 압도적인 영향력

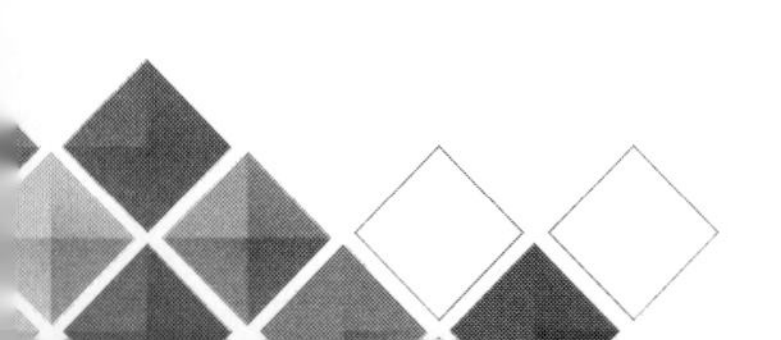

을 가지고 있으며 청소년의 우상 내지 인생의 안내자로서 이상화되어 달성해야 할 목표로 자리를 잡는다. 그 때문에 프로선수의 행동은 큰 영향력이 있다. 그것은 스포츠경기 외에서도 마찬가지이다. 만약 그들이 일상생활에서 위법행위를 하면 매스컴은 특별히 그것을 기사화시킨다. 왜냐하면 프로선수로서 유명하면 유명할수록 위법행위 시 뉴스로서의 가치도 높아지기 때문이다. 따라서 각 프로스포츠조직은 프로선수들에게 특히 젊은 사회인으로서 지켜야 할 매너 등을 특별히 주지시킬 필요가 있다.

⑤ 지역 아이덴티티의 형성

프로구단의 홈그라운드화에 의한 최대의 이점은 지역주민이 그 팀을 응원함으로써 지역 정체성(identity)의 향상을 이룰 수 있다는 것이다. 그것은 프로야구의 롯데 자이언츠나 기아 타이거스 등의 사례에서도 볼 수 있다. 이에 의해서 지역주민의 자신감, 향토애, 지역연대감 등의 고양이 지적되고 있다. 또는 가족끼리 응원을 감으로써 대화기회가 만들어져 가족관계가 좋아진다. 더욱이 비행청소년들이 서포터 활동에 참가함으로써 비행집단에서 탈퇴하게 되고, 나아가 지역 아이덴티티의 고양과 그것이 가져오는 효과는 다른 방법으로는 불가능한 내용도 포함되어 있다.

(2) 프로스포츠의 탄생

다음에는 프로스포츠의 탄생과 발전과정을 살펴보기로 한다. 자본주의사회 이전의 봉건제사회에서도 소위 연예인이나 서커스라고 불리는 예능을 전문으로 하는 사람들이 있었으며, 우라나라에서도 남사당으로 대표되는 예능집단이 있었다. 그러나 이들은 양반의 노리개가 되거나 사회적으로 천시받는 집단이었다. 근대 프로스포츠에는 근대 자본주의사회의 상품화를 기반으로 하는 상업형태나 노사관계가 포함되어 있다.

① 자본주의사회의 형성과 프로스포츠의 탄생

봉건제사회의 말기에는 상업활동의 활성화와 수공업의 발달에 의해 유통이 비약적으로 발달하고 자본이 축적되면서 최하층에 있던 상인계층이 사실상의 경제적 권력을 획득하게 되었다. 그들은 '인간평등론'의 이데올로기를 탄생시켜 정치적 권력의 장악=자본주의혁명(민주주의혁명)을 목표로 삼았다. 이러한 사회는 서서히 자본이 사회의 근간이 되는 자본주의사회로 변모되어 갔다. 그 때문에 자본을 많이 소유한 자본가계급이 노동자

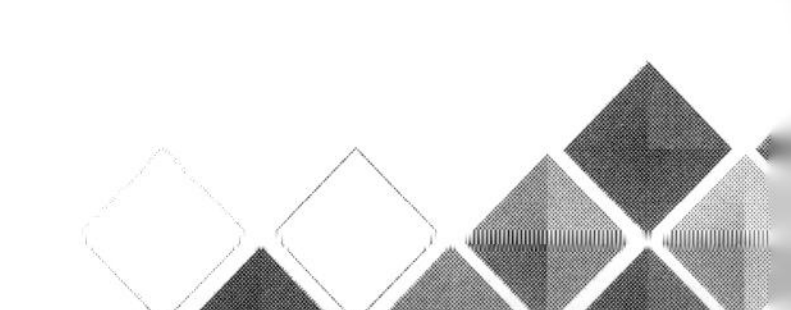

와 농민을 지배하는 자본주의사회가 된 것이다.

이러한 과정에서 자본은 도시로 집중(도시형성)되고, 이와 동시에 노동자계급도 도시로 집중되는 현상이 나타났다. 당초 장기간 노동으로 여가를 가지지 못했던 노동자계급은 노동운동에 의해서, 그리고 자본가 입장에서는 양질의 노동력확보를 위해 노동자계급은 조금씩 가처분시간(여가)과 가처분소득을 소유하게 되었다. 아직은 스스로 스포츠를 즐길 수 있는 조건은 되지 못했지만, 프로시합을 관람하는 조건은 형성되어 있었다.

이러한 배경에서 1863년에 설립된 축구협회(FA : Football Association)에서 만든 영국 북부의 탄광 · 철광촌 노동자 중심의 축구팀은 공장주들의 지원하에 점차적으로 경기력을 높이면서 세미프로화를 진행시켰다. 그러다가 드디어 1880년대에는 프로리그가 발족되었다. 여기에서는 자체단체의 원조는 일체 받지 않고 프로구단 스스로 스타디움을 건설하였고, 클럽은 지역주민의 아이덴티티통합수단이 되었다. 이러한 프로팀은 FA 내에서도 주도적이 되어 세계축구계를 이끌었다.

이에 자극받은 럭비계에서는 축구와 똑같이 영국 북부의 럭비유니온(Rugby Union)에서 프로리그를 지향하는 집단이 나타났다. 그들은 1900년에 접어들자마자 드디어 '럭비리그'라는 프로리그를 탄생시켰다.

그러나 당시의 프로선수나 프로구단은 수입상황이 좋지 않았고 선수들도 시합에서 얻는 수익만으로는 생활할 수 없었다. 따라서 평일은 아르바이트를 하고 주말에는 시합을 하는 식의 지금 용어로는 '파트프로(partpro)' 형식이었다. 이는 소비능력(관객동원능력)이 그만큼 높지 않았기 때문이다. 제1차세계대전에 의해서 국민의 복지와 문화는 크게 피폐해졌다. 그리고 제1차대전이 끝나고 일시적으로 흥성했지만 제2차세계대전으로 다시 피폐해졌다.

프로선수들이 급료만으로 생활이 가능하게 된 것은 국민의 복지수준이 높아지는 복지국가의 고도경제성장기가 되어서부터였다. 이 단계에서 프로선수들의 자립이 가능했던 이유는 국민의 소비능력이 프로스포츠를 지지할 만큼 성장했기 때문이다.

② 복지국가와 고도경제성장

제2차대전 후의 복지국가는 피폐한 경제 속에서 의료, 교육, 주택에 집중하지 않을 수 없었다. 그래도 국민의 복지는 크게 보장되어 '태어나서 무덤까지'라고도 불리웠다. 이러한 정책은 동유럽 사회주의국가에 대항하는 서유럽 자본주의국가의 필사적인 정책이기도

했다.

그러나 1950년대 후반부터 여러 선진국가의 고도경제성장은 복지확대를 가져와 '새로운 인권'에 문화, 예술, 스포츠를 포함시키게 되었다. 국가에서 스포츠를 장려한 것은 노동이나 생활의 기계화에 의한 운동감소, 영양향상, 스트레스증가 등으로 생활습관병이 만연되어 총의료비가 상승했기 때문이다. 그것을 예방하기 위한 건강대책으로 스포츠가 주목을 받게 되었다. 게다가 스트레스화하는 사회 속에서 스트레스를 발산시키고 인간관계를 보다 원활하게 하기 위해서도 스포츠를 국민에게 보급시킬 필요가 있었다. 그리고 국민 입장에서 본다면 그러한 요소를 내포하면서 여러 권리를 고양하기 위해 스포츠문화 향유권리를 요청한 것이다.

스포츠분야에서는 'Sport for All'정책에 의해 지역사회 스포츠의 보급방법이 채택되었다. 이것은 국민복지향상의 일환이지만, 이러한 '하는 스포츠'에 대한 참가는 보다 고도의 문화인 '보는 스포츠=프로스포츠'의 감상(관전)이나 학습을 지향했다. 그리고 국민의 복지수준의 향상에 따라 '하는 스포츠'만이 아닌 '보는 스포츠'도 역시 향상되었다. 이때 영국, 미국, 일본 등에서 프로스포츠는 크게 발전하게 되었다.

③ 글로벌화의 시대

스포츠의 글로벌화는 1975년 IOC에서 '아마추어규정의 폐지=프로선수의 참가 용인'을 경계로 보면 그 시기를 알기 쉽다. 이 배후에는 TV에 의한 스포츠의 시장화가 한층 더 진전되고 신자유주의에 의해 지지받는 신시대가 있었다. 이것은 프로스포츠가 비약적인 발전을 보인 계기가 되었다.

그에 따라서 프로선수들의 국제적 이동도 활발해졌다. 특히 축구에서 세계적인 우수선수는 서유럽시장에 집중되었다. 또 야구에서는 미국을 중심으로 선수들이 모여들었다.

1990년대 전반기에는 FIFA의 지도하에 많은 나라에서 축구의 프로리그를 탄생시켰다. 이에 따라 각국의 축구수준이 향상되고 축구보급이 활성화됨으로써 월드컵의 인기는 급속히 향상되었다. EU에서는 노동자의 이동자유가 보장되자 우수선수는 급여가 높은 영국, 이탈리아, 스페인, 독일, 프랑스, 네덜란드 등으로 모였다. 외국에서 우수선수가 모여들면서 자국선수들의 출장기회가 없어져 자국선수를 육성할 수 없다는 심각한 문제가 발생하여 외국인 선수의 제한이 문제점으로 남아 있다.

2) 프로스포츠의 성립

(1) 프로스포츠의 경영

프로스포츠를 연구할 때 지금까지도 경제학적인 측면에서 접근하고 있다. '노동경제학'의 입장에서는 주로 구단과 선수 간의 노동계약문제를 다루게 된다. 한편 '산업조직론'의 입장에서는 구단경영에 관한 내용을 다룬다. 최근 축구, 야구 등의 프로구단 경영 및 분석에 대한 경제학, 법학 등에서 접근한 연구서적들이 많이 출판되고 있지만 총론격인 '프로스포츠란 무엇인가'에 대한 근본을 규명한 책은 없다.

노동경제학이나 산업조직론에서 접근하면 '프로(선수, 구단)'를 생산자로 하고 '팬, 서포터, 시청자'를 소비자로서 보는 것이 일반적이다. 프로스포츠라고 하면 선수만을 연상하는 경향이 많지만, 그것만으로는 좁은 의미의 프로스포츠를 뜻할 뿐이다. 우리는 전체라는 의미에서 프로스포츠를 파악해야 한다. 프로스포츠가 성립하려면 선수와 구단이라는 노사관계가 성립되어야 한다. 당연히 구단연합체인 리그가 필요하다. 물론 여기에서는 선수와 구단 이외에도 심판, 구단 및 연맹의 운영에 필요한 직원 등도 있어야 한다.

한편 프로스포츠는 관람자라는 존재가 전제되어야 비로소 성립하는 직업이기 때문에 팬이나 서포터 또는 시청자라는 대중의 존재도 빠뜨려서는 안된다.

생산자와 소비자를 묶는 것이 매스컴이다. 스포츠의 역사를 보면 처음에는 신문이, 그 다음 라디오가, 이어서 TV가 추가되었으며, 현재는 인터넷 등이 포함되어 스포츠뉴스를 리드하고 있다. 그것들은 국민의 스포츠에 대한 관심을 끄는 결정적인 역할을 하고 있다.

마지막으로 과거에는 그다지 관심을 끌지 못했지만 프로스포츠의 발전을 목적으로 하는 지방자치단체의 역할도 점점 커지고 있다. 이것은 영국 같은 나라에서는 권력으로부터의 독립을 목표로 하기 때문에 그다지 강조되고 있지 않지만, 미국의 경우 프로스포츠의 발달에서 지방정부와 스포츠조직의 연계는 뗄래야 뗄 수 없을 만큼 중요한 관련성을 가지고 있다. 이런 의미로 보면 프로스포츠의 공공성은 점점 높아지고 있다고 할 수 있다. 우리나라의 프로스포츠도 이러한 경향을 보이고 있다.

이상의 관계를 그림으로 나타낸 것인 그림 4-1이다. 여기에서는 보다 현실적으로 지방자치단체를 포함한 3극 구조를 통한 파악방법을 나타내고 있다.

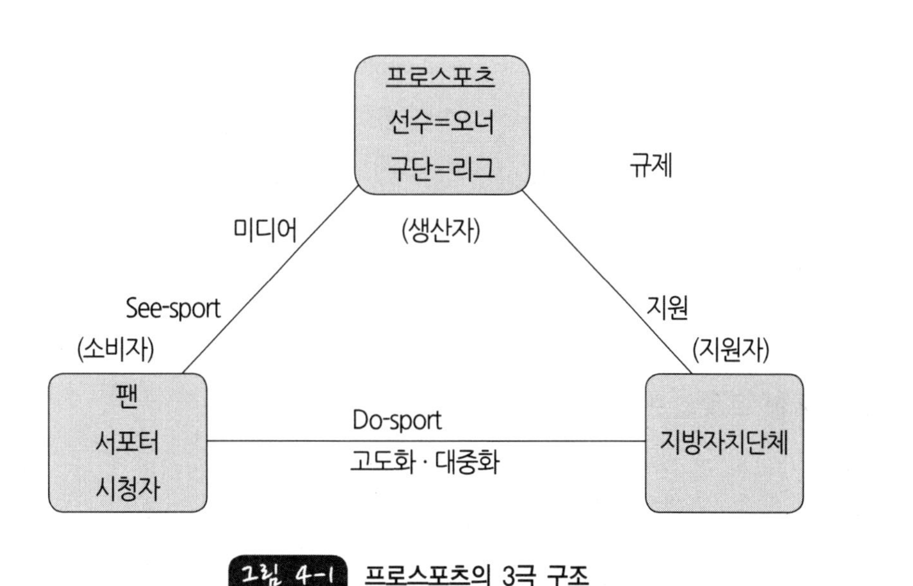

그림 4-1 프로스포츠의 3극 구조

(2) 영국형과 미국형 프로스포츠

구단이 한데 모여서 리그를 형성하고 그 안에서 리그전으로 승패를 겨루는 과정이 프로스포츠 운영의 전제조건이다. 따라서 리그의 경영방식이 그 프로스포츠의 운영방식에 결정적으로 중요한 요소가 된다.

다음에 미국과 영국의 프로스포츠 운영방식을 살펴보기로 한다.

① 영국형 프로스포츠

영국에서 근대 스포츠는 아마추어리즘의 영향을 강하게 받아 발전해왔다. 그래도 1880년대에는 축구에서 프로화가 진행되었고, 그 이후의 FA(Foorball Association)는 프로 주도로 발전해왔다. 아마추어는 타인의 원조는 결코 받지 않는다는 아마추어리즘의 영향을 받았으며, 그들에게 멸시받은 프로스포츠는 자치단체 등의 협력을 얻지 못한 채 한결같이 자력으로 스타디움 정비 등을 해 왔다.

프로스포츠리그라 하더라도 거의 축구의 독점시장이었기 때문에 다른 종목 리그와의 경합관계는 없었다. 따라서 축구리그 내에서는 4부 리그제를 취하면서 각 팀은 각각 지역에 뿌리를 두면서 독립경영을 해왔다. 영국의 도시들은 긴 역사에 의해서 도시마다 특징이 확립되고 그 특징들이 전국에 널리 알려졌다. 이때 산업혁명으로 프로스포츠가 탄

생한 영국 북부지역은 철광과 탄광마을로서 전국적으로도 지명도가 높았기 때문에 프로스포츠의 힘을 빌려서 전국에 선전할 필요도 없었다. 그 때문에 혹시 팀 하나가 경영부진에 빠지면 후원금으로 얼마든지 보충하는 것이 가능했다. 이러한 까닭으로 영국에서 축구 중심의 프로스포츠리그의 경영은 각 팀의 독립채산형이며, 그 팀의 존폐에 대해서 리그에서 특별한 수단을 취하지 않았다. 말하자면 '자본주의형'이라고 할 수 있는 경영형태이다.

② 미국형 프로스포츠

미국은 도시의 역사가 짧고 산업발전을 기반으로 인구를 늘리려면 도시를 전국에 선전하여 인구를 유입하지 않으면 안되었다. 이것을 위한 유력한 수단이 프로스포츠구단을 홈그라운드로 불러오고, 팀명 위에 도시명을 병기하여 도시의 선전을 겸하는 경우가 일반적이었다. 그 때문에 각 도시는 스타디움 등을 건설해서 프로팀을 유치했다.

미국에서는 현재 4대 프로스포츠가 있다. MLB(Major League Baseball), NBA(National Basketball Association), NHL(National Hockey League), NFL(National Football League)이 바로 그것이다. 이들 종목은 각각 홈타운을 필요로 하고 있고, 또 여러 도시도 프로팀을 필요로 하기 때문에 만약 MLB의 팀이 파산하면 그 도시에서는 다른 종목의 팀이 진입할 가능성이 있다. 그러면 MLB의 점유율이 감소한다. 따라서 각 프로스포츠리그는 리그 내의 경쟁뿐만 아니라 종목 간의 경쟁에서도 이기지 않으면 안된다. 혹시 리그 내에 파산하는 팀이 있다면 그것은 그 리그의 후퇴를 의미한다. 이 때문에 리그 내에서는 대도시 이외를 연고지로 하여 경영기반이 약한 팀은 리그 전체에서 받쳐주고 그 파산을 막지 않으면 안된다. 따라서 미국스포츠리그의 경영형태는 사회 전체의 자본주의와는 대조적으로 '사회주의형'으로 통칭된다.

③ 일본형 프로스포츠

일본에서 가장 오래된 프로스포츠는 스모(相撲)를 제외하면 리그경영을 가진 프로야구를 들 수 있다.

프로야구는 기업의 선전부대로서 설립되어 1936년에 발족했다. 전후 팀 수도 증가해서 현재에 12팀에 이르고 있다. 프로야구팀은 기업선전부대이기 때문에 특별히 지역에 근거를 둘 필요도 없으며 경영적으로 적자인 경우에는 모회사에서 보전해 준다. 1993년 축구

의 J리그가 발족이 될 때까지는 거의 독점상태였기 때문에 파산한 팀이 있더라도 팀을 다른 기업에 매각해서 팀을 유지하는 것이 가능했다. 이 때문에 프로팀을 위하여 지방자치체가 특별히 무언가 하지 않고 프로팀과는 무관계 상태였다. 그 때문에 경영방식은 영국의 축구리그와 같은 '자본주의형'에 가깝다.

그러나 1993년에 발족된 J리그축구는 후발 리그로서 확실히 모회사에 크게 의존하고, 스타디움 건설은 대부분은 지방자치체에 의존하며 자치체로부터 자본금을 빌려서 다양한 형태의 원조를 받으며 어떻게든 경영을 성립시키려고 했다. 그러나 모회사 의존도가 프로야구정도는 아니었다.

한편 1990년대에 들어서면서 산업공동화의 영향으로 인하여 새로운 지역진흥책을 모색하고 있던 지방자치체에서도 J리그 축구팀의 유치는 지역활성화를 꾀하기에 더할나위 없이 좋은 방안이 되었다. 양자의 생각이 일치했던 것이다. 이렇게 해서 각 팀은 지역과 밀접한 관계를 맺으면서 지방자치체의 원조를 받으며 지역 아이덴티티의 고양에 공헌하는 것을 통해서 경영을 유지하고 있다. 또 지방 도시에서는 당연하게 경영기반이 약하기 때문에 TV방영권 등은 리그에서 일괄처리하여 전 팀에 균등하게 분배하는 등 미국류의 '사회주의형'을 모색하고 있다.

이렇게 일본의 야구와 축구리그는 그 역사와 사회적 배경의 차이에 의해서 경영형태도 다르게 유지되고 있다.

그런데 자주 문제가 되는 것이 일본의 야구와 축구의 세력관계이다. 이것은 단순하게 프로리그의 비교뿐만 아니라 지역스포츠의 비교, 나아가 일본에서 양자의 비교에도 영향을 미친다. 먼저 두 프로스포츠의 관객동원, 선수급여 등을 비교하면 야구 3 : 축구 1 정도이다. 또 지역스포츠 즉, 자치체의 스포츠설비수와 클럽수를 보면 야구 3 : 축구 1의 비율로 존재한다. 물론 이것은 연령으로 보면 역전할지도 모른다. 젊은층은 중고령자에 비해서 야구보다 축구 지향자가 많다고 한다.

그렇지만 일본에서 야구와 축구의 세력비율이 3 : 1정도 된다. 이 점에서 보면 일본은 변함없이 야구왕국이다.

④ 우리나라의 프로스포츠

그렇다면 우리나라는 어떨까? 우리나라의 대표적인 프로스포츠인 야구와 축구를 보자. 프로야구는 대기업 산하 홍보회사 성격으로 설립되어 1982년에 6개 팀으로 발족하여 현

재(10개 팀)에 이르고 있다. 프로야구는 기업홍보역할을 함과 동시에 미국식 프랜차이즈제로 운영되고 있다. 그러나 경영면에서는 모회사에 의존하고 있다. 따라서 파산한 팀이 있더라도 팀을 다른 기업에 매각해서 팀수를 유지하는 것이 가능했다. 이 때문에 프로팀을 위해서 지방자치단체가 특별히 무언가 하지 않아도 된다. 그 때문에 경영방식은 영국 축구와 같은 '자본주의형'에 가깝다.

한편 우리나라의 프로축구(K리그)는 1983년 2개의 프로구단(할레루야 독수리, 유공 코끼리)과 3개의 실업팀(국민은행 까치, 대우 로얄즈, 포항제철 돌핀스)으로 이뤄진 한국 수퍼리그로부터 시작되었다. 그 후 수퍼리그, 프로축구선수권대회, 코리안리그 등으로 계속 이름을 바꿔오다가 1998년부터 'K-리그'라는 현재의 이름이 정착되어 사용되고 있다.

1983년 수퍼리그 당시의 다섯 팀 중에 현재까지 남아 있는 팀은 유공(제주 유나이티드 FC), 대우(부산 아이파크), 포항제철(포항 스틸러스)이다. 1987년부터는 실업팀이 빠지고 프로팀만으로 운영하기 시작했으며, 홈앤드 어웨이(home and away) 방식의 경기를 처음으로 시작하였다. 그 전까지는 라운드마다 특정 경기장에서 치르는 방식이었다.

당시 각 팀은 광역연고제를 택하였으며, 1989년 일화가 창단하면서 서울을 연고지로 선택하였다. 1990년 리그 여러 팀은 도시 연고제로 전환하였고, 1994년에 전북다이노스(전북 현대모터스)가 전주를 연고로 팀을 창단하였다. 또 1996년에는 수원 삼성 블루윙즈가 수원시를 연고로 하며 리그에 참여하였다. 이때부터 팀이름에 지역명을 사용하기 시작하여 진정한 의미에서의 연고제 정착이 시작되었다. 당시에 서울을 연고로 하던 일화, 유공, LG는 연맹이사회의 결정에 따라 연고지를 각각 천안, 부천, 안양으로 이전하였다. 그러나 일화는 2000년에 성남으로, 안양 LG 치타스는 2004년에 서울로, 부천 SK는 2006년에 연고지를 제주로 재차 이전하였다.

1997년에는 대한민국 프로스포츠사상 최초의 시민구단인 대전 시티즌이 리그에 참가하였다. 2002년 FIFA월드컵을 거쳐 축구에 대한 저변이 크게 확대되면서 2003년 대구, 2004년 인천, 2006년 경남이 시민(도민)구단으로써 리그에 참가하는 발판이 되었다. 2008년에는 두 번째 도민구단인 강원 FC가 창단을 선언하고 2009년부터 리그에 참여했다.

각 팀은 지역에 밀접한 관계를 맺으면서 지방자치단체의 원조를 받으며 지역 아이덴티티 고양에 공헌하고, 모기업의 지원에 의해 경영을 유지하고 있다. 또 지방도시는 경영기반이 취약하기 때문에 TV방영권 등은 리그에서 일괄처리하여 전체 팀에게 균등분배하는 등 미국과 일본류의 '사회주의형'을 모색하고 있다.

3) 프로스포츠와 관련된 여러 가지 권리

프로스포츠에 관련된 사람들의 권리를 모두 검토하는 것은 불가능하지만, 종래 가장 권리보장에서 등한시되어 온 프로스포츠선수와 팬, 서포터, 시청자 등의 권리문제를 살펴본다.

(1) 선수의 권리

선수의 권리라고 하면 곧 급료(연봉)만이 이미지로 떠오르기 쉽지만 결코 그것만 있는 것이 아니다. 또 일부 고액연봉 선수들의 그림자에 가려 보통선수들의 근로조건을 비롯한 여러 권리가 일반국민에게 잘 알려져 있지 않다. 물론 선수들의 근로조건은 프로구단이나 리그의 경영상태에 따라 결정되며, 선수노동조합의 힘에 의해서도 바뀔 수 있다. 예를 들어 우리나라의 프로야구와 미국 MLB의 여러 권리를 비교하면 미국 선수들이 보장받는 권리는 우리나라 선수들의 몇 배 내지 몇 십 배나 된다. 이러한 이유는 미국에서는 프로선수도 기본적으로는 근로자라는 인식에 기초해서 노동조합운동에 의한 긴 투쟁의 역사가 현재의 결과를 만들어주었기 때문이다.

미국의 프로스포츠리그는 리그 내에서는 사회주의형태와 비슷한 체제를 갖추고 있다고 앞에서 서술했지만, 선수들은 심한 경쟁상태에 있으면서도 한편에서는 선수의 근로조건이나 연금제도가 이루어지는 등 우리나라와는 천양지차이다.

한편 일본의 프로야구와 축구의 J리그를 보면 경영상황을 반영해서 '입단 시 계약금'은 야구는 상한가 10억 엔이며 '최저연봉'은 야구의 1군은 1,300만 엔이고 축구는 규정이 없다. 그리고 선수의 기본적 근로조건교섭단체인 노동조합은 야구에서는 존재하고 교섭권도 가지고 있지만, 축구에는 선수회는 있어도 조합이라고 볼 수는 없다. 또한 '이적의 자유'는 야구에는 FA(free agent)제도로서 제약이 있지만, 축구는 자유가 보장된다. 계약 시의 대리인 참석도 야구에서는 어느 정도 승인되고 있지만, 축구에서는 자유롭게 하도록 되어 있다.

(2) 세컨드캐리어 문제

우리나라의 프로야구 등록선수는 각 구단마다 60~70명 정도이지만 8개 구단이 있기

때문에 총 500명 정도이며, K리그의 구단별 등록선수는 약 40명으로 현재 15개 구단이기 때문에 총 600명 정도 된다.

프로선수는 그 스포츠분야에서 기량이 가장 뛰어난 선수들이며 어려서부터 그 종목에 특화되어 트레이닝을 받아온 사람이 많다. 그리고 대부분은 학업과의 양립을 고민하면서도 스포츠에 더 많은 비중을 둘 수밖에 없었다. 이처럼 어려서부터 그 종목에 몰입해 온 선수가 어느 때 갑자기 해고된다면 그 후의 직업이나 생활을 어찌 될까?

과거 아마추어리즘이 대세였던 시절, 아마추어는 본업이 따로 있고 여가로서 스포츠를 향유했기 때문에 스포츠 현역을 은퇴하여도 직업상 또는 생활상 불이익은 없었다. 그러나 프로스포츠선수들의 현역은퇴 후 생활은 많은 문제가 있다. 그 스포츠종목의 지도자로 남는 사람도 있지만, 이들은 극히 소수에 불과하다. 또 현역시절의 저금으로 은퇴 후 사업을 하는 사람도 있지만, 이 또한 소수일 뿐만 아니라 성공하기도 쉽지 않다. 이들 대부분은 새로운 직업을 찾기가 여의치 않다. 이러한 세컨드캐리어(second career) 문제는 앞으로 프로구단이 해결해야 할 책임이며 과제이지만, 지금까지는 큰 관심이 없었다. 이것을 부추긴 것은 아마추어리즘의 개인주의사상이다. 왜냐하면 아마추어리즘에서는 스포츠란 어디까지나 개인의 책임하에서 처리해야 하는 것이라고 했기 때문이다.

일본의 경우 1993년 축구의 J리그가 발족된 이후 프로야구선수들의 1/3에 불과한 연봉과 선수의 평균수명은 5~6년밖에 되지 않는 축구계에서 밀려나는 선수들의 세컨드캐리어 문제는 심각해졌다. 그 때문에 2002년도부터 캐리어서포터센터(career supporter center)가 설립되어 현역선수들이 은퇴 후의 직업상담을 하기 시작했다.

각 프로스포츠계는 선수들이 은퇴 후의 연금제도에 관해서 깊이 검토해 보아야 한다. 프로구단이 원해서 많은 계약금을 받고 들어온 선수도 있지만 그들은 소수에 불과하다. 이 계약금도 선수가 "이것은 퇴직금이기 때문에 은퇴할 때까지 가지고 계세요."라고 말하며 부모에게 건네는 경우가 많다고 한다. 현역선수로 성공하면 매년 연봉도 상승하여 생애 전체에 걸친 생활비를 축적할 수 있겠지만 대부분의 선수는 그것조차 불가능하다. 그래서 현역은퇴 후의 연금제도가 얼마만큼 충실한가 아닌가가 중요하다.

(3) 소비자의 권리와 의무

프로스포츠에 관련된 소비자의 권리란 그다지 익숙하지 않은 표현이지만, 입장요금을

지불하고 경기를 관람하거나 입회금을 지불하고 후원회에 가입하는 사람은 당연히 그것에 걸맞는 대가로서의 '권리'를 가진다. 최근에는 구단 측도 이 점을 의식해서, 그리고 지역밀착형으로 지역팬을 획득하기 위해서 팬서비스를 중시하고 있다.

입장료를 지불하고 운동장에 들어온 팬이나 서포터는 먼저 좋은 경기를 볼 권리가 있다. 그 때문에 자기가 좋아하는 팀이나 선수를 응원한다. 그것은 허용범위 내에서 하는 응원, 응원봉 두드리기, 파도타기 등이다. 멋진 플레이, 페어플레이에는 아낌없는 박수를 보내고 더티플레이나 느슨한 플레이에는 야유를 한다. 여기에서 팬이나 서포터로서 단결상태가 좋으면 팬 · 서포터문화로서 독자적인 세계를 형성하게 된다.

최근 이들 팬 · 서포터조직의 구단경영참가권을 승인해주는 경향도 있다. 예를 들면 영국 노섬블턴타운의 'Supporter's Direct' 등에서 행해지고 있다. 이것은 구단 측의 '팬 · 서포터 서비스' 방식의 하나라고 볼 수 있다. 이전에는 '선수는 구장에서 매력을 주는 사람이다'라는 것을 통해서 팬서비스에는 그다지 열심히 하지 않았던 구단 · 선수 측도 최근에는 다양한 팬서비스대회를 개최하거나 구장에서 팬에게 여러 가지 서비스의 제공으로 자기 선전도 겸하면서 지역행사에 참가하는 등 다양한 행사를 하고 있다.

한편 팬 · 서포터의 의무도 문제화되기 시작했다. 좋은 시합을 관람하기 위해서는 최저한의 매너를 준수해야 하는 것이나, 서포터끼리의 대립 회피라든가, 때로는 상대팀 선수에 대한 인종차별적인 발언을 금지한다는 것 등이다. 특히 뒤의 두 가지는 구단 자체가 벌칙을 받는 경향도 있어서 구단 측은 팬 · 서포터와 이들의 응원양식 등에서 의사소통을 한층 강화해야 할 필요가 있다.

(4) 유니버설 액세스

유니버설 액세스(universal access)란 시청자 즉, 국민이 어떤 특정 스포츠방송을 볼 권리를 보장하는 것이다. 이러한 문화는 우리나라에는 없기 때문에 이미지화하기 어렵지만 유럽에는 존재한다. 예를 들어 영국에서는 1996년부터 전 국민이 관심을 보이는 스포츠이벤트는 국민적 교양보호 차원에서 등록된 지상파 TV로 그것을 방송하도록 되어 있다. 올림픽, 월드컵, 윔블던테니스, 더비(Derby)경마 등 10가지 경기가 그에 해당된다.

이는 국민의 최저한 스포츠교양을 특별요금을 내지 않더라도 볼 수 있도록 보호한 것이다. 다시 말해서 유니버설 액세스란 스포츠의 공공성 보호, 국민의 스포츠문화향유 권

리, 공통교양 등을 보호하는 것으로, 시청자의 권리를 넘어 전 국민의 공통교양보호와 권리옹호를 의미한다. 이때 경기가 프로종목인가 아마추어종목인가는 따지지 않는다. 어느 쪽이라고 하더라도 전 국민의 공통교양문화는 일상의 등록요금으로 보장한다는 것이다. 이것은 선진국에서 '보는 스포츠'의 Sport for All이다.

4) 프로스포츠와 공공성

프로스포츠에 의한 지역진흥은 대략 다음의 4가지 내용으로 요약할 수 있다.

(1) 경제적 효과

프로스포츠 경기가 있으면 관객이 대거 몰리고, 이에 따라 음식점, 숙박업소, 토산품상점 등 지역사회의 여러 상업체가 이익을 얻게 되어 지역산업을 활기차게 만든다.

그러나 현실적으로는 큰 경제적 효과를 기대할 수 없다는 보고도 있다. 프로야구나 대규모 스포츠이벤트를 유치하고 싶은 자치단체 측은 먼저 이 경제적 효과를 강조하지만 투자금액보다는 이윤이 적다고 한다. 현실적으로 K-리그 팀의 홈타운에서 경제적 효과를 발생시키고 있는 지역은 소수에 불과하다. 미국의 도시 연구에서도 그 경제적 효과는 미미하다고 보고되었다.

(2) 관광자원의 개발 및 이미지 형성

프로구단의 홈타운화에 의해 그 도시명이 전국구가 될 가능성이 있다. 이것은 관광자원을 가진 도시에서는 중요한 일이다. 이러한 점에서 어느 정도 효과를 기대할 수 있는 도시도 있다. 미국 도시의 프로팀 유치가 이러한 점을 나타내는 전형적인 모습이다. 올림픽 등 대규모 스포츠이벤트의 개최에는 그것을 수단으로 하는 도시 재생의 인프라정비가 계획되지만, 이것은 이벤트의 상쾌한 이미지를 빌려서 편승하는 하나의 방책에 불과하다.

(3) 지역 아이덴티티

프로구단의 홈타운화에 의해서 얻는 최대의 효과는 그 팀을 응원하기 위해 모인 서포

터의 지역 아이덴티티이다. 프로야구에서는 부산의 롯데 자이언츠나 광주의 기아 타이거스 등의 서포터 고양은 지역 아이덴티티 형성을 견고하게 만든다. 대도시 집중에 의해 지방도시의 쇠퇴가 이루어지는 가운데 이러한 지방도시진흥은 지방자치단체에게는 무엇보다도 필요한 방책이다. 이러한 점에서 K-리그팀, 프로야구팀의 힘을 빌려 지방진흥을 이루는 것도 한 가지 방법이다. 이 경우에는 지역경제의 효과보다는 주민의 아이덴티티 고양에 크게 공헌하게 된다. 이와 동시에 구단경영을 안정시키는 제일 좋은 방법이기도 하다.

(4) 주민의 스포츠참가 촉진

지역에 프로구단이 오면 주민들이 그 종목을 '하는 스포츠'에 대한 요구가 높아지는 것은 당연한 일이다. 더욱이 '하는 스포츠'에 대한 참가자가 늘어나면 '보는 스포츠'의 관람자도 늘어난다는 것은 구미의 경험에서도 알 수 있다. 즉 지역스포츠의 진흥은 지역의 프로스포츠의 번영을 위해서도 유익한 것이다.

그러나 문제는 그 지역에 스포츠시설이 얼마나 있으며, 얼마나 증설되는가에서 흥망이 결정된다는 것이다. 현재 프로야구팀이나 K-리그팀을 홈타운화한 도시에 그라운드가 증가되었다는 보고는 거의 없다. 이것은 주민의 욕구가 충족되지 않은 채 방치되어 있다는 것을 의미한다. 이는 우리나라 지방자치단체에서의 실태를 보여주는 것이다. 이래서는 프로스포츠팬의 증가에 브레이크를 거는 결과만 초래할 뿐이다.

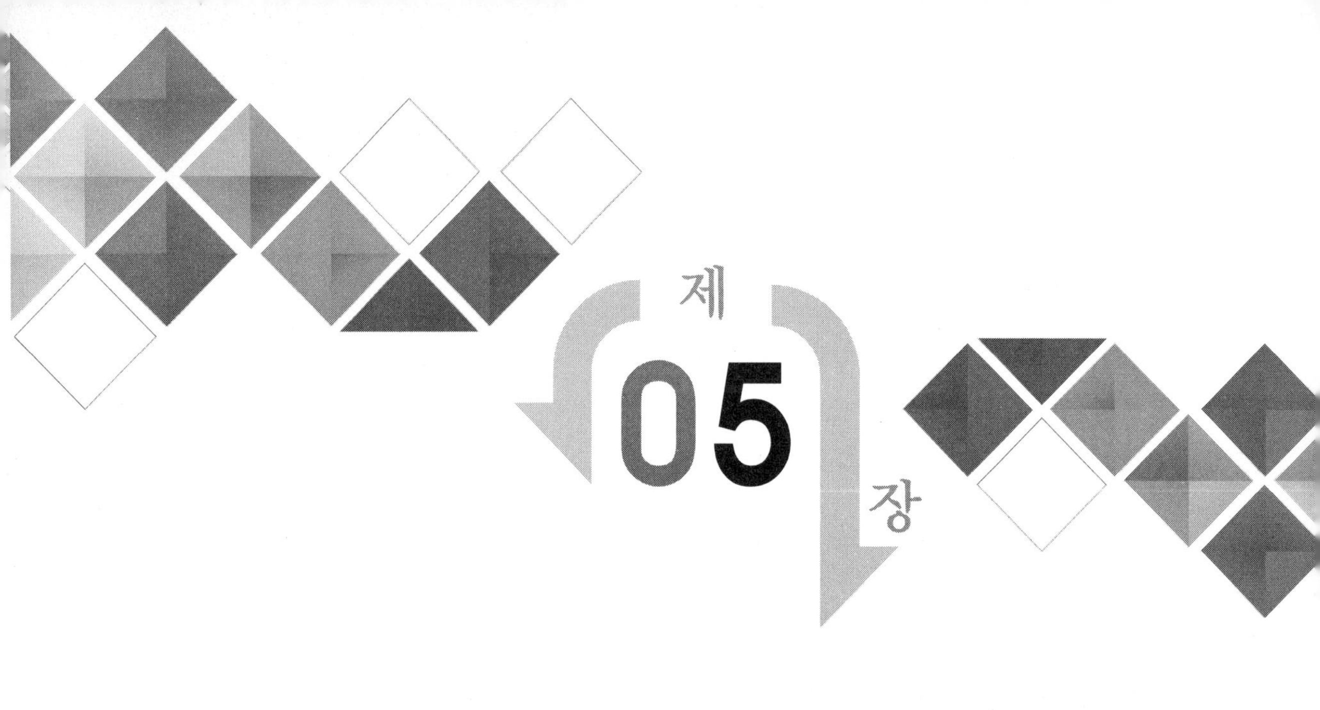

신체, 신체운동 및 신체교육

신체 1

1) 정신으로서의 신체

체육은 신체교육, 즉 '신체에 관련된 교육'이기 때문에 교육대상은 '신체'이다. 또 스포츠도 '신체'의 운동을 중심으로 한다. 그러나 체육이나 스포츠 세계에서는 '신체'의 기능에 대해서는 많은 관심을 가지고 있지만 "신체란 무엇인가?"에 관한 논의는 그다지 이루어지고 있지 않다. 여기에서는 '신체'에 대해서 생각해 보기로 한다.

(1) 무엇과도 바꿀 수 없는 신체

우리들은 매일매일 많은 것을 바꾸면서 살고 있다. 아침에 일어나서 옷을 갈아입고,

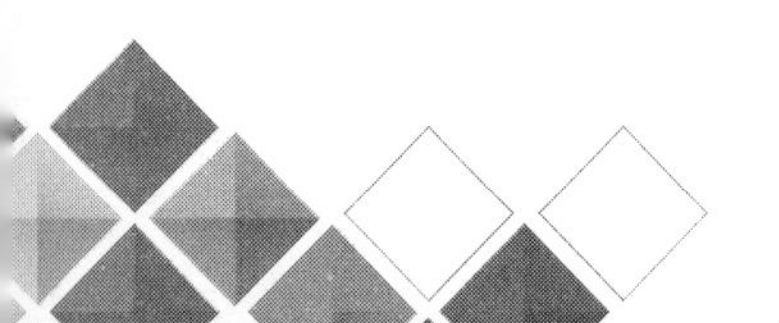

오래된 칫솔도 바꾼다. 외출할 때에는 외출상황에 맞추어서 옷을 갈아입고 기분에 따라서는 머리모양이나 안경 등도 바꾼다. 자전거나 자동차를 바꾸고, 경우에 따라서는 학교나 직장을 바꾸기도 한다. 이렇게 많은 것을 바꾸면서 우리들은 살고 있다.

그러나 무슨 짓을 해도 바꿀 수 없는 것이 있다. 헤어스타일을 바꾸거나 트레이닝으로 체형을 바꿀 수는 있지만, 신체는 결코 바꿀 수 없다. 왜냐하면 인간은 죽을 때까지 자신의 '신체'로 살아가지 않으면 안 되기 때문이다.

(2) 이미지로서의 신체

자신의 신체이지만 스스로 신체를 충분히 이해하고 있다고는 말할 수 없다. 예를 들면 자신의 등을 직접 보는 것은 불가능하다. 등뿐만 아니라 자신의 신체 중에서 스스로 볼 수 있는 부위가 볼 수 없는 부위보다 많다. 보는 것이 가능한 부위는 손과 발, 그리고 몸통의 일부분뿐이다. 보이지 않는 부위를 보려면 거울이나 사진 또는 비디오로 간접적으로 보는 방법밖에 없다. 때문에 사진에 찍힌 자신의 모습에는 위화감이 든다. 또, 주위 사람들은 사진이 자신과 똑같다고 하지만 사진으로 보는 자신의 모습이 스스로 이해가 안되는 경우도 있다. 특히 증명사진 등은 거울로 보는 자신의 이목구비와는 다르다. 이 경우는 거울에는 좌우가 바뀌어서 비치기 때문이라는 이유도 있지만, 거울을 볼 때 무의식적으로 자신의 마음에 드는 각도에서 얼굴을 보기 때문에 사진에 찍힌 얼굴과는 다르다고 느끼는 것이다.

한편 운동을 할 때 신체는 자신이 인식하고 있는 상태와는 다른 움직임을 하고 있는 경우가 있다. 그래서 비디오로 보는 자신이 운동하는 모습은 생각만큼 보기 좋은 것은 아니다. 물론 체조경기나 댄스 등의 전문가는 스스로의 인식과 움직이는 모습이 일치하겠지만, 대부분의 사람들은 비디오에 찍힌 자신의 모습에 불만감을 느낀다. 이와 같이 자기 자신의 신체임에도 불구하고 우리들은 그 신체를 어떤 종류의 이미지로서 이해하고 있는 것 같다.

(3) 마음과 신체

"마음은 어디에 있는 것이냐?"라고 물어보면 옛날에는 대다수의 사람들이 가슴을 가리

켰지만, 지금은 대다수의 사람들이 머리를 가리킨다. 즉 마음은 뇌에 있다는 것이다. 그러나 뇌 자체가 마음이라고 생각하고 있는 사람은 적다. 왜냐하면 뇌도 몸의 일부분이기 때문이다. 이렇게 대다수의 사람은 마음과 몸을 따로 생각하는 경향이 있다.

심신이원론은 Descartes, R.가 창시한 것이라고 한다. Descartes, R.는 17세기 프랑스의 철학자로, 그는 진리를 발견하기 위해서 "모든 것을 의심한다."라는 사고방식을 가졌다. 존재하고 있는 모든 것을 의심하고 최종적으로 결코 의심하지 않는 것은 '의심하고 있는 나'라는 결론에 도달했다. 즉 모든 것을 의심하는 것은 가능하지만, 그 '의심'이라는 것을 '생각하고 있는 나 자신'은 결코 의심할 수 없는 존재라는 것이다. 이것이 유명한 "나는 생각한다. 고로 존재한다."이다. 다시 말해서 '생각하는 나(나의 정신)'와 '물질인 신체'를 구별하는 것이다.

이렇게 마음과 몸을 구별하고 신체를 물질로 보는 관점에서 의학이 시작됨으로써 체육 · 스포츠과학은 진보해 왔다. 즉 마음을 연구하기 힘든 것으로 만들어버려 모든 것을 물질적으로 판단하는 객관적인 과학이 발달한 것이다. 그러나 "마음과 몸을 과연 구분하는 것이 가능할까?"

(4) 정신으로서의 신체

'나'라고 말할 때 손가락은 가슴 또는 얼굴을 가리키는 경우가 많다. 그러나 '나'라고 말할 때 머리(뇌)를 가리키는 사람은 거의 없다. 앞에 서술한 것처럼 마음의 장소는 머리(뇌)라고 하는 사람은 많다. 혹시 마음이 뇌라고 해도 신체가 없이 뇌만 컴퓨터에 접속해서 살아가고 있는 존재를 인간이라고 할 수 있을까? 그 뇌(머리) 또한 신체의 일부다. 그렇다면 "마음은 어디에 있는 것일까?" 혹시라도 신체와 떨어져 마음이 존재하는 것이라면 '즐거움'이나 '기분좋다'라는 마음은 어떻게 그 사실을 인식하고 이해할 수 있을까?

(5) 육체, 신체, 몸

육체라는 말은 '(구체적인 물질로서의) 사람의 몸 · 육신'을 뜻하며, 우리들은 보통 튼튼한 몸이나 잘 발달된 가슴 등 옷을 입지 않은 사람을 떠올린다. 신체라는 말은 '사람의 몸'을 뜻하는데, 그것을 '신체'라고 읽을 것인지 아니면 '몸'으로 읽을 것인지에 따라서

뉘앙스의 차이가 있지만 일반적으로 옷을 입은 사람을 떠올린다. 예를 들어 신체검사라는 말은 '신체의 발육상태나 건강상태를 검사하는 일'이라는 뜻과 함께 '사람의 소지품이나 복장 등을 검사하는 일'(동아 새국어사전)을 의미한다. 이렇게 신체라는 말에는 육체와 우리가 입고 있는 여러 가지 물건이 포함된 이미지가 있다. 한편 '몸'은 '(사람이나 동물의) 머리에서 발끝까지 또는 거기에 딸린 것을 통틀어 이르는 말'인데, 거기에서는 피가 흐르는 생물로서의 인간을 떠올릴 수 있다. "몸에 기운을 불어넣으세요."라고 할 때에는 생물로서의 '몸'을 뜻한다. 우리가 '아기의 몸'이라고 하지만 '아기의 육체, 신체'라고 말하지 않는다. 이 경우에는 '몸'도 '목숨'에 대응하는 것처럼 살아가는 인간의 존재 그 자체를 나타낸다.

인간의 신체를 ① 생리학적 · 해부학적 '육체', ② 문화론적 · 사회학적 '신체', ③ 존재론적 · 예술적 '몸'이라는 상(相)으로 보는 것이 가능하다. 인간의 '신체'에 대한 연구는 어린이들의 신체형성이라는 과제를 떠안게 된 체육교사, 또는 스포츠지도자들에게 많은 점을 시사해 주었다. ①의 '육체'라는 견해에서는 어린이들의 '육체'적 기능향상을 꾀할 수 있게 한다. 즉 '체력'을 향상시킨다. ②의 '신체'라는 견해에서는 문화를 몸에 익힌 어린이들의 '신체' 형성을 꾀할 수 있게 한다. 이것은 운동의 기능이나 동작 등을 몸에 익히는 신체의 형성이다. 그리고 ③의 '몸'이라는 견해에서는 인간존재로서 어린이들의 '몸'을 형성하도록 한다. 물론 체육교사나 스포츠지도자는 육체, 신체, 몸을 모두 아우르는 입장에서 어린이들의 신체를 볼 필요가 있다.

하지만 세세히 나누어서 보면 '육체'라는 견해에서 몸을 좀더 객관적으로 분석할 수 있으며, 스포츠과학은 그 분석을 정밀하게 해 주었다. '신체'라는 견해에서는 사회에서 생활하기 위한 신체의 기능, 예를 들면 운동기능 등을 몸에 배이게 하는 것이 가능했다. 교육학이나 사회과학은 운동기능 등에 대해서 많은 점을 시사해주고 있다. 그러나 우리가 어린이들을 볼 때 '몸'이라는 생명에 관계되는 견해에서 보는 경우는 드물다. 이제 우리는 살아 있는 사람의 존재 그 자체로서의 '몸', "어린이들은 그 몸으로서 살아가고 있다."라는 시선이 필요하지 않을까?

(6) 병의 관점에서 보는 몸

여기에서는 '병'이라는 관점에서 몸'을 살펴보기로 한다. 병은 몸이 보통 때와는 다른

상태에 빠진 것을 의미한다. 이러한 상태에서 볼 수 있는 몸을 생각해 보자. 그것을 위해서라도 먼저 임상심리학지식을 기초로 '병과 '몸'의 관계를 나타낸 다음 3가지 수준을 살펴보아야 한다.

병의 의미를 나타낼 때는 3가지 수준이 있다(그림 5-1).

첫 번째 수준은 병은 '진정한 몸'과는 무관계한 외적 물질로 보는 것이다(그림 5-1A). 예를 들면 병은 수술로 몸에서 적출하는 것이 가능한 제거해야 하는 이물질이라는 수준이다.

두 번째 수준은 병은 '진정한 몸' 안에 잠재하는 내적 물질로 보는 것이다(그림 5-1B). 즉 현기증이나 편두통처럼 몸안에 잠재하는 이물질로 보는 수준이다. 그리고 '진정한 '몸'이 약해지면 병이 몸을 압도해버리게 된다(그림 5-1C).

세 번째 수준에서는 '진정한 '몸'과 병을 분리하거나 구별짓는 것이 불가능한 '병과의 화해'이다(그림 5-1D). 이 수준에서 '몸'은 병과 동일성을 가지고 병을 자신의 분신이나 존재 그 자체로서 체험하게 된다. 치료하는 것이 어려운 병은 그 상태가 '몸'이 되어버리는 수준이다.

'병'을 이물질처럼 제거하기 어려운 경우의 병은 이전의 자기 '몸'은 아니지만 또 다른 자기 '몸'으로 체험하게 된다. 그리고 그것은 하나의 존재로서 인식하게 된다.

이러한 '병'과 '몸'의 관계로부터 '병'이란 '몸'이 존재하는 하나의 방법이라고 생각할 수 있다. 이 '병'이라는 체험, 그리고 '몸'의 존재양식이라는 인식은 체육(신체교육)이나 스포츠 지도 측면에서 보면 여러 가지 시사점을 준다.

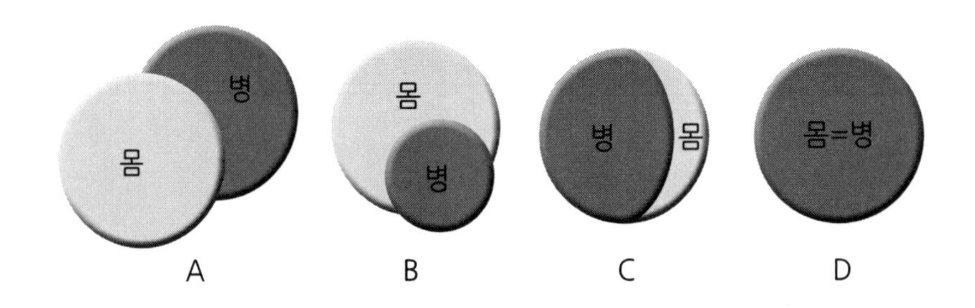

그림 5-1 몸과 병의 관계

(7) 체육 · 스포츠와 몸

종래의 체육(신체교육)이나 스포츠 지도는 어린이들의 '몸'의 발달과 관련되어 왔다. 그런데 이는 "연애영화처럼 해피엔딩까지만 다루고 그 후의 사건에는 무관심했다."라는 견해도 있다. '몸'은 언젠가는 '병'이라는 존재를 맞게 된다. 언젠가는 발달이 정지되어 쇠퇴해가면 노화되어 죽음과 마주보는 과정에 들어간다. 체육(신체교육)이 신체에 관계되는 교육이라면 신체의 최후까지 보아야 하지 않을까?

그렇다면 병에 걸렸을 때 체육이나 스포츠는 어떤 의미가 있을까? 노년이 되었을 때 체육이나 스포츠는 어떤 의미를 가져다 주는지 생각해 보자.

오늘날 '건강스포츠'라는 표현이 많이 사용되고 있다. 이것은 스포츠를 '건강'에 도움이 되는 것으로 생각하는 방법이다. 건강의 핵심은 '노력하면 건강해진다'이고, '건강개념은 상태개념에서 목표개념으로 변화했는데, 이 관점에서 보면 건강은 어떤 물질이 아니라 물질을 만들어내는 것'으로 볼 수 있다. 또 '스포츠를 하면 건강해진다'라고 믿는 것을 피트니스신앙이라고 부르며, 이 때문에 스포츠를 계속하게 되는 것이다. 그러나 스포츠만으로 건강해지는 일은 없다. 왜냐하면 의학의 진보에 따라 스포츠로는 고칠 수 없는 새로운 위험인자가 차례차례 발견되기 때문이다.

이렇게 스포츠는 몸의 발달이라는 목표하에서 건강에 도달하기 위한 효과적인 수단으로서 못박고 있다. 여기에는 스포츠를 하면 건강해진다는 발달의 논리가 있다. 그러나 우리는 그 논리와는 상관없이 목표로 하는 건강에 도달하지도 못한 채 노화되어가는 어이없는 결과를 낳는다.

한편 올림픽 등과 관련된 환경문제의 해결에 '지속가능성'이라는 말을 사용하고 있는데, 그 의미는 'sustainable development', 즉 지속가능한 발달을 뜻한다. 결국 여기에서도 대전제로 깔려 있는 '발달의 논리'를 볼 수 있다. 더욱이 근대스포츠의 이념은 '보다 빨리, 높게, 보다 강하게'인데, 이것은 발달의 논리에 기초한 것이다. 결국 현재의 체육 · 스포츠는 병에 걸렸을 때 또는 노화되었을 때 어떤 의미도 가져다 주지 않는다. 왜냐하면 건강을 '발달의 논리'에 기초해서 '유용성의 원리'에서 이해하려고 하기 때문이다. 이러한 '발달의 논리' 및 '유용성의 원리'는 전면적으로 부정되어야 하는 것은 아니지만, 체육 · 스포츠에서는 이 외의 다른 논리나 원리를 필요로 하고 있지는 않을까?

2) 체험하는 신체

“체험하는 신체, 그리고 신체의 체험의 의미는 어떤 것일까?” 여기에서는 체험하는 신체와 그 신체가 체험하는 의미를 알아보기로 한다.

(1) 나와 신체

체험하는 신체를 생각하기 위해서는 먼저 그 신체를 어떻게 생각하는가를 검토할 필요가 있다.

인간은 ‘이성적 사고에 의해서 합리적으로 의사결정을 하는 주체’이며 ‘스스로 결정하는 주체적 정신’을 가지고 있다. 그것에 의해서 신체성이 상실되고 신체를 자신의 것으로서 할 수 없게 되는 상황의 발생은 인간에게 두려움의 대상이 된다. 그리고 인간은 신체를 가진 자이며 신체적 존재이므로 ‘실체로서 독립된 존재’가 아니라 ‘관계적인 존재’이다. 따라서 배치된 공간 내에 존재하고 있는 신체야말로 ‘나 자신인 신체’이며, 그 신체에 속하는 것에 의해서 ‘이것’이라고 지적받는 것이 바로 ‘나’ 자신이다. 또한 사람마다 다르게 배치되는 신체가 각자의 개성의 원천이다. 다시 말해서 ‘나’는 ‘신체’로서 존재하는 것이고 그 ‘신체’가 배치된 공간에서 다른 사물과 인간이 관계하는 방식이 ‘나’이다.

인간은 태어나면서부터 신체를 가지고 다른 모든 사물, 다른 모든 사람과 독특한 배치를 통한 관계로 연결되어 있으므로 그 신체를 기초로 생각하면 개성은 이미 주어진 것으로 볼 수 있다. 따라서 인간은 타인과는 다른 자신의 신체로서 존재하므로 개성을 가지고 있으며, 그 신체적 능력의 차이는 개성으로 인식되어야 한다.

여기에서 말하는 ‘신체의 배치’를 체육 · 스포츠에서 말하는 신체의 개념에서 보면 어떠한 관점이 있을까? 먼저 주목해야 할 점은 ‘인간은 신체적인 존재’이고 공간(세계) 속에 배치된 ‘나=신체’라는 것이다. 신체는 지(知)와 덕(德)이 분리되어 있거나 대비되는 물질이 아닌 세계에 배치된 인간 그 자체로서 인식할 필요가 있다. 체육(신체교육)이나 스포츠 또는 스포츠의 지도는 신체를 주 대상으로 한다. 그러나 체육 · 스포츠는 ‘나’로서 존재하는 신체의 형식보다도 그 신체능력향상이나 기능획득, 또는 그 신체운동에서 경쟁이나 협동을 중시해 왔다. 확실히 이들도 중요한 항목이지만, 그보다는 그 ‘나로서의 신체’ 그 자체에 주목할 필요가 있다.

이때 신체는 공간과 불가분의 관계이며, 그것이 배치된 공간에서 다른 모든 사람과 사물과의 관계성 속에 있다는 점을 주목해야 한다. 즉 신체는 세계 속에서 실체로서 독립된 것이 아니라 세계와의 관계성 속에서 존재한다고 볼 수 있다. 이렇게 신체가 배치된 공간을 '신체공간'이라 하는데, 이 신체공간이야말로 인간의 본질이 속하는 것이어서 이것을 빼고 인간 자체를 생각하는 것은 불가능하다. 다시 말해서 사물과 마음을 별개의 것으로 보고 그것만을 대비해서는 안되며, 인간을 '공간적 신체존재'로 다룰 필요가 있다는 것이다.

(2) 신체와 공간

앞에서는 '세계 속에 배치된 신체'라는 사고방식에 기초해서 신체를 세계 속에서 배치되고 그 공간의 관계성 속에서 존재하는 '나=신체'를 살펴보았다. 다음에서는 이 '나=신체'라는 생각에 기초해서 체육 · 스포츠에서 신체와 그 체험의 의미를 알아본다. 먼저 '나=신체'가 배치된 공간을 보자.

나는 '신체'로서 '공간'에 존재(공간적 신체존재)하는 것이므로 신체가 배치된 공간, 즉 '신체공간'을 살펴볼 필요성이 있다. 여기에서는 '개방된 신체'와 '개방된 공간'을 살펴본 다음 체육 · 스포츠에서 '신체'와 '공간'의 개념을 정의한다.

'개방된 공간', 그리고 신체교육이 지향하는 '개방된 신체'란 대체 어떤 것일까? 공간에는 신체를 개방하게 하는 공간과 신체를 닫게 하는 공간이 있는데, '개방된 신체'를 위해서는 '개방된 공간'이 필요하다. 여기에서 '개방'이라는 말의 의미는 다음과 같다. 즉 인간은 세계(자연)의 법칙에 순응하면서 살아가는 생물과는 달리 환경에 대치해서 살아가는 것이 가능한 존재이다. 따라서 인간에게 세계란 '잠재적으로는 무한하게 나누어질 수 있으며 개방되어 있는 아주 훌륭한 의미로의 세계'이며 인간의 신체운동은 '세계의 분절화를 가능하게 하는 것임과 동시에 신체 자신도 분절화시켜가는 것이 가능한 잠재적인 가능성이 개방된 신체'이다. 다시 말해서 인간은 그 신체의 운동에 의해서 세계(자연)의 의미, 그리고 자신의 신체의 의미를 한없이 뻗어나가게 할 수 있는 것이 가능한 존재이다. 다른 생물과는 달리 인간은 세계도 신체도 하나의 의미로 규정되거나 고정화된 것이 아니라 많은 가능성에 개방된 존재이다. 그리고 '개방된 신체성'이란 '신체경험이 충분이 이루어진듯한 신체의 존재형태 내지 자기경험과 세계경험을 가능하게 하도록 하는 개방

된 상황으로서 신체의 존재형태'인데, 이것을 '건강'이라고 한다.

앞에서 신체를 세계 속에 배치된 공간에서 형성된 관계성 속에서 존재하는 '나=신체'라고 했다. 이 '나=신체'는 배치된 세계를 신체활동에 의해서 의미있는 것으로 구성해 가는 것이 가능하다. 우리들이 살아가는 공간 또는 우리들의 움직임이 우리들의 신체를 형성하는 것이다. 이렇게 '나=신체'는 그 세계(공간)과 밀접하게 관련되어 있고 '개방된 신체'는 '개방된 공간'에 의해서 형성된다. 고정화되고 다양한 가능성이 '닫힌 공간'에서는 '나=신체'도 고정화된다. 이러한 관점에서 학교와 교정이 학생들에게 어떤 공간인가를 고찰하지 않으면 안된다.

(3) 신체에 의한 의미있는 체험

지금까지는 인간은 신체적인 존재이며 공간(세계) 속에서 배치된 '나=신체'를 다루고, 그 공간(세계)이 개방된 공간으로서 구성되면 '나=신체'도 '개방된 신체'를 획득하는 것이 가능하다고 서술했다. 우리들은 체육 · 스포츠 현장에서 여러 가지 신체활동을 실천하고, 그것에 의해서 '나=신체'의 의미를 구성하게 된다. 여기에서는 그 '나=신체'의 관점에서 '체험'은 무엇인가? 그리고 그것은 어떠한 의미를 가지고 있는 것일까를 생각해 보자.

① 체험과 경험

'체험'의 의미를 알아보기 전에 '체험'이라는 것은 무엇인가를 생각할 필요가 있다. 여기에서는 '체험'과 '경험'을 나누어 살펴본다. '좋은 경험을 했다'라는 말은 '자신에게 소원했던 것이 자신의 내면으로 흡수되고 그 결과 자신을 다시 만들게 된 사건'으로 볼 수 있다. 다시 말해서 발달을 초래하는 경험은 그 속에 포함된 여러 가지 모순이나 갈등을 자신의 노력에 의해서 극복하여 자신의 내면으로 흡수함으로써 스스로의 의미를 풍부하게 한다. 즉 과거의 자신보다 더 고차원적인 자신으로 발달시키는 것이다.

이에 반해 체험은 경험으로 자신의 내면에 흡수될 수 있도록 하는 것만 있는 것이 아니다. 우리들이 노는 것에 몰두할 때, 뛰어난 예술작품을 접할 때, 자연이 가진 아름다움에 감동받을 때 등처럼 언제부터인지 모르게 나와 나를 둘러싼 세계와 사이의 경계가 사라지는 경우가 있다. 우리가 맛볼 수 있는 값진 체험은 이러한 자신과 세계를 가로막는 경계가 용해되어버리는 순간을 낳는다. 그리고 이러한 자신과 세계의 경계에 용해가 일어날 때 세계는 지금까지 없던 진정한 의미를 나타내게 된다.

여기에서 자신과 세계를 가로막는 경계가 용해되어 버리는 순간의 체험을 '용해체험'이라 한다. 용해체험은 시스템의 하나를 차지하는 자신이 사회시스템을 초월해서 에코시스템(ecosystem) 속으로 녹아들어가는 체험이다. 이것은 기존에 존재했던 지성으로는 인식이 불가능한 '미지의 체험'이다. 여기에서 '미지'란 말은 분절화가 불가능한 것을 의미한다. 우리는 말에 의해서 사물을 대상화하고 분절화하는 세계에 살고 있다. '분절화'란 어떤 전체를 몇 개로 나누는 것을 말한다. 예를 들어 인간, 동물, 식물이라는 '생물'이라는 전체를 나누는 말에 의해서 객관적으로 사물을 보는 것이 가능하다.

그러나 말로는 형용하거나 나타낼 수 없는 체험이 있는 경우도 사실이다. 신체활동이나 스포츠에서는 이러한 체험을 많이 볼 수 있다. 예를 들면 철봉에서 한 바퀴 도는 것이 가능한 순간, 그것을 '미지의 체험'으로 볼 수 있다. 이러한 순간은 말로는 표현할 수 없고(미지), 철봉에서 한 바퀴 돌기 시작하거나, 스키에서 연속 턴을 하거나, 농구의 슛에서 볼이 손을 떠날 때 '그래 이거야', '이거라구'라고 말하는 순간이 있다. 그러나 말로는 '이거'라고밖에 표현할 수 없지만 그때 '나=신체'는 그 순간 '근육의 움직임'이나 '신체의 회전'에서 협조를 느끼는 것이 가능하고 무엇인가를 알 수 있게 된다.

한편 운동체험의 중요성을 다음과 같이 설명할 수 있다. 어린이들을 둘러싼 세계로부터 이러한 체험이 없어져가고 있는 오늘날 신체운동에서 이러한 지성을 넘는 체험이 주는 가치는 교육세계에서는 과거보다 커진다고 볼 수 있다. 어린이들은 사회의 유용성을 파악할 수 없는 공간에서 스스로 살아간다는 원리에 접촉하는 것이 가능하다. 이러한 말로는 표현하지 못하는 생성을 가져다주는 운동 내지 새삼스럽게 이러한 미지를 가져다주는 운동체험의 교육상 중요성을 생각할 필요가 있다.

이러한 '발달의 논리'라는 유용성의 원리에 지배되어 무엇인가의 수단으로 사용된 신체의 운동은 발달을 위한 경험이 아니라 체험 그 자체로서 중요성을 인식하지 않으면 안 된다. 예를 들어 '달린다'라는 신체활동에 의해서 '기분이 좋아', 또는 '즐거워'라는 현상이 일어나는 경우가 있다. 그때의 '기분이 좋은 것', 또는 '즐거움'은 운동의 결과로서 장래 운동생활이나 건강 · 체력 만들기를 위한 동기부여가 된다. 과거에는 거기에 의의를 두었다. 그러나 이제부터는 운동에 도움이 되는 '경험'이 중요한 것이 아니라 이렇게 기분이 좋다는 즐거움 그 자체가 '나=신체'가 지금 이곳에서 느낄 수 있는 그 '기분이 좋음' 내지 '즐거움'이라는 것이다. 따라서 신체운동에 의한 '나=신체'의 '체험' 그 자체가

중요한 것은 아닐까?

② 체험의 의미

신체활동에 의한 '나=신체'의 '체험' 그 자체로서의 중요성을 인식하기 위해서는 그 '체험'이 어떠한 의미를 가지는가를 생각할 필요가 있다. '신체의 체험'은 어떠한 의미를 가지는가? 앞에서 그것을 체험한 '신체'가 '세계 속에 배치되었고 그 공간에서 관계성을 이루며 존재한다'는 '나=신체'라고 정의했다. 이렇게 '나=신체'는 관계적인 존재이면서 '공간/세계'와 불가분의 관계에 있다. 따라서 이 경우 신체의 '체험'이라는 것도 그 '공간'에서 일어난다고 생각할 필요가 있다.

'체험/경험'과 '공간'의 관계는 다음과 같이 볼 수 있다. 인간이 세계 속으로 각자 다르게 배치된 세계 속에서 세계를 볼 때 고유의 시점에서 볼 수 있는 세계의 모습은 사람마다 가지는 지각의식과 같이 그 사람의 경험(체험)에 축적된다. 경험(체험)에 축적된다는 말은 일정하게 배치된 사람이 경험(체험)을 쌓는 것을 의미한다. 인간이 배치되었다는 사실을 빼고 인간의 경험(체험)의 축적을 이야기하는 것은 불가능하다. 따라서 경험(체험)에는 항상 공간의 경험(체험)이 부수적으로 따라 붙는다.

이렇게 체험은 '공간/세계' 속에서 '나=신체'의 배치된 위치/장소를 기준으로 한다. '나=신체'가 몸을 둔 곳으로부터 구체적인 감각으로 느낄 수 있는 공간의 모습을 인식하는 것을 '체험'이라고 말할 수 있다. 즉 '체험'이란 '나=신체'는 같은 세계에 같이 배치된 것이라는 관계에서 발생하며, '자신의 신체가 배치된 공간 내에서 자신이 신체적으로 배치된 곳으로부터 그 공간에 배치된 물건과 사람들과의 관계를 체험하는 것'이 중요하다. 살아가게 만들어진 신체는 유희나 무용, 스포츠라는 신체활동을 통해서 일상적인 삶을 초월해서 새로운 근원적인 삶, 또는 초월의 경지에 도달하게 된다. 기능화되고 단편화된 활동을 지금 한 번이라도 해 보면 그것은 이후로 통일된 의미가 있는 체험을 가져다주게 된다. 의미 있는 체험이란 '규칙을 지킨다', '협력한다'라든가, 페어플레이나 팀워크 같은 실천경험이 아니다. 또 사회시스템으로서 적합한 경험, 사회화를 지향하는 경험도 아니다. 그와는 반대로 자기를 규정하고 있는 사회 관계를 일단 해제하고 유용성의 세속적 질서로부터 이탈해서 '나=신체'가 '세계와의 연속성'을 되찾는 것으로 볼 수 있다.

신체활동의 실천은 생각지도 않게 스스로를 신체적 존재로 느끼도록 체험시킨다. 달리기, 수영하기, 걷기, 뛰기, 던지기 등은 신체활동이 없으면 불가능하고, 또 그것을 할 때

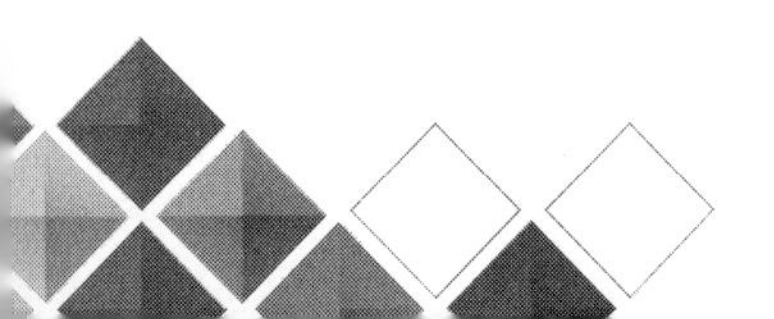

자기가 신체로서 '공간/세계'에 존재한다는 것을 느끼게 된다. 더욱이 그 순간에 '나=신체'는 사회시스템에서 이탈하여 에코시스템을 모체로 해서 세계와의 연속성을 되찾는다. 종래의 체육이나 스포츠에서는 신체활동에 의한 신체적 기능이나 정신적 · 사회적 발달을 목표로 하였다. 그것은 확실히 중요하지만 신체운동 그 자체에서 '나=신체'가 체험한 것의 의미를 생각해 오지는 않았다.

'수영한다'라는 신체운동을 보면 그 쾌적함은 내적이고 주관적인 체험이 아니라, 신체를 둘러싼 환경이 신체내에서 발생하는 심적 상태 내지 그 환경과 타자의 신체와 심적 상태와의 정체성 사이에서 일어나는 것이다. 과거의 체육이나 스포츠에서 '수영한다'라는 신체운동은 수영방법의 습득이 최대과제였고 일정한 거리를 헤엄치는 시간의 단축이 목적이었다. 그러나 '수영한다'라는 것으로 신체가 체험하는 부력, 물의 차가움, 무거움 등을 느끼는 것은 그다지 중요시되지 않았다. 하지만 '헤엄친다'라는 신체운동의 의미는 신체라는 실체가 물속에서 예정된 거리 · 시간으로 이동하는 데 초점을 맞추는 것이 아니라, '나=신체'가 신체를 둘러싼 물과 물속에 있는 사물과 타자와의 관계 속에서 존재한다는 데 의미가 있다. 중요한 것은 이동거리나 이동시간의 단축이 아니라, '나'의 신체가 '헤엄친다'라는 운동으로 공간/수중에 배치된 사물과 타자와의 관계 속에서 존재한다는 사실을 느끼는 것이다.

어린이들이 긴 거리를 짧은 시간으로 달린 기록이 수분 · 수초라는 결과는 중요하지만, 달리고 있는 어린이의 '나=신체'에 대한 관심은 중요하지 않다. 어린이들의 '달린다'라는 신체운동 자체는 '공간/세계'와의 관계 속에 있다. 뛰면서 자기의 발로 밟는 지면, 지나쳐 가는 풍경, 그 '공간/세계' 안에서 숨을 쉬고 땀을 흘리는 '나=신체'가 존재하고 있는 것을 느끼게 된다. 또 철봉에서 한 바퀴 도는 순간, 어린이들은 철봉이 금속이기 때문에 느낄 수 있는 쇠붙이의 단단함, 차가움, 그리고 신체가 회전하고 있다는 사실과 손의 악력이 절묘하게 일치한 '앗'하는 감각, 눈에 들어오는 파란 하늘, 이들 모두가 '나 =신체'로서 느끼고 이해하는 현상이다. 이러한 신체활동에 의해서 '공간/세계' 속에서 존재하는 '나=신체'를 이해하는 데 신체체험의 의미가 있다.

여기에서의 이해는 '서구적인 언어를 중심으로 한 논리체계'에서 이해의 개념과는 다르다. '신체로 안다'라는 이해방법은 '신체 전체로 알아가는 방법'이 스스로의 인식을 신체를 통해서 활성화되어가는 방식으로 볼 수 있다. 더욱이 '어떤 사항을 이해하는' 것을 '인간이 그 사항을 스스로의 생활 안에서, 나아가서는 세계 전체 안에서 실감하고 납득하

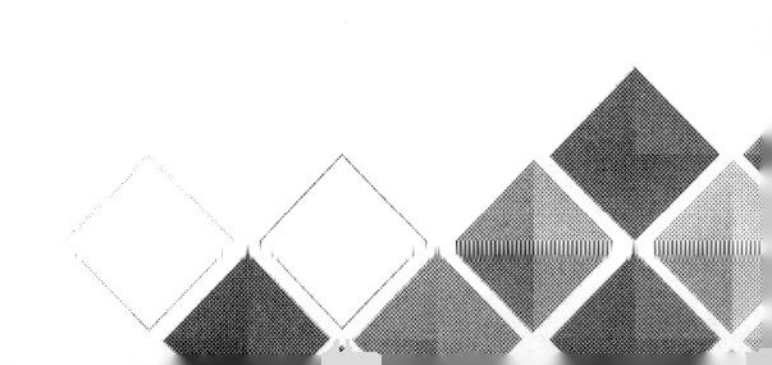

는 것, 또 그 생활 속에서 타인과의 관계를 끝없이 넓혀가는 활동'이다. 이 '이해' 방법의 배경이 되는 신체관이 '신체를 물질로서 다루는 바이오메커닉스적 신체관', '마음과 신체와 분리해서 마음이 신체를 컨트롤한다는 데카르트적 신체관'이 아닌 '마음과 신체를 불가분의 관계로 하는 심신합일론에 기초를 둔 신체관'이다.

결론적으로 '신체의 체험'이란 '나=신체'가 '공간/세계' 안에서 함께 배치된 다른 사물과 사람들과의 관계 속에 있다는 사실을 '이해'하는 것이다.

신체운동 2

1) 신체운동이란

신체나 스포츠에서 중심적인 활동이 되는 것은 인간의 '신체운동'이다. 이 신체운동의 원동력은 체육의 교육적 중요성과 스포츠의 즐거움에 있다. 그렇다면 신체운동은 인간에게 어떤 의미와 가치가 있을까?

(1) 운동이라는 표현

말은 문화의 바로미터(barometer)라고 한다. 어떤 사항을 나타내는 표현방법의 개수가 문화의 수준을 나타낸다고 한다. 우리나라에서 생선은 '고기, 선어, 생선, 활어' 등으로 표현하는데, 이는 생선에 대한 문화의 수준이 높기 때문이다.

그런데 '운동'은 어떨까? 영어로는 운동을 exercise, motion, movement 등으로, 독일어로는 Bewegung, Motorik, Übung 등으로 표현하지만, 우리말로는 '운동' 하나만 있다. 그러면 우리나라에서는 '운동' 자체가 그다지 중요시되지 않는 것은 아닐까?

어떤 학자는 '움직임'에 대한 우리나라와 서구의 평가차이는 농경민족과 수렵 · 목축민족의 상위함 때문이라고 하였다. 수렵과 목축, 즉 동물을 사냥하거나 사육하면서 살아가

려면 동물과 비슷한 모습의 '움직임'이 요구된다. 그리고 사람보다 훨씬 우수한 운동능력을 가진 동물에 대해서는 외경심을 가지고 접근하게 된다. 그러나 농경민족은 근본적으로 유목생활을 하지 않는다. 쭉 한 자리에 정착해서 식물의 생장을 기다려야 한다. 이러한 생활방식 때문에 움직여야 하는 유목생활은 '경솔'하다고 여기며, '정착해서 그 자리에서 움직이지 않는다'가 미덕으로 간주된다.

이러한 우리나라와 서구의 운동에 대한 차이는 동물을 보는 관점에서도 찾아볼 수 있다. 서구에서는 국가의 심볼로 동물이 사용되기도 한다. 예를 들면 미국의 '흰머리 독수리', 호주의 '코알라' 등이 있다. 또한 스포츠계에서도 동물이 크게 활약하고 있다. 그러나 우리나라에서는 동물을 '畜生(온갖가축)'이라고 하여 서구에서 보는 동물과는 그 위치가 크게 다르다.

(2) 신체운동과 인간

인간은 신체운동이 없으면 살아갈 수 없다. 철학자 Lenk, H.는 "신체적인 경험과 신체적인 변화과정에 의해서만 세계와의 접촉과 관계가 성립한다."라고 하였다. 즉 신체적인 변화과정, 즉 신체운동이 없으면 어떤 활동도 표현할 수 있는 가능성이 없으며, 인간은 신체운동에 의해 세계 속에 자기의 존재를 구성하게 된다. 예컨대 말하기, 쓰기, 눈을 깜박이기, 미소짓기 등과 같은 인간의 표현은 근육의 움직임이 없으면 불가능하다는 것이다. 이렇게 인간은 근육을 사용한 신체운동에 의해 '세계'를 구성하고 있다.

신체적 운동은 인간의 '세계'를 향해서 행해지고 있지만, 그와 동시에 '나' 자신(신체)에 대해서도 움직이고 있다. 예를 들면 걷기라는 신체운동은 그것을 통해서 새로운 '세계'를 열어가는 행위임과 동시에 정지해 있던 우리들 신체에 수정을 가하는 행위이기도 하다. 맨 처음 보행하는 유아는 의식적으로 운동패턴을 학습하면서 신체를 수정함과 동시에 그 운동을 통해서 새로운 '세계'를 경험하게 된다.

한편 인간의 신체운동이 문화적 · 사회적인 것에 의해서 결정되는 경우도 있다. 이것은 사회 속에서 인간들이 공통점을 가지게 하고 상호간의 커뮤니케이션이나 그 사회 · 문화에서 아이덴티티(identity) 확립에 공헌하게 한다. 우리가 타인을 이해하려는 동작이나 움직임을 통해서 그 사람의 의도를 알 수 있는 것도 이러한 신체운동이 문화적 · 사회적으로 결정되는 구조 때문이기도 하다.

(3) 신체운동의 의의

앞에서 신체운동은 인간에게 중요한 것이고, 여러 가지 의미가 있다고 하였다. 여기에서는 Grupe, U.(독일 튀빙엔대학교 교수)의 주장에 기초해서 신체운동의 의의(가치, 중요성)를 살펴보기로 한다. Grupe, U.에 따르면 신체운동의 의의는 ① 도구적 의의, ② 지각적 · 경험적 의의, ③ 사회적 의의, ④ 인격적 의의의 4가지로 구분할 수 있다.

① 도구적 의의

인간은 운동을 '도구'로 이용하는 것이 가능하다. 그러나 우리는 일상생활에서 운동을 도구로서 인식한 적이 없다. 왜냐하면 공기의 존재처럼 당연한 듯이 생각하고 있기 때문이다. 예를 들어 '창문을 연다'라는 사람의 행위에 대해서 생각해 보자. 그가 앉아 있다면 먼저 '일어선다', 그 다음에 창가로 '걸어가고', 창문의 열쇠를 손으로 '회전'시켜 자물쇠를 풀고, 손으로 창틀을 '잡고' 그리고 팔을 써서 좌우 어느 쪽으로든 방향을 '잡는다'. 이러한 일련의 운동에 의해서 창문이 열리게 된다. 즉 이들 운동을 도구로 이용함으로써 '창문을 연다'라는 인간의 행위가 완성되는 것이다.

이렇게 도구로 쓰이는 운동은 상처를 입거나, 나이를 먹어서 운동기능이 제한을 받으면 그 중요성을 의식하게 된다. 상처를 입어서 목발에 의지하거나 운동이 제한받는 경우를 생각해 보자. 이 경우 '창문을 연다'라는 행위가 얼마만큼 힘든 일인지 알 수 있을 것이다. 이렇게 인간은 운동을 도구로 사용하며 일상생활을 하게 되는데, 이것을 신체운동의 '도구적 의의'로 볼 수 있다.

② 지각적 · 경험적 의의

인간은 '운동'을 통해서 환경세계의 여러 가지를 지각하고 경험하게 된다. 운동하는 것을 통해서 기쁨, 불쾌감, 피로, 고통 등 여러 가지 신체상황을 지각하고 경험한다. 조깅이라는 운동을 함으로써 상쾌함, 조깅 도중에 배가 아플 수 있다는 불쾌감, 운동 후의 성취감과 피로감 등을 느끼게 된다. 이와 같이 인간은 운동을 함으로써 보통생활에서는 알 수 없는 '신체적 경험'을 하게 되는데, 이것을 운동의 '지각적 · 경험적 의의'로 볼 수 있다.

이러한 신체적 경험뿐만 아니라 인간은 운동을 함으로써 여러 가지 물질적 경험도 할 수 있다. 예를 들어 '헤엄친다'라는 운동에 의해서 물의 차가움뿐만 아니라 부력 · 저항력

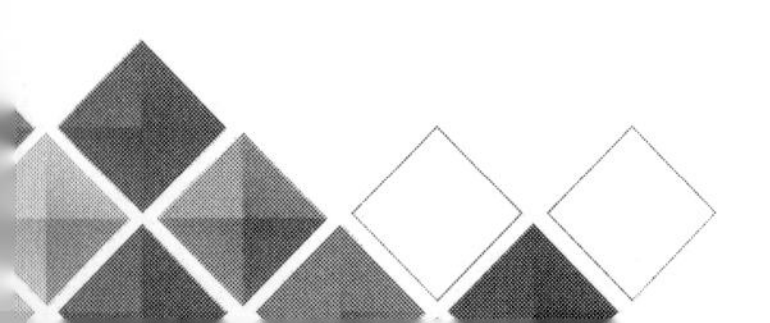

까지도 경험하게 된다. 다이빙에서 실수로 배부터 떨어져 배가 빨갛게 된 경험도 해 보았을 것이다. 몇 m 이상에서 낙하할 때 수면은 콘크리트 정도의 단단함을 가지게 된다. 따라서 다이빙선수는 손을 모아서 수중으로 돌입한다. 한편 수중을 걸어 보면 물의 무거움을 몸으로 느낄 수 있다. 사람은 운동에 의해서 이와 같은 물질적 경험을 할 수 있게 되는데, 이것을 신체운동의 '지각적 · 경험적 의의'로 볼 수 있다.

③ 사회적 의의

타인을 이해하려면 그의 몸짓이나 움직임을 파악하면 가능하다. 또 미소, (승리에 대한)환호, 몸떨기 등과 같은 무의식 또는 의도적인 운동에 의해서 스스로의 의지나 감정을 타인에게 전달하는 것이 가능하다. 이렇게 신체운동은 사람들 사이에서 커뮤니케이션을 발생시키는데, 그것을 통해서 우리는 신체운동의 '사회적 의의'를 찾아낼 수 있다.

한편 인간의 운동은 혼자서도 가능하지만 무거운 물체를 이동시킬 때처럼 두 사람 이상이 협력해서 하는 경우도 있다. 또 사이클링처럼 몇 명이 같은 운동을 하거나 경기스포츠처럼 팀을 구성해서 그 속에서 운동을 하는 경우도 있다. 이렇게 타인과의 관계 안에서 운동을 할 때에도 신체운동의 '사회적 의의'가 발생한다. 이때 협동심, 그리고 같은 목표를 향한다는 동료의식이나 역할수행의식이 싹트기도 한다. 이렇게 인간은 운동하는 사람들 사이에서 규범이나 가치를 인식하고 수행하는 역할과 스스로 취해야 할 태도를 생각하는 것이 가능하다. 이것이 신체운동의 '사회적 의의'이다.

④ 인격적 의의

인간은 운동 속에서 자신을 스스로 인식하는 것이 가능하다. 즉 인간은 운동 속에서 자아를 찾을 수 있다는 것이다. 목표로 한 거리를 완주했을 때에 얻을 수 있는 달성감이나 자신감, 또 숨이 차고 발이 아프다는 신체적인 느낌 때문에 '이제 멈출까'라고 생각하는 기분을 이겨냄으로써 새로운 자신을 발견해낸다. 나아가 이것을 더욱 챌린지(challeng)하는 것으로 이어진다. 반대로 극복하지 못하고 멈춰 서버리는 경우에는 패배감이나 자신감상실, 그리고 달리는 것으로부터 '도피'했다는 느낌을 가지게 된다. 이것도 자신을 인식하는 또 하나의 방법이다. 이렇게 인간은 운동을 통해서 자신을 재인식하게 되는데, 그것이 바로 신체운동의 '인격적 의의'이다.

2) 스포츠 운동의 의의

(1) 스포츠와 신체운동

스포츠에는 여러 가지 의의가 있다. 즉 '몸을 움직인다는 인간의 본원적인 욕구에 구애받는다', '상쾌감, 달성감, 타인과의 연대감 등 정신적 만족이나 즐거움, 기쁨을 가져다 준다', '체력향상이나 정신적 스트레스의 발산, 생활습관병의 예방 등 심신 양면에 걸쳐서 건강유지와 증진에 도움이 된다', '청소년 심신의 건전한 발달을 촉진한다', '책임감, 극기심이나 페어플레이의 정신을 기른다', '청소년의 커뮤니케이션능력을 육성한다', '풍부한 마음과 타인을 대하는 태도를 기른다', '아이들의 정신적 스트레스를 해소한다', '다양한 가치관을 찾는 기회를 준다', '청소년의 건전한 육성에 도움이 된다' 등이다. 이와 같이 스포츠를 통해서 체력 · 건강을 증진시키고 페어플레이정신이 함양되며, 커뮤니케이션능력을 향상시킬 수 있는데, 이것을 스포츠의 의의로 볼 수 있다.

그러나 '스포츠를 한다'라는 것은 어떠한 것일까? 예를 들면 축구를 할 때에는 킥, 드리블, 헤딩, 패스라고 이름이 붙은 신체운동을 한다. 그러나 이러한 신체운동 자체가 축구라고 하는 신체운동이 아니라 킥, 드리블, 헤딩, 패스 등과 같은 형태의 신체운동에 의해서 축구라는 스포츠가 구성되는 것이다. 이렇게 생각하면 축구라는 '스포츠를 한다'라고 할 때에는 그것을 구성하는 킥, 드리블, 헤딩, 패스 등의 신체운동을 행하는 것으로 볼 수 있다.

이렇게 스포츠에서 이루어지는 신체운동의 대부분은 일상생활에서 도움이 되지는 않는다. 예를 들면 헤딩이란 머리를 이용해서 무언가를 쳐내는 신체운동인데, 일상생활에서는 그러한 행위는 볼 수 없다. 또 헤딩이라는 신체운동에는 '페어플레이정신의 함양'이나 '커뮤니케이션능력의 향상'이라는 의미는 포함되지 않는다. 헤딩은 '축구라는 스포츠의 한 부분'이라는 의미가 있고 축구라는 스포츠를 통해서만 의의를 가진다고 할 수 있다.

(2) 스포츠 운동의 사회적 의의

Lenk, H.는 스포츠 운동은 일상생활의 운동 패턴과 구분하지 않으면 안된다고 했다. 왜냐하면 앞에서 본 헤딩처럼 스포츠운동은 특별한 문화와 역사를 통해 의의를 부여할

수 있고 사회적 프레임워크(framework) 안에서 제도화된 것이기 때문이다. 그는 스포츠 운동을 '스포츠 운동/sports movements, sporting movements'이라고 했다. 여기에서는 Lenk, H.의 개념에 따라서 스포츠에서 행해지는 신체운동을 '스포츠 운동'이라고 하고, 그의 주장에 따른 '스포츠 운동'의 사회적 의의를 알아본다.

'스포츠 운동'은 사회와 자연환경과 마주하면서 챌린지(challenge)하고 새로운 가능성을 열어 창조하며, 동시에 사회적으로 동의를 받고 문화적으로 표준화되며 제도화된 것이다. 여기에서 제도화라고 하는 '스포츠 운동'의 특징은 사회적으로 인정된 방법에 의해 자기를 표현하는 기회를 주는 것이다. 이 사회적 제도 중에서 목표를 향하는 '스포츠 운동'을 실천함으로써 "자신의 신체와 그 주위 세계를 지배하며, 자기표현 · 자기묘사 및 자기확인의 기회를 부여하고, 모든 인간의 풍요로운 인생을 만드는 것에 공헌한다."라고 Lenk, H.는 주장했다. 즉 '스포츠 운동'은 "세계를 향해서, 자기 자신의 신체상황에 맞게 스스로 표현할 수 있는 기회를 발생시키고, 그 결과 개인적인 생활과 퍼스널리티를 수정시키고 변화시키는 것이다."

또한 Lenk, H.는 '스포츠 운동'은 사회적 · 문화적 · 역사적으로 정해진 '이상화된 규범패턴'이라고 했다. 즉 '스포츠 운동'의 기능을 향상시키려고 시험하는 것은 사회적 · 문화적으로 인정받은 행위일 뿐만 아니라 권장되고 가치 있는 행위로서 자리 잡은 것이다. 이렇게 '스포츠 운동'은 사회적으로 표준화된 달성행위의 성격을 나타내고 있고, '스포츠 운동'은 목표를 지향하기 때문에 그 목표에 도달했다고 하기 위한 평가가 필요하다. 이 평가에 기초해서 사회적으로 승인받고 그것을 통해서 자기를 인식하고 자기를 평가하는 것이 가능하다.

"타인보다 좋게, 나아가 자신의 퍼포먼스를 과거보다 좋아지게 하기 위하여 노력하고 여러 가지를 시험해 본다."는 것은 사회적 · 문화적인 가치를 지향하는 패턴을 나타낸다고 Lenk, H.는 말한다. 그리고 이러한 '보다 좋게'를 평가하기 위해서는 측정되고 명확화된 모델이 필요하다. 자신의 '스포츠 운동'의 주관적인 지각이나 경험은, 예를 들어 기록과 같은 객관적인 언어에 의해서 공개되는 공적인 카테고리(category)를 통해서만 이해가 가능하다. 이렇게 '스포츠 운동'은 측정되고 평가될 수 있는 '달성'을 통해서 '문화적으로, 그리고 공적으로 구성'되는 것이다.

Lenk, H.는 '스포츠 운동'을 인간이 세계와 마주보고 대처하기 위한 '특징적인 매개물'이어서 사회적으로 "양식화된 프레임워크 안에서 자신의 대행의지의 표현으로 해석할 수

있다."고 말했다. 이 Lenk, H.가 나타낸 목표지향에서 사회적으로 제도화된 운동의 달성이라고 하는 '스포츠 운동'의 해석은 스포츠맨십, 노력과 극기, 페어플레이정신 등과 같은 스포츠의 의의로 간주되는 것을 이끌어내려고 한다.

3) '스포츠 운동' 체험의 중첩성

우리는 신체운동 또는 '스포츠 운동'을 행함으로써 여러 가지 체험을 한다. 예를 들면 테니스시합에서는 스트로크에 의해서 로브가 계속되면 이어서 스매시로 득점을 결정짓는다. 더욱이 게임이나 세트를 얻고(뺏기고), 시합에 승리(패배)하는 체험을 한다. 이렇게 '스포츠 운동'은 우리에게 여러 가지 체험을 하게 한다. 이러한 체험은 몇 개의 '스포츠 운동'의 체험이 서로 겹쳐져서 나타난다고 볼 수 있다. 테니스에서는 스트로크, 연속된 로브, 결정타인 스매시, 게임 · 세트 또는 시합의 승리 등을 '스포츠 운동' 안에서 각각 다른 체험으로 다루는 것이 가능하다. 다음에 테니스를 통한 '스포츠 운동'의 체험을 생각해 보자.

테니스의 포핸드 스트로크라는 '스포츠 운동'에서는 '볼을 보고 스텝을 이용해서 이동하고 테이크백한다'라는 동작 다음에 '(상대의 코트에 넣기 위해) 볼을 친다'라는 순간이 찾아온다. 이때 신체는 임팩트 시의 볼무게와 거트의 흔들림을 체험한다. 그리고 팔로스루 동작을 함으로써 일련의 행동은 일단 종료된다. 이 임팩트 순간을 중심으로 한 일련의 운동에 관련된 체험을 '스포츠 운동'의 첫 번째 체험이라고 생각하자. 다음에 계속하여 '스포츠 운동'의 목표가 달성된 경우와 달성되지 않은 경우의 2가지 사건이 일어난다. '스포츠 운동'의 목표가 달성되지 않은 경우는 네트에 볼이 걸리거나 코트 밖으로 나가버리는 경우인데, 이것은 '스포츠 운동'의 목표(상대코트에 볼넣기)달성의 실패라는 체험이 된다.

'스포츠 운동'의 목표가 달성된 경우는 '상대의 코트에 볼이 들어갔다'이지만 여기에서는 다른 의미로 생각해보자. 여기에는 2가지 경우가 있는데, 하나는 '스트로크로 점수를 얻었다'이다. 이 경우에는 내가 친 볼을 상대가 받아치지 못한 경우이다. 이것은 '(상대의 코트에 넣으려고 한) 볼을 친다'라는 앞에서 서술한 목표달성의 경우와는 별개의 '스포츠 운동'의 완결된 체험이 되는 것이다. 다른 하나는 상대가 볼을 받아치는 것이다. 이

경우에는 첫 번째 체험으로 돌아가서 그것을 반복해서 하게 된다.

한편 이러한 '스포츠 운동'의 체험에는 다른 의미에서의 '체험'도 존재한다. 그것은 이들 '스포츠 운동'의 결과에 의해서 만들어지는 체험이다. 즉 '스포츠 운동'은 게임 또는 콘테스트 형태로 행해지는 경우가 많고, 앞에서 본 일련의 '스포츠 운동'의 결과로 게임이나 세트를 얻거나/잃거나, 시합에 이기거나/지거나 하는 체험이 발생한다. 이렇게 스포츠의 체험은 몇 개의 '스포츠 운동' 체험의 집합체인데, 이들은 각각 다른 것이라고 생각할 수 있다. 다음에 이러한 것들을 정리하였다.

① '스포츠 운동' 그 자체로의 체험 : 상대코트에 볼을 넣으려고 하는 일련의 운동

② '스포츠 운동'의 목표달성이 되지 않은 경우의 체험 : 상대코트에 볼을 넣으려고 했지만 실패한 경우

③ '스포츠 운동'의 목표달성 체험 : 볼이 상대의 코트에 들어가서 상대가 볼을 못 받아친 경우/스트로크로 점수를 얻음(스포츠 운동의 목표달성 체험 : 볼이 상대코트로 들어갔으나 상대가 공을 받아쳤다. 로브가 계속된다. ①로 돌아간다)

④ '스포츠 운동'의 결과에 의한 체험 ; 게임이나 세트를 얻는다/잃는다, 시합에 이긴다/진다.

4) '스포츠 운동' 체험의 의의와 그 변모

지금까지 스포츠에서 신체운동의 의의란 무엇인가를 살펴보았다. 그 때문에 Lenk의 '스포츠 운동'을 예로 들고 그 사회적 의의를 검토했다. 더욱이 '스포츠 운동' 자체의 실천의의를 찾아내기 위해서 그것을 체험으로서 다시 다루고, 그 '스포츠 운동'의 순간에 발생하는 의의를 검토했다. 그 결과 '스포츠 운동'은 사회적인 의의를 가지고 있는 것임과 동시에 그것과는 다른 차원에 있는 의미생성의 체험으로서도 그 의의가 있다는 것을 알게 되었다.

과거의 체육 · 스포츠이론에서 '스포츠 운동'은 사회에서 필요하다고 간주되는 행동이나 지식, 다시 말해서 '사회성'을 육성하는 관점에서 그 의의를 찾을 수 있었다. 물론 책임감 · 극기심이나 페어플레이정신을 기르는 것은 '스포츠 운동'의 중요한 의의이므로 그것을 부정하는 것은 불가능하다. 그러나 '스포츠 운동' 체험이 한 사회를 넘어 세계로 이

어져 많은 의미를 생성시킨다는 점에서 '스포츠 운동'체험의 또 다른 의의를 발견할 수 있었다. 이렇게 '스포츠 운동'체험에는 양면성이 있다. 다시 말해서 사회 안에서의 체험과 사회를 넘은 세계와의 체험이 있다는 것이다.

그러나 사회를 넘은 세계로 이어지는 '스포츠 운동'은 그것이 사회적 제도 안에서 정해진 것이기 때문에 유용성의 원리에 지배된 자기중심적 활동으로 변화할 가능성을 내포하고 있다. 예를 들면 "왜 스포츠를 하지?"라는 물음에 대해서 "스포츠가 좋아서"라고 대답하는 경우가 있다. 이때 관심은 스포츠 자체에 쏠리는데, 이 경우를 대상중심적인 태도라고 한다.

이와는 반대로 "왜 스포츠를 하지?"라는 물음에 "건강을 위해서"라고 대답하는 경우는 그 중심적인 관심이 스포츠 자체에 있는 것이 아니라 그것에 의한 결과로 나올 수 있는 자신에게 유용한(도움이 되는) 것에 쏠리게 된다. 이것을 자기중심적 태도라고 한다. 다시 말해서 '스포츠 운동'체험은 스포츠 자체가 문화적으로 수태되는 것(Lenk, H.)이기 때문에 사회에서 자신이 원하는 목표를 달성하거나, 사회에서 인정받으려고 하거나, 또는 건강을 위해서 라고 표현하면서 사회적으로 자리를 잡는 데 그 의의를 두는 쪽으로 변해갈 가능성이 있다는 것이다.

이렇게 해서 '스포츠 운동'체험은 자기와 세계의 경계가 용해되고 일체화되어 의미생성을 이루는 체험이 아닌 닫혀진 사회 · 집단 속의 유용한 경험으로 변해 간다. 그것은 ① 스포츠 운동 그 자체로의 체험, ② 스포츠 운동의 목표달성의 체험 또는 ③ 스포츠 운동의 목표 미달성의 체험이 그것에 뒤따라서 일어나는 ④ 스포츠 운동의 결과에 의한 체험으로 변모하게 된다. '스포츠 운동'은 목표지향성이라는 특징이 스포츠 운동을 대상중심적 활동이 되는 의미생성의 체험을 만들어내지만, 그 목표지향성 때문에 '상대코트에 볼을 넣기 위해 볼을 친다'라는 의미가 있는 행위가 '상대가 친 볼을 자신이 쳐서 상대가 받아칠 수 없도록 만든다'라는 '스포츠 운동'의 의미로 변해 버려 '시합에서 이긴다'라는 목표달성을 위한 한 부분으로 자리잡게 된다. 나아가 행위의 의미도 강제로 변질되어 버린다. 이 경우 '스포츠 운동'체험 그 자체는 대상중심적 체험이었지만 사회적 프레임 내에서 자기-달성, 자기-승인의 욕구를 채우는 자기중심적 체험으로 변해버리는 것이다.

팀스포츠에서는 팀이 승리를 목표로 하나가 되어 조직적인 콤비네이션 플레이를 전개하고 자기와 팀이 일체화되도록 하는 체험을 하는 경우가 있다. 그러나 이것은 자기와 외부세계의 경계를 용해시키고 일체화하는 '용해체험'이 아니다. 그것은 소속하고 있는

집단으로의 '확대체험'이며 사회적으로 제도화된 프레임워크 속에서의 체험이다. 체육·스포츠이론은 이러한 사회적 조직 안에서 목표를 달성하는 것에 의의를 찾고 있다. 물론 그 의의를 부정해야 하는 것은 아니다. 하지만 그 체험이 사회적 프레임워크 안의 체험으로 변하기 전에 그 '스포츠 운동' 자체를 즐기는 순간에 중요한 의미생성의 체험이 일어난다는 사실을 잊어버려서는 안된다.

신체교육 3

1) 신체교육(체육)이란 무엇인가

여기에서는 "신체교육이란 무엇인가?"에 대해서 알아보기로 한다. '체육(신체교육)'이라는 말은 'physical education'의 우리말이다. 체육은 신체에 대한 교육이라고 볼 수 있다. 여기서는 '교육'의 한 영역으로 체육을 생각해보자. 그러면 체육이 교육이라면 어떠한 교육을 말하는지를 생각하는 것이 "체육이란 무엇인가?"라는 물음에 대한 대답이 될 수 있을 것이다. 먼저 '교육은 관계이다'라는 관점에서 시작해 보자.

(1) 교육은 관계이다

체육(신체교육)이 교육이라면 "체육이란 무엇인가?"를 묻기 전에 "교육은 무엇인가?"를 먼저 묻지 않으면 안된다. 교육이란 관계성을 나타내는 개념이며, 거기에는 기본형인 '가르친다-배운다', '교수-학습'의 관계가 존재한다. 즉 교육이란 가르친다(교수)는 행동과, 그에 대한 배운다(학습)라는 반작용(reaction)에 의해서 성립되는 상호관계라고 할 수 있다(그림 5-2).

교육은 '가르친다-배운다', '교수-학습'의 관계이다. 따라서 '배운다(학습)'라는 반작용이 없는 경우에는 교육이라는 관계는 성립되지 않는다. '학급붕괴'라는 말이 있다. 이 말

은 '학생들이 선생님의 지도를 무시하고 수업 중에 교실을 돌아다니거나, 친구들과 어이없는 장난을 하거나, 끊임없이 잡담을 해서 수업이 성립되지 않는 현상'을 나타내는 말이다. 즉 교사의 행동에 대한 반작용이 아예 없는 상황이며, 교육이라는 관계의 뿌리가 붕괴되어버린 현상이다.

1980년대에는 학교폭력현상이 빈발하였고 많은 교사들이 피해를 입었다. 그러나 학교폭력은 '폭력'이라는 용서받을 수 없는 행위이지만, 교사의 행동에 대한 어떤 반작용이라고 생각하는 것도 가능하다. 그러나 학급붕괴에서 볼 수 있는 상호관계의 근원적인 소실은 교육의 본질에 관계되는 중요한 문제라고 할 수 있다.

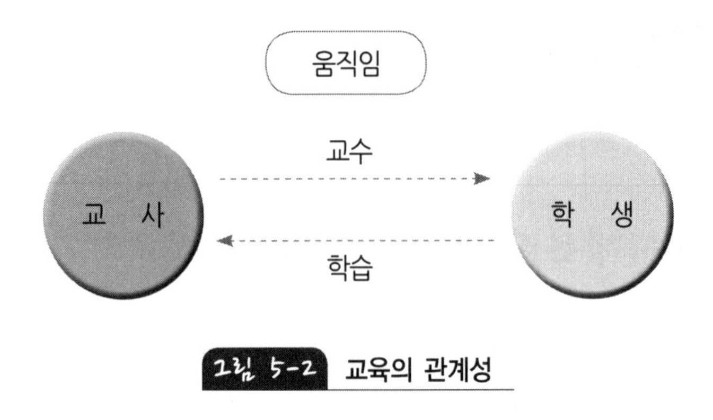

그림 5-2 교육의 관계성

(2) 신체교육(체육)의 목적

'가르친다(교수)'라는 행동에는 어떤 의도가 있다. 그림 5-3은 학생에게 무엇인가의 변화를 일으키기 위해 교사가 하는 의도적인 행동을 나타낸다. 즉 교육에는 목적이 있고 그것에 도달하도록 교사가 행동을 하는 것이다.

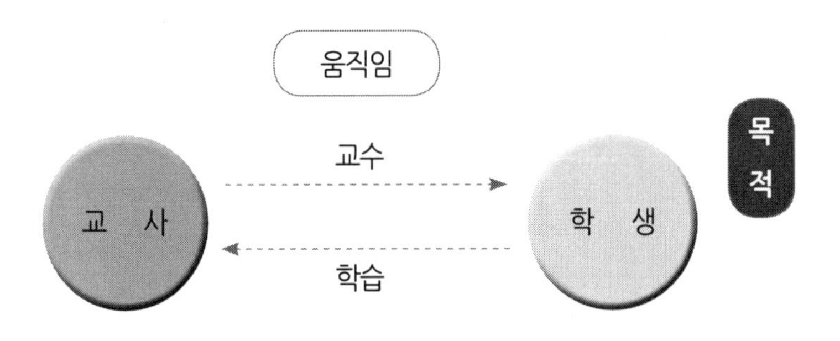

그림 5-3 교육목적을 달성하기 위한 교사의 행동

체육도 교육에 포함되기 때문에 당연히 체육에도 목적이 있다. 그것은 신체교육이기 때문에 '신체에 관련되는 목적'이며, 체육시간에 그것을 이루도록 '신체에 관련되는 행동'을 하게 되는 것이다. "체육이란 무엇인가?"라는 물음은 "체육(신체에 관련된 교육)의 목적이란 무엇인가?"라는 물음으로 바꾸어서 생각할 수도 있다. 그 목적은 다음의 4가지로 정리할 수 있다.

① 신체교육

신체교육은 학생들의 신체를 발달시키는 것이 목적이다. 예를 들면 '100m 달리기'는 학생들의 체력을 증강시키려는 의도가 숨어 있다.

② 신체활동을 통한 교육

신체활동을 통한 교육은 신체활동을 이용해서 학생들의 인격적인 발달을 시키는 것이 목적이다. 예를 들어 '100m 달리기'라는 운동과정에는 학생들의 어떤 정신적인 특질(노력하는 마음)을 발달시키려는 의도가 숨어 있다. 자주 말하는 인격형성이라는 교육목적이 바로 이것이다.

③ 운동교육

운동교육은 운동 그 자체를 이해시키려는 것이 목적이다. 예를 들어 '100m 달리기'에는 '달린다'라는 인간의 운동행위를 이해시키려는 의도가 숨어 있다. 이는 '달린다'라는 운동을 이해시키는 것이 목적이기 때문에 운동은 '50m 달리기'든 '100m 달리기'든 종목에 상관없이 신체에 좋은 것이다. 이러한 운동교육은 인간이 하는 달리기, 뛰기, 던지기 등의 운동구조를 이해하고 그것을 몸에 배게 하는 것이 목적이다.

④ 스포츠(운동문화)교육

스포츠(운동문화)교육은 운동문화로서의 스포츠를 이해시키고 전하는 것이 목적이다. 예를 들면 '100m 달리기'에서는 인류공통의 문화유산인 올림픽의 정식종목인 '100m 달리기'라는 스포츠를 가르치는 것이 목적이다. 앞의 운동교육에서는 '달린다'라는 운동을 이해시키는 것이 목적이었지만 이 관점에서는 그 운동이 긴 세월을 거치며 발전한 스포츠라고 불리게 된 운동문화(문화로서의 신체운동) 그 자체를 가르치는 것이 목적이다.

(3) 체육(신체교육)의 목적과 목표

체육은 학생들의 신체발달, 인격발달, 신체운동의 이해, 스포츠(운동문화)의 전승을 목적으로 하는 교육이지만, 여기에서 주의하지 않으면 안되는 것은 체육의 목표와 목적은 다르다는 점이다.

체육이라는 교육은 사회시스템의 하나로, 그것이 사회제도로서 나타남과 동시에 그 시스템 안에서 매일 체육교육의 실천이 행해지고 있다. 즉 체육은 매일 실천하는 것을 바탕으로 하는 레벨(위상)에서 사회시스템(제도)으로서의 체육이 그 위에 성립되는 것이다. 따라서 사회시스템으로서의 체육이 지향하는 목적은 앞에 서술한 4개의 항목과 같다.

그러나 매일마다 체육을 실천하는 목적은 '물구나무서기가 가능하도록 한다', 또는 '슛이 들어가도록 한다'와 같은 과제의 달성에 있다. 이렇게 체육을 매일 실천함으로써 과제를 달성하는 것을 목표라고 한다. 매일 체육의 실천은 '물구나무서기가 가능하도록 한다'라는 목표달성을 지향하는 것이지만, 그너머에 있는 학생들의 신체발달, 인격발달, 신체운동의 이해, 스포츠(운동문화)의 전승이라는 사회시스템에서 스포츠의 목적을 먼저 이해하고 있어야 한다(그림 5-4).

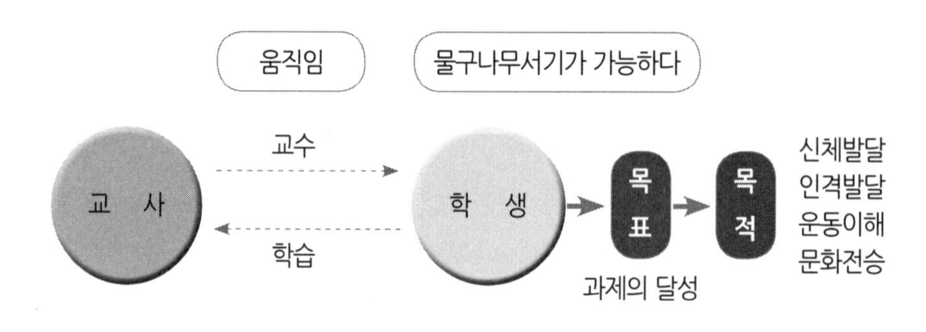

그림 5-4 체육의 목적과 목표

(4) 체육(신체교육)이란 무엇인가

이렇게 체육(신체교육)은 학생들의 신체발달, 인격발달, 인간이 하는 신체운동의 이해, 스포츠(운동문화)의 전승 등을 목적으로 하는 교육이다. 따라서 "체육이란 무엇인가?"라는 물음에 대해서 그림 5-5처럼 대답할 수 있다.

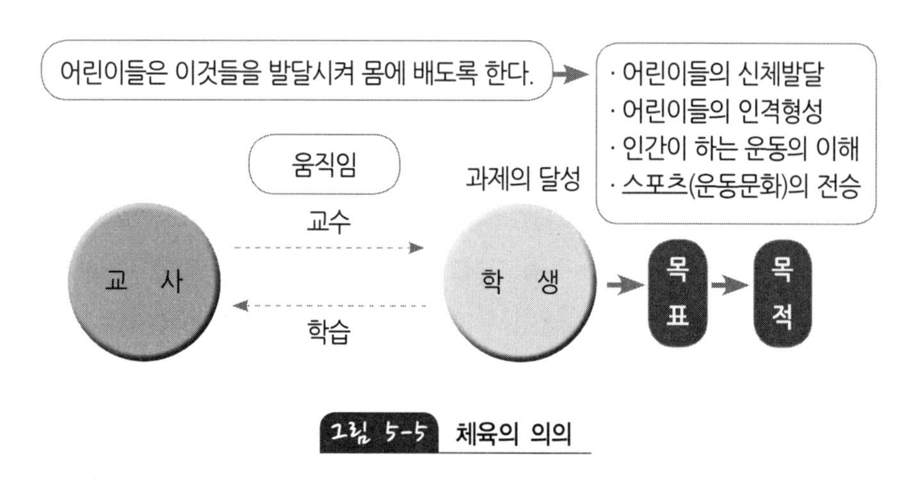

그림 5-5 체육의 의의

결론적으로 체육이란 교사들이 학생들로 하여금 신체와 인격을 발달시키고 신체의 운동이나 스포츠(운동문화)를 이해하고 몸에 배도록 행동하며, 그리고 이것들을 모두 학생들이 학습한다는 상호관계이다.

2) 교육적 관계와 체육의 상호형성

(1) 교육이라는 관계성

교육이란 관계로 볼 수 있다. 교육을 '가르치고 키운다'라는 사전적 정의를 출발점으로 하여 교육의 개념을 분석하면 다음과 같다. 먼저 '가르치고 키운다'라는 사상이 성립하려면 가르치고 키우는 사람과 가르침을 받고 키워지는 사람이 있어야 한다. 교육에는 이 양자가 단독적으로 존재하는 것이 아니라 어떤 관계의 형식이 필요하다. 그리고 거기에는 능동-수동이라는 관계성이 출현하여 "교육이란 능동자와 수동자 간의 관계라는 모습을 보인다."는 것이다. 즉 교육은 우정이나 애정, 또는 증오와 같은 사람과 사람 간의 관계라는 개념이다. 체육(신체교육)은 신체에 대한 교육이기 때문에 '관계의 개념'으로 생각할 수 있다. 교육을 식으로 나타내면 다음과 같다.

PE=f(a, b, c ｜ P)

여기서 PE : 체육, a : 작용항, b : 피작용항, c : 매개체항, P : 목적 · 목표, ｜: 조건.

위의 식이 나타내는 체육의 함수적 정의는 다음과 같다. 즉 체육(PE)이란 조건(ㅣ)으로 설정된 목적·목표(P)의 실현을 나타내며, 신체나 운동에 관한 매개체항(c)을 수단으로 하여 작용항(a)와 피작용항(b) 사이에서 구성되는 관계이다. 이 정의에 기초하면 예를 들어 체육수업시간에 하는 철봉수업은 철봉운동(매개체항)을 가지고 '신체와 인격의 발달, 운동의 이해와 전승'이라는 목적를 가지고 '물구나무서기가 가능하도록 한다'라는 목표의 실현을 목적으로 체육교사(작용항)와 학생들(피작용항) 사이에서 구성되는 관계라고 해석할 수 있다.

이렇게 체육은 스포츠처럼 그 자체에 존재하는 실체개념이 아니라 관계개념이다. 그리고 그 관계는 일반적으로 '가르친다-배운다'라는 관계로 규정하는 것이 가능하다.

(2) 교사-학생의 관계

체육(신체교육)은 신체에 관한 교육이고 '가르친다-배운다'라는 관계가 있음을 의미한다. 여기에서는 교사와 학생의 관계식을 조금 더 깊게 생각해 보자.

그림 5-6A는 환자와 의사의 관계를 나타낸 것으로 '도구적 관계'를 뜻한다. 그림 5-6B는 환자와 간호사의 관계를 나타낸 것으로 '존재 그 자체의 상호접촉'을 나타낸다.

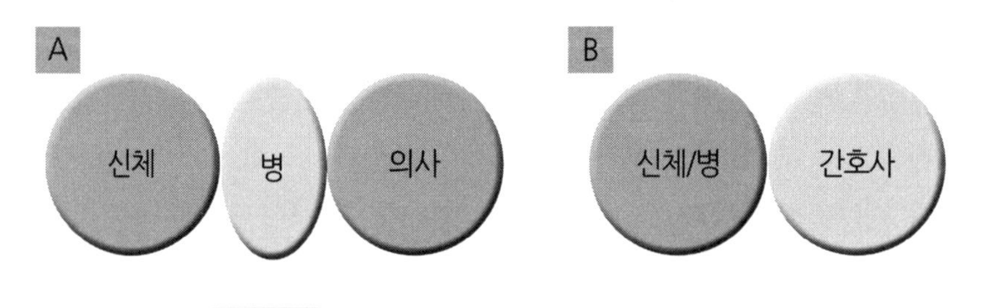

그림 5-6 환자와 의사, 환자와 간호사의 관계

그림 5-6에서 알 수 있듯이 의사는 '병이란 몸에서 제거해야 하는 이물질'로 정의하기 때문에 의학적인 치료가 가능하게 된다. 그러나 의사의 관심은 환자가 아니라 이물질인 병에 있다. 이렇게 되면 의사는 병과 몸을 동급의 이물질로밖에 생각하지 않는다. 그에 반해 간호사는 '신체와 병을 같은 가치를 가진 하나의 존재'라는 관점에서 환자를 대한다. 이것을 체육에서 '교사와 학생의 관계'로 생각해 보자. 예를 들어 '근육을 만든다',

'기술을 몸에 익힌다', '스포츠 문화를 배운다' 등의 표현이 있는데, 여기에는 신체에 객관적인 분석이 가능한 외적인 요소를 추가할 것인가 하지 않을 것인가 라는 의미가 나올 수 있다.

한편 그림 5-7A는 환자에 대한 의사(그림 5-6A)의 태도와 같이 교사는 학생 자체가 아닌 몸이 익혀야만 할 기능에 관심의 초점을 두고 있다. 이러한 관계에서 교사는 기능을 객관적으로 분석하는 것이 가능하고 과학적인 트레이닝이 가능하게 된다. 그런데 이러한 교사와 학생의 관계는 의사와 환자의 관계처럼 도구적 관계에 빠질 수도 있지 않을까? 또한 스포츠과학의 성과에 기초한 분석적인 시선을 학생들에게 돌리는 것은 신체와 운동전문가의 입장에서는 중요하지만, 신체와 체력과 기술을 신체만큼 중요한 가치를 지닌 것이 아닌 체력과 기술이 가진 이물질적인 가치로서의 신체를 가진 존재가 학생이라는 인식에 빠지게 되지는 않을까? 체육에서 교사와 학생의 관계는 간호사와 환자의 관계(그림 5-6B)처럼 구축될 필요가 있다. 즉 체육교사의 관심은 학생들의 몸에 나타나는 외적인 것이 아니라 신체로서 존재하는 인간, 즉 학생 그 자체에 두어야 할 필요가 있는 것이다(그림 5-7B).

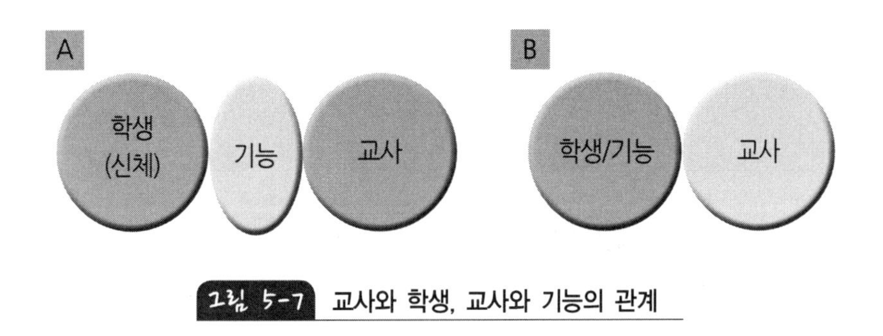

그림 5-7 교사와 학생, 교사와 기능의 관계

(3) 교사-학생 관계의 재구성

교육철학자인 斎藤은 "교육은 형성작용이다."라고 하면서 이 형성과 작용의 통합적인 정리의 필요성을 주장했다. 그리고 형성을 시간으로, 작용을 공간으로 조정한 다음 이 두 가지 차원에서 교육의 기본구조를 확정하는 방법을 시험하였다. 그림 5-8은 斎藤이 그린 '교육적 공간'의 그림이다. 그림 5-8에서 원으로 표시된 T는 교사, S는 학생의 공

간이며, P는 인격이다. 이 두 개 원의 크기가 다른 이유는 교사 쪽이 능동적이라는 관점 때문이다.

그림 5-8A의 원은 T(교사)와 S(학생)가 서로 접촉하고 있으며, 교재를 매개로 해서 '가르친다'와 '배운다'라는 교육적 관계가 발생하고 있지만 인간적인 소통없이 단지 타인의 영역에 멈춰 있을 뿐이다.

반대로 그림 5-8B의 원은 T(교사)가 S(학생)의 인격(P)에 직접 접촉하고 있다. 이 관계는 앞에서 본 환자와 간호사의 관계(그림 5-6B)와 비슷하다(그림 5-6B)에서는 원이 교차하고 있지는 않지만). 그림 5-8B는 교육적 관계의 대표적 형태로 볼 수 있다. '교사와 학생 관계'의 구조는 그림 5-8B를 기본형으로 하는 것이 가능하다. 그 의미는 "학생들은 교사를 포용하는 것이 불가능하다."라는 것이며, 그 관계에서는 격차가 생긴다. 또 시간적인 요소에서도 교사는 학생들과 대등할 수 없다. 예를 들면 '운동기술의 지도'의 경우 교사와 학생들 사이에는 그 운동 및 운동기술에 관한 압도적인 격차가 존재한다. 따라서 교사와 학생의 관계는 비대등관계로 구축된다.

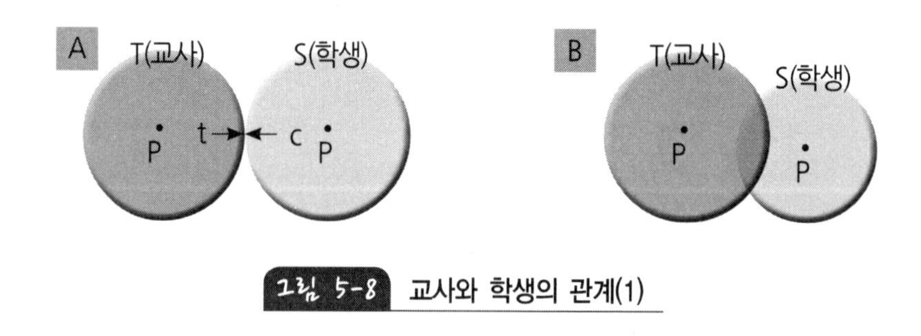

그림 5-8 교사와 학생의 관계(1)

한편 '교사가 교수하고 학생들이 학습한다'라는 관계구조는 신체교육에서도 존재한다. 그림 5-9는 그것을 나타낸 것이다. 교사(T), 학생들(S), 그리고 교재(M : 예를 들면 철봉이나 철봉운동)의 관계에서 교사(T)는 학생들(S)의 인격(P)에 직접 접촉하는 것을 나타내고 있다. 즉 교사(T)는 철봉이나 철봉운동(M)이라는 교재를 매개로 해서 상호접촉하고 운동문화의 전수와 그것을 학습하는 현상을 발생시켜 이윽고 학생들(S)의 인격(P)에 영향을 주게 된다.

그런데 교사는 학생들과 달리 원의 크기가 다르고 '격차'에 기초하여 교수하며, 또 교사는 학생들의 인격(P)에 영향을 주는 경우만이 '교사와 학생의 관계'일까? 교사가 학생

들로부터 행동을 받는 것 혹은 학생들이 교사의 인격(P)에 영향을 주는 듯한 일이 교육의 장에서 많이 발생하고 있는 것은 아닐까? 예를 들면 '가르치면서 배운다'라는 경우도 있다. 또는 학생들의 한결같은 활동이나 발언이 교사에게 감동을 주는 경우도 있다. 이러한 일방적인 행동에 의해서 학생들의 인격이나 신체가 발달할 뿐만 아니라 교사들도 인격이나 신체도 발달하는 경우가 교육현장에서 일어난다. 게다가 그러한 관점에서는 '가르친다-배운다'와는 또 다른 관계도 존재할 수 있다.

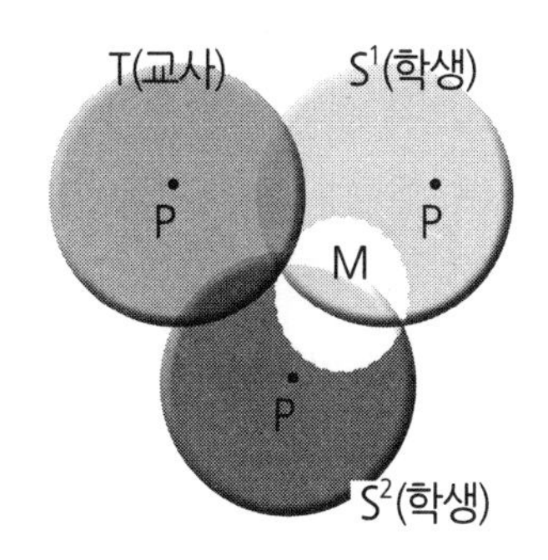

그림 5-9 교사와 학생의 관계(2)

(4) '가르친다-배운다'와는 다른 교육관계

그림 2-8의 '교사와 학생의 관계(1)'에 기초해서 체육에서 교사와 학생들의 '가르친다-배운다'가 아닌 또 다른 관계의 존재 가능성을 살펴본다. 여기에서는 교사와 학생들의 새로운 관계성을 모색하기 위해서 타자와의 관계를 作田(1993)의 논술을 위주로 살펴본다.

作田은 Meed, G. H.의 'Me'와 'I'의 개념을 검토한 후 I를 하천의 흐름에 비유하고 그것이 흘러가는 모습을 Me라고 했다. 여러 가지 Me가 흘러가도 흐름인 I는 변하지 않는다고 했다. 作田은 이 Me와 I라고 하는 2개의 자아유형에 대응하는 타자를 '감시하는 타인'과 '육성하는 타인'으로 나누었다. 여기에서 감시하는 타인은 '집단이나 사회의 포멀(formal) 또는 인포멀(informal)한 규칙을 자신에게 강요하고, 그 규칙에 따르는가 따르지 않는가를 감시하는 타인'을 말한다.

이에 비해서 육성하는 타인은 '자신 안에서 성장규칙을 발견하고 그 규칙에 입각해서

자신을 성장시키려고 하는 타인'을 말한다. 종전의 '가르친다-배운다'의 관계에서 교사는 두 가지 타인의 유형에 따르면 감시하는 타인으로서 학생들 앞에 출현한다. 여기에서 교사는 격차에 기초해서 교수하는 것을 사회적 역할로 하는 존재이다. 학생들의 Me는 지도자가 교수하는 사회시스템의 규칙을 학습함으로써 사회화되어간다. 신체교육에서 페어플레이정신, 사회성 등의 형성은 확실히 이 관계성에 의해 형성된다고 할 수 있다. 이것은 교육의 중요한 측면을 가리키는 것이지만, '교사는 교수한다'라는 역할을 한다는 점에서 '학생들을 학습한다'는 역할을 담당하는 존재로만 보려고 한다.

이에 관하여 Buber, M.는 한정된 역할을 통한 타자와의 관계는 'I-It(나와 사물)'의 관계에 그치고 'I-Thou(나와 그대)'의 관계로 발전하는 일은 거의 없다고 하였다. 그 때문에 사물(It)로서 볼 수 있는 개인은 "감시하는 타인의 시선하에서 전체적인 존재로서의 자신을 그만두지 않으면 안된다."라고 서술하였다. 이러한 종래의 관계에서 교사는 교사로서의 사회적 역할이 있기 때문에 그 역할을 다하기 위해 학생들을 사물(It)로 다루고, 그 사물(It)이 목표나 과제를 효과적으로 달성하는 것이 주요 관심사였다. 그리고 그 관계에서는 앞에 서술한 도구적 관계(그림 5-7A)에 빠지기 쉽다. 교사와 학생들의 새로운 관계를 생각한다면 육성하는 타인에게도 주목할 필요가 있다.

作田은 감시하는 타인에 의해서 기대되는 역할인 Me는 I의 흐름에 녹아들지 않고 I와 Me의 격리가 발생하는 반면에, I는 육성하는 타인과의 만남에 의해서 생애의 흐름을 풍부하게 한다고 하였다. 또한 대상중심적인 타인(육성하는 타인)과의 직접적인 상호작용에 의하거나 그 타인이 표현하는 환기적인 기호에 의해서 대상중심성이 촉진된다. 여기에서 대상중심성이란 공리주의적인 관심이 아니라 이해를 떠난 객체로의 순수한 관심에 의해서 '객체의 전체를 지각하고, 그것에 기초하여 객체의 전체와 자신의 전체를 연결하는 태도'라고 한다. 이 이해를 떠난 순수한 관심에 의해서 자기는 대상과 일체화되는데, 이때를 "일체성에 의해서 얻을 수 있는 생명감이 대상을 초월하여 더욱 확대되어간다."고 한다. 이 경우 학생들은 기대되는 역할(Me)이 아니라 본래의 자기 자신(I)이 되어 그 대상과 이어지게 된다. 그것을 위해서는 교사 자신도 역할로서가 아니라 대상중심적인 타인(육성하는 타인)으로서 학생들 앞에 출현하지 않으면 안 된다. 그리고 교사와 학생들의 관계는 I-It(나와 사물)을 넘어서 I-Thou(나와 그대)의 관계로 발전하게 된다.

교육학도 이론적 시야를 단순히 '학생들을 이끄는 기술'에서 인간의 라이프사이클 전체와 다른 세대 간의 상호성으로 확대되지 않으면 안 된다. 이것은 전통적 교육학에서

말하는 '발달과 교육'이라는 페어(pair)의 개념을 '라이프사이클과 다른 세대 간의 상호형성'이라는 페어의 개념으로 바꾼 것이다. 作田은 '상호형성의 인간형성론'에서 "우리들은 주어진 역사적 · 사회적 조건하에서 상호간에 관계하며 생성된다."라고 하며 종래의 '교육주체와 학습주체'라는 구도를 파괴하였다. 이것은 "인간형성론은 서로의 존재로서 서로에게 응답(response)함으로써 서로를 성숙하게 만드는 다른 세대 간의 상호성이라는 새로운 발상에 의해서 종래의 비대칭적인 교육관계론을 넘어서는 것이다."라고 볼 수 있다. 즉 '가르친다-배운다'라는 관계와는 다른 교육관계가 존재할 수 있다는 것이다.

이러한 교사와 학생들의 관계를 고찰하기 위해서 대상중심성을 촉진하는 '직접적인 상호작용', 또는 '상호형성'을 교사와 학생들의 인격(P)이 상호간에 영향을 주는 상호성으로 생각해 보자. 이것에 의해서 벌어진 단순한 역할(Me)을 통해서 부분적인 관계는 본래의 자기 자신(I)과의 상호관계로 자리잡게 된다. 교사와 학생들의 이러한 관계에서 교사는 처음에 '육성하는 타인'으로서 학생들 앞에 출현할 수 있고, 또 그 상호성의 구성에 의해서 학생들은 '육성하는 타인'이라는 환기적인 기호를 받아들이는 것이 아닐까?

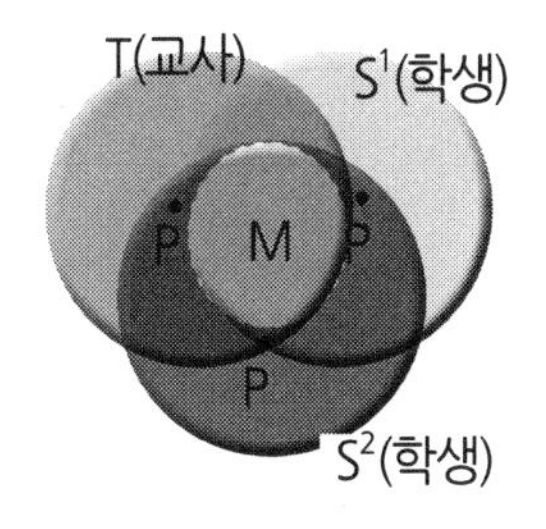

그림 5-10 교사와 학생의 관계(3)

이러한 '가르친다-배운다'의 관계와 동시에 상호성이라는 관계를 포함한 교사와 학생들의 관계는 그림 5-10에 나타나 있다. 이 그림은 교사와 학생들의 격차를 보충하고 상호성을 가지도록 하기 위하여 타원을 이용해서 그린 것이다. 교사(T)와 학생들(S) 그리고 사물(M/예를 들면 철봉이나 철봉운동), 이들 관계 속에서 교사(T)와 학생들(S)은 그 인격(P)에 서로 영향을 줌으로써 상호성을 가지게 된다. 그 운동, 운동기술에 관련된 격차는 타원면적의 크기에 나타나 있다. 교사(T)는 철봉과 철봉운동(M)이라는 교재를 매개로 학생들과 접촉하고, '가르친다-배운다'라는 관계에서 운동문화를 전수하고 훈련시키게 된다.

여기에서 나타난 관계는 교사의 역할인 차이에 기초하면서 어떤 신체활동이나 스포츠

를 잘 가르치는 것으로 끝나지 않는다. '잘 가르친다'라는 공리주의적 관심을 넘어서 그 신체활동과 스포츠에 순수한 관심을 가진 대상중심적인 타인(육성하는 타인)인 학생들과의 상호이다. 예를 들면 스스로 스포츠를 하고 땀을 흘리는 교사는 '무엇인가를 잘 가르친다'라는 차원을 넘은 것이다. 그 교사의 신체활동이나 스포츠를 향한 대상중심적 태도에 학생들은 '육성하는 타인'을 보면서 학생들 스스로의 대상중심성이 촉진되는 것이다.

뛰어난 체육교사는 학생들과 같이 달리고 땀을 흘리며 "어때? 기분 좋지?"라고 학생들에게 말을 걸기도 한다. 여기서 볼 수 있는 것은 '교사가 교수하고 학생들이 학습한다'라는 관계만이 아니다. 교사와 학생들이 같이 체험한 "어때? 기분 좋지?"라는 것은 '이야기할 수 없는 것'이다. 즉 심박수, 호흡수, 혈압 등의 수치화된 것으로는 '이야기할 수 없는' 것이다. 또, 학생 스스로가 건강과 무엇인가에 도움이 되는 것이라고 정의하는 말투로는 '이야기할 수 없다'. 그러나 확실히 본래의 자기 자신(I)가 같이 체험하고 있는 것을 공유하고 있는 관계를 거기서 확인하는 것은 가능하다.

이러한 사례는 교사라는 사회시스템에서 역할을 넘은 차원이고 학생들과 같은 자기 자신(I)과의 상호관계도 존재할 수 있다는 것을 나타낸다. 교사는 그 사회시스템에서 능동적인 관계에 입각하여 '가르친다'라는 행위를 할 뿐만 아니라 스스로의 인격(P)을 학생들의 인격(P)과 서로 접촉하는 상호성을 가지는 관계의 구축이 가능해진다.

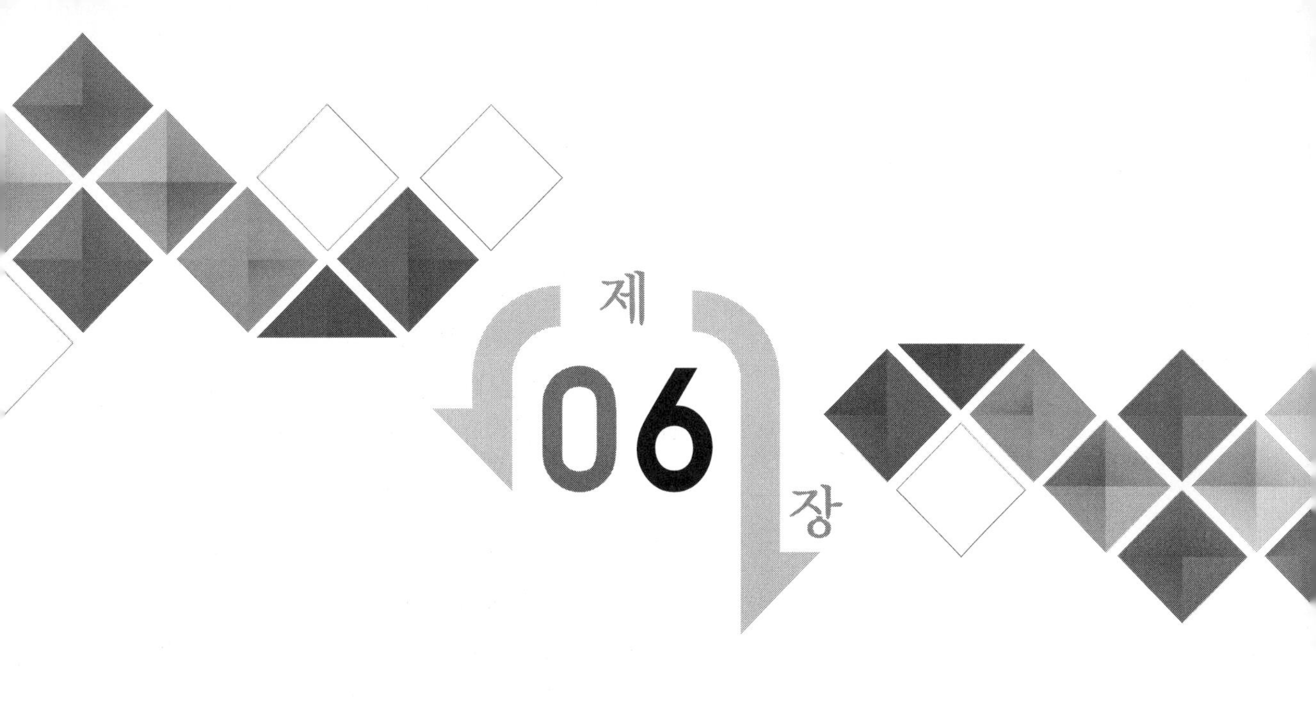

스포츠와 교육 및 윤리

스포츠와 교육 1

1) 스포츠는 교육적인가

이 물음에는 매우 다양한 대답이 돌아온다. 그 원인은 '스포츠'와 '교육'의 관계를 파악하는 방법은 여러 가지가 있기 때문이다. 예를 들면 "댄스와 스포츠, 체조는 서로 다른 종목이다."라는 사람도 있지만 "스포츠에는 댄스와 체조가 포함된다."라는 사람도 있다. 또 "뉴스포츠는 스포츠로서 인정할 수 없다."라는 사람도 있다. 반대로 체스나 바둑을 스포츠에 포함시키기도 한다.

한편 스포츠는 "강한 자는 이기고 약한 자는 진다."는 생각이나 열등감이 사람들에게 각인되어 있기 때문에 비교육적이라는 비판을 받는다. 그러나 스포츠에 대해 이해부족이거나 스포츠를 비판하는 사람들 중에도 나중에 회고해 보면 실제로 스포츠를 한 것이 좋

표 6-1 | 스포츠와 교육의 관계

신체의 교육
스포츠에 의한 교육
스포츠에 관련된 교육
스포츠 속에서의 교육

은 인생경험이었다고 이야기하는 사람도 있다. 이러한 상황은 스포츠가 제대로 자리잡기까지 겪게 되는 통과의례로서, 어떤 새로운 경향이 대중들에게 정착되기까지 겪는 상황과 똑같다고 할 수 있다. 또한 교육에 대한 인식도 여러 가지여서 "지적인 학습을 한다."라는 인식과 "지적인 것보다는 직접 체험을 중시해야만 한다."라는 인식도 찾아볼 수 있다. 이러한 인식의 차이가 양자 간의 관계를 둘러싸고 다양한 견해를 드러내고 있는 것이다(표 6-1). 여기에서는 표 6-1에 나타난 4개의 입장차이를 교과로서의 체육에 초점을 맞추어 검토하기로 한다. 이는 스포츠와 교육의 관계를 단적으로 검토하기 위해서이다.

(1) '신체의 교육'과 스포츠-신체기능 향상

체육이란 체력만들기라고 할 정도로 스포츠의 교육기능을 신체기능향상으로 파악하려는 경향이 많다. 실제로 많은 사람들은 체육을 인간의 신체적 측면에 관계되는 교육으로 이해하고 있다.

한편 보건적 관점에 의한 신체의 보호나 군사적인 목적의 신체단련뿐만 아니라 정신수양에 필요한 신체의 육성을 스포츠로 보기도 한다. 이러한 생각은 다음과 같은 수업을 만들어내게 되었다. 예를 들면 매트운동수업을 50분 동안 하면서 동시에 2,000보 걷기를 목표로 할 수도 있다. 이러한 목표를 달성하려면 매트 위에서의 연기가 끝나면 즉시 다음 연기로 넘어가고, 스타트위치까지 재빨리 뛰어 돌아가야 한다. 이 수업을 보고 있던 어떤 선생님은 "수업시간에 놀고 있는지 아닌지를 잘 알 수 있다. 국어수업에서도 이런 방법이 있다면……"하고 중얼거렸다고 한다.

이 수업에서 선생님은 학생들에게 매트운동에서 무엇을 배웠느냐고 물어보지 않는다. 다만 매트운동으로 인해서 신체기능이 향상됐는지 어떤지를 묻는다. 이 수업의 목표는 매트운동 자체보다는 성실하고 참을성이 강한 육체를 만드는 것을 요구할 뿐이다.

이러한 스포츠와 교육의 관계론을 만들어낸 것이 바로 육체는 정신의 지배를 받는다는 것이다. 따라서 스포츠교육은 정신의 우위를 전제로 한 교육제도 속에서 소위 지적 교과에 비해서 낮은 위치에 자리잡게 되었다. 이러한 관계를 타파하기 위해서 제안된 아

이디어가 '스포츠에 의한 교육'이다.

(2) '스포츠에 의한 교육'과 스포츠-기능적인 교육관

'스포츠에 의한 교육'은 스포츠가 특정교육목표의 실현수단으로 자리잡게 하였다. 예를 들면 현대체육의 아버지라고 불리는 Hetherington은 1910년에 기관교육, 수의운동교육, 성격교육, 지적교육의 네 측면에서 체육을 정의했다. 그리고 그것들이 그대로 신체육의 4가지 목표로 자리잡았다.

실제로 1918년 미국교육협회에서 제안한 미국 교육의 7개 주요원리에서는 건강, 레저의 가치적 이용, 윤리적 성격이 체육의 일반적 목표라고 하고 위의 4가지 목표를 전문직 분야의 중간목표로 하였다. 또 다양한 목표실현을 위해서 제안한 활동범주는 ① 수상운동, ② 리듬운동, ③ 체조, ④ 개인 스포츠, ⑤ 팀스포츠의 5개였다.

그러나 이 이론에서는 교과 고유의 목표와 목표달성에 필요한 고유의 내용제시의 필요성을 주장하고 있는 것은 아니었다. 왜냐하면 일반적인 목표는 이전부터 제시되어 왔지만 여기에서 또다시 제시하고 있으며, 그것을 실현하려면 기존의 여러 활동프로그램이 적용되어야 하기 때문이다. 이러한 구도 내에서는 신체활동을 할 때 생기는 고유의 존재의식이나 학습해야 할 대상을 찾기 어려웠다고 할 수 있다. 그 이유는 개개인의 스포츠경험에서 일정한 교육기능을 기대한다는 낙관적인 기능적 교육론을 전제로 했기 때문이다.

(3) '스포츠 속에서의 교육'과 스포츠-학습대상과 의미에 주목

앞에서 본 2가지 입장에서는 스포츠가 교육적인 목표달성도구로 이용되었다. 따라서 그것들은 본래의 스포츠를 가르치지 않았다는 의미에서 스포츠의 도구화라고 비판받았다. '체육은 싫어하지만 스포츠는 좋아한다'라는 말이 그것을 극단적으로 나타내고 있다. 이러한 종류의 비판이 스포츠 자체의 의미를 주장하고, 스포츠 속에서의 교육이라는 견해를 가져왔다. 그 배경은 본래 스포츠는 자유롭고 즐겁게 한다는 인식에서 찾을 수 있다. 그 때문에 체육수업에서는 욕구충족이라는 관점으로부터 즐거움을 전면에 내세운 수업전개를 하게 되었다.

무엇보다도 학교라는 제도 안에서 스포츠가 교과로서 자리매김하려면 다른 교과와 같

은 조건을 갖출 필요가 있다. 그 때문에 교과로서 가르칠만한 내용이 있다는 것을 설득할 수 있는 논리구성과 실제로 그것을 제시하는 것이 체육에서도 필요하다.

덧붙이면 스포츠에 대한 사회적인 평가의 변화가 앞에 나왔던 2가지 관점을 압도한다는 것이다. 생애스포츠라는 말로 대표되는 것처럼, 스포츠를 하는 그 자체가 가치있다는 인식이 사회적으로 만들어진 것에 의해서 스포츠와 교육이해의 관계가 크게 변하게 될 것이다.

(4) '스포츠에 관련된 교육'과 스포츠-인간움직임에 주목

이러한 흐름을 주도한 것은 과학적 성과를 교과내용으로서 자리잡게 한 스포츠에 관련된 교육이라는 아이디어였다. 예를 들면 미국에서는 전문직으로서의 체육을 '인간움직임의 예술과 과학 학습에 관련된 학교 프로그램'이라고 하는 움직임 교육이 1960년대에 제안되었다. 그것은 체육이 어디까지나 미술교육이나 과학교육과 같은 등급의 학교교육 프로그램임을 선언한 것이다.

표 6-2 | 스포츠의 의미

신체적 경험과 자기인격 경험
흥분과 긴장
타인과 연결
경험 및 자연과의 관계
미적 의식과 드라마성
플레이성

그러나 체육내용을 과학의 성과에 한정시키는 문제도 당연히 예상 가능하다. 그것은 과학을 교과설정의 근거로 하는 논리에 영합하는 것에 불과할 뿐 오히려 스포츠의 본질을 잃어버리게 하는 것은 아닌가 하는 의구심이 들게 한다. 이러한 움직임 속에서 스포츠가 인간에게 다양한 의미를 주게 된다(표 6-2).

인간은 실제로 신체의 움직임에 의해 자신의 가능성과 인격, 주위 사람들이나 인간관계를 체험적으로 알게 된다. 더욱이 스포츠에 관련된 행동을 함으로써 자신들의 생활에 흥분이나 긴장감을 줄 수 있다. 그것들은 또 사람이 사람이 된다고 하는 수준에서 스포츠에 기대할 수 있는 교육적인 기능이라고도 할 수 있다.

무엇보다도 이러한 종류의 스포츠는 컨트롤이 불가능할 뿐만 아니라 '스포츠를 하는 것에 의해서 얻는 경험은 반드시 바람직하다고 할 수 없다'라는 문제점도 있다. 한편 긴장과 탈력처럼 긍정적인 경험과 부정적인 경험의 양쪽면을 보증해 가는 것이 실제로는 인간에게서 필요하다고 하는 지적도 있다. 스포츠에 기대할 수 있는 교육기능과 동시에

그 기능 자체의 타당성과 그것들의 실현방법이 여기에서는 문제화될 수 있다는 것이다.

2) 스포츠교육의 국제적 동향

오늘날 "스포츠는 우리들의 생활을 풍요롭게 할 수 있는 문화이다."라는 인식이 박혀 있다. 스포츠는 우리 스스로 감상하고 지지하고, 더욱이 우리가 가르치는 대상도 될 수 있다. 이제는 스포츠와 인간의 관계를 다양한 관점에서 논할 수 있도록 되었다.

실제로 이러한 인식의 변화는 그림 6-1에서 단적으로 찾아볼 수 있다. 독일 바이에른(Bayern)주의 1990년대의 학습지도요령의 구조를 나타낸 그림 6-1은 스포츠를 통해서 생활을 풍요롭게 해 간다는 발상의 전환이 훌륭하게 반영되어 있다. 더욱이 이러한 변화의 배경에는 문화로서의 스포츠를 보다 양질로 만들어가는 사회현상을 비판적으로 검토할 수 있는 능력육성의 필요성도 간과할 수 없다.

이러한 움직임은 미국에서도 볼 수 있는데, 그것은 미국의 내셔널스탠다드를 목표로 하는 '신체적 교양을 갖춘 사람(physically educated person)'의 이념이다(표 6-3).

이와 같이 모두의 스포츠(Sport for All)를 지향하는 실천적 모델로서 오늘날 유럽이나 미국에서 높은 평가를 받고 있는 스포츠교육론에서는 능숙하게 플레이가 가능하고 스포츠에 조예가 깊고 열심히 스포츠를 지지하는 인간상을 추구하고 있다.

표 6-3 | 신체적 교양을 갖춘 사람

신체적 교양을 갖춘 사람
여러 가지 신체활동에 필요한 기술이 있다.
체력적인 적성이 있다.
정기적으로 신체활동을 한다.
신체활동의 이미나 그것으로 얻을 수 있는 이익을 알고 있다.
신체활동과 그것의 라이프스타일 공헌도를 평가하고 있다.

이러한 흐름은 스포츠가 오늘날 우리들의 생활을 풍요롭게 하는 교양이라고도 부를 수 있는 문화재가 되었다는 것과 그것과 보다 더 풍요로운 관계 만들기를 목표로 학습해야만 하는 내용이 실제로 풍부하게 존재하고 있는 것을 시사하고 있다. 더욱이 그 학습해야만 하는 내용은 다양한 경험을 통해 그 의미를 이해할 수 있도록 되어야 한다. 그 때문에 우리는 간단하게 스스로 하는 것만이 아닌 보고 , 지지하고, 가르치게 되는 등의 다양한 입장에서 복합적으로 보증할 수 있는 경험을 필요로 하게 된다. 더욱이 이러한

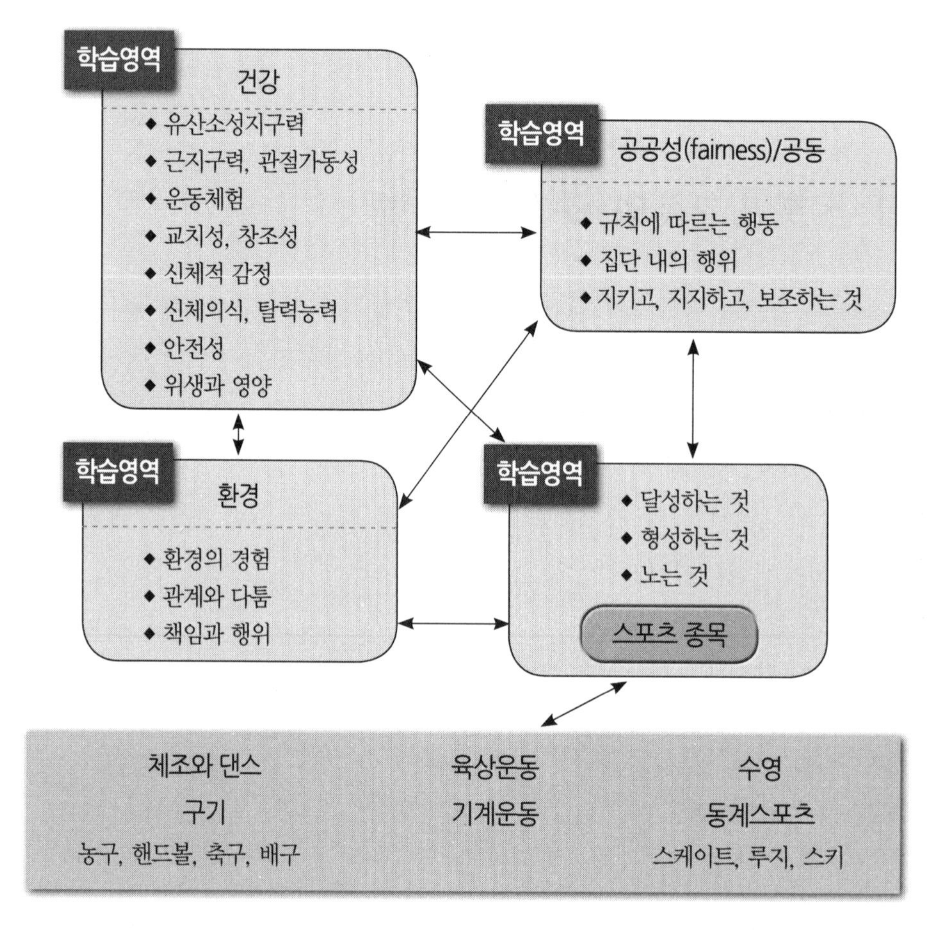

그림 6-1 독일 바이에른주의 체육관지도요령에 나타난 기초적 스포츠수업과 상급스포츠수업의 학습영역(Vorleuter, 1995)

스포츠관을 쌓는 최대의 장은 교과로서의 체육이라는 것도 잊어서는 안된다. 그 때문에 오늘날에는 모든 어린이들에게 건강으로 문화적인 생활실현에 필요한 기초적 교양을 만들 수 있다는 보증으로 체육이라는 인식을 만들어내고 있다.

동시에 교과로서의 체육은 '어린이들이 제대로 발달할 수 있을 것이라는 점에 대응할 수 있다'라는 과제를 가지고 있다. 그것은 제도 속에서 필연적으로 추구하는 과제라고도 말할 수 있다. 그리고 이러한 인식은 교과로서의 스포츠를 간단하게 학교 스포츠를 위한 준비단계 프로그램으로 하는 것이 아니라 오히려 교육적인 과제를 적극적으로 가지고 있는 학교교육 프로그램이라는 인식을 자아내게 된다. 그리고 그것의 성공 여부는 교사와 커리큘럼에 달려 있다.

스포츠와 윤리

2

1) 스포츠윤리의 필요성

2002년 한일월드컵에서 볼 수 있듯이 현대 스포츠는 대규모 이벤트화되고 있다. 이 대회에서는 한일 각국의 스타디움에는 모두 합쳐 약 270만 명의 관객이 모여들었고 세계 213개 국가 및 지역에서 약 288억 명이 TV로 관전했다. 2010년 제19회 남아프리카공화국월드컵은 6개 대륙에서 총 204개국이 예선에 참가하여 32개국이 본선에 올랐으며, 전 세계에서 600억 명이 경기를 보았다고 한다.

이처럼 스포츠이벤트가 거대화되면서 여러 가지 문제가 발생한다. 예를 들면 열광적인 관객에 의한 폭동(훌리건문제)이나 국제테러문제를 들 수 있다. 현대와 같은 복잡한 국제정세 속에서는 대규모 스포츠이벤트는 테러조직에게는 스스로의 존재를 과시하는 절호의 찬스가 될 수 있다. 또 단기간에 많은 사람들이 모이기 때문에 환경파괴문제도 발생한다.

한편 1982년 국제육상연맹의 아테네총회 이후부터 육상경기에서 상금레이스가 공인되고, 그 후로는 1984년 로스엔젤레스올림픽부터는 스포츠의 상업화에 의한 문제도 발생하고 있다. 고액의 방영권료나 스폰서료를 지불한 방송국과 스폰서기업이 대회운영에 개입하거나 종목별 국제경기연맹(IF : International Federnation)에 TV방영에 유리한 규칙을 채용할 것을 강요해 왔다. 또 올림픽 유치 관련자들의 뇌물 스캔들로 세간을 들썩이게 하고, 선수들 사이에서 빈번히 일어나는 도핑은 약물뿐만 아니라 유전자도핑까지 하는 시대가 되었다.

또 국가가 생애스포츠의 진흥을 정책으로 내세우고 있지만 국민들의 스포츠권이 완전하게 보장되었다고 보기 어려운 것도 지금의 현실이다. 이와 동시에 거대한 스포츠산업 내에서 보통 사람들이 우수 스포츠소비자로 대우받고 있다고 하기에는 부족한 감이 있다. 이렇게 현대의 스포츠는 많은 난제(apora)로 가득 차 있다.

이러한 스포츠의 대규모 이벤트화에 따른 스포츠의 윤리문제와 환경문제 이외에도 우리와 더욱 가까운 문제가 있다. 예를 들어 경기 중에 의식적인 반칙이나 소동, 폭력사태

도 조금씩이지만 일어나고 있다. 또한 스포츠 지도현장에서 체벌문제와 성폭력문제도 지적되고 있다. 이 외에도 스포츠에 있는 인권차별이나 성문제, 민족주의문제 등 실로 여러 분야에 걸쳐서 현대 스포츠는 난제를 안고 있다. 이러한 난제들은 거의가 윤리적인 문제이다.

이러한 스포츠의 윤리적 문제를 보면 우리 인간이 스포츠에 복종당하여 종속되어 있다고 착각할 정도이다. 마치 인간이 스포츠라는 장치 속에서 목적설정의 자율성을 잃은 것처럼 말이다. 지금 스포츠에서는 윤리적 문제가 빈발하고 윤리적 일탈현상의 진행 도중인데, 이것을 어딘가에서 스톱시키지 않으면 스포츠 중에 기분 상하는 일에 의해서 인간성이 파괴되어 버릴 수도 있다.

스포츠에서 무언가를 승낙받고 무언가를 승낙받지 않는다는 것은 스포츠에 대한 바른 목적을 정하게 하는 'sports assessment'가 필요하다. 파괴적인 힘을 가지고 인간성조차도 파괴해버린 듯한 스포츠, 그런 현대 스포츠의 한계를 우리들의 지혜를 모아 정하지 않으면 안된다. 그 한계를 정하기 위해서는 어떻게 해서라도 '윤리'가 필요하고, 스포츠를 '감정론'이나 '이해득실론'으로 보는 것이 아닌 스포츠에 있는 난제(apora)를 윤리적으로 고찰하는 스포츠윤리가 필요하다.

2) 스포츠윤리의 연구동향

현재 이루어지고 있는 스포츠의 윤리적 연구는 크게 2개의 경향으로 나눌 수 있다. 하나는 스포츠가 인격형성에 공헌하는지 아닌지를 묻는 연구이고, 다른 하나는 현실의 스포츠 윤리적 일탈문제를 다루는 규범적 연구이다.

전자의 스포츠와 인격형성을 다루는 연구는 스포츠가 인격형성에 어떠한 기능을 하는지에 관한 연구이지만, 그 연구에는 찬반 양론이 있다. 구체적으로는 스포츠는 윤리적 가치를 촉진한다고 하는 긍정적인 견해와 그 반대로 스포츠에서는 승리를 추구하는 스포츠맨십과 페어플레이정신을 타락시킨다고 하는 부정적 견해가 대표적인데, 이 둘은 현재도 논쟁이 계속되고 있다.

긍정적인 견해에서는 스포츠에 의해서 공정하고 정의로우며 불굴의 정신과 겸허함의 미덕을 기를 수 있다고 주장하지만, 아무래도 희망적 진술로 일단락 짓는 경향이 많

기 때문에 전제조건 없이 스포츠를 예찬하거나 찬미하는 경향이 있다고 할 수 있다. 한편 부정적인 견해의 이유는 선수와 감독뿐만 아니라 훌리건과 같은 관객까지도 스포츠를 둘러싼 잔인성과 흉폭성을 내비치는 것처럼, 폭력 자체가 스포츠의 일부분이고 스포츠는 사회의 일반적인 부도덕한 부분을 반영하고 있다고 논하고 있다.

이러한 찬반 논쟁과는 별도로 원래 스포츠는 윤리적으로 무가치하고 스포츠의 윤리적 연구 자체가 가치가 없다고 하는 견해를 주장하는 사람도 있다. 하지만 이 스포츠와 인격형성을 둘러싼 최근의 연구에서는 사회심리학, 도덕교육학, 윤리학 등의 학문적 성과를 전제로 한 '스포츠의 사회학습론'이 전개되고 있는 것이 특징이다.

한편 후자의 규범적 연구에서는 앞에 서술한 스포츠의 윤리적 일탈현상을 전제로 하고, 그것들에 대해서 어떠한 윤리적 평가를 내리고 이후로의 윤리적 지침을 제공할 수 있는지 없는지가 연구의 주제이다. 이 주제의 주된 관심영역을 개괄하면 다음과 같다.

» 스포츠와 폭력
» 승리지상주의(athleticism)
» 도핑
» 스포츠와 민족주의
» 대학스포츠
» 스포츠와 상업주의
» 스포츠와 환경
» 스포츠에서 기회균등 및 차별관계
» 스포츠와 성(남녀평등)
» 스포츠와 문화지배(스포츠와 식민지주의/colonialism)

현대 스포츠의 난제(apora)에 대응해서 스포츠의 윤리적 연구의 영역도 계속 확대되고 있다. 최근의 스포츠의 규범적 연구의 주된 특징은 현대 윤리학(규범윤리학)의 성과를 가지고 현대 스포츠의 윤리적인 일탈상황에 대해서 실제적이고 현실적인 해결책을 모색하려고 한다는 점을 들 수 있다. 이러한 스포츠의 윤리적 연구는 1972년에 창설된 국제스포츠철학회(International Association for the Philosophy of Sport : IAPS)나 한국체육철학회를 중심으로 이루어지고 있다.

다음에 도핑문제를 윤리적으로 고찰을 해 보기로 한다.

3) 도핑과 윤리

일반적으로 도핑(doping, 금지약물복용)이란 경기능력을 높이기 위해서 국제올림픽위원회(IOC)나 국제경기연맹 등에서 정한 금지약물 등을 사용하는 것을 가리킨다. 세계의 냉전구도가 본격화되던 시기, 동서양 진영에서 스포츠의 대리전쟁이 치열하던 1960년 후반부터 도핑이 빈번히 일어나게 되었다. 그 후로 스포츠에서 승리가 직접 선수의 수입으로 직결되기 시작한 1970년대 후반부터 약물도핑뿐만 아니라 혈액도핑이나 소변도핑, 중절도핑 등도 빈번하게 일어나고 있다.

여기에서는 도핑을 윤리적 입장에서 생각해 보기로 한다. 도핑문제를 윤리적으로 검토하기 전에 도핑이라는 행위를 어떤 관점에서 객관적으로 검토할 것인지를 명확히 해 둘 필요가 있다. 먼저 우리 사회의 윤리규범을 간략하게 설명한다.

우리 사회는 무엇보다도 타인에게 위해를 가하지 않는 한 성인이 된 어른의 자기결정을 최대한 존중한다. 성인이면 밀실에서 포르노를 보는 권리도 있으며, 또 자신이 건강하지 않다는 것을 알고 있는 상황에서도 담배를 피울 권리도 있다. 다시 말하면 타인에게 위해를 가하지 않는 한 어리석은 행동이라도 당당하게 그 권리를 주장하고 행사할 수 있다는 것이다. 이 논리를 도핑에 적용시킨다면 다음과 같은 해석도 가능하다. 즉 성인이고 판단력이 있는 선수가 약의 부작용을 충분히 알고 있는 상황이면(informed consent) 도핑을 행하는 것도 선수의 자기결정권의 행사로서 존중받지 않으면 안된다. 이것은 도핑금지를 반대하는 도핑반대론자들의 주장의 근거이기도 하다.

우리 사회는 개인의 이기주의(egoism)를 부정하고 억제하는 것이 아니라 각자의 최대행복이 달성할 수 있도록 에고이즘에 약간의 제한을 가하고 있다. 즉 에고이스트를 최대한 용인하려고 하는 원칙(공리주의적 자유주의)를 채용하고 있는 사회이다. 그리고 이 공리주의적 자유주의는 오늘날 구미나 우리나라의 법률과 윤리의 기반이 되는 사고방식이다.

하지만 공리주의를 처음 주장한 Mill, J. S.에 따르면 자유주의의 원칙은 다음과 같다. 즉 ① 판단력이 있는 성인이라면 ② 자신의 생명 · 신체 · 재산 등 자신의 것에 관해서 ③ 타인에게 위해를 미치지 않는 한 ④ 그 결정이 본인에게 불이익이 된다고 해도 ⑤ 자기결정의 권한을 가진다는 것이다.

확실히 Mill, J. S.의 자유주의원칙은 '최대다수의 최대행복'을 위해서는 소수를 배제하더라도 정당하게 받아들여지거나 평등한 자원의 배분을 보장하지 않는다는 치명적인 결

함도 있지만, 개인의 에고이즘을 최대한 인정해 주는 점에서 크나큰 매력이 있다. 따라서 '타인에게 민폐나 위해를 가하지 않는다면 그 행위를 해도 좋다(우행권의 용인)'라는 것이 되고, 이것은 누구라도 에고이스트라는 것을 인정하고 결국에는 인간은 누구나 그런 존재라고 생각한다는 점에서 현대사회의 윤리가 태어난 것이다. 이러한 윤리적 시점을 전제로 도핑을 검토해 보자.

4) 도핑의 윤리적 검토

'도핑은 나쁘다'라는 도핑반대론(도핑금지론)에는 크게 2가지 이유가 있다. 첫 번째는 '선수의 건강을 해치기 때문에 금지해야만 한다'는 의학적 이유이다. 두 번째는 '시합의 공평성을 파괴하는 부정행위이기 때문에 금지해야만 한다'는 것이다. 후자에는 도핑이 특히 청소년의 사회악의 온상이 되기 때문에 금지해야만 한다는 생각도 포함되어 있다. 다음에는 위에 서술한 도핑반대론에 대한 스포츠의 윤리적 연구성과를 검토를 해 보자.

첫째, 약물도핑은 선수 자신의 건강에 위해를 주기 때문에 금지해야 한다.

이 의학적 이유에 의한 반대론은 아무래도 기분좋게 들리지 않는다. 앞에서도 서술한 것처럼 판단력이 있는 성인인 선수가 부작용을 충분히 알고 있는 상황에서 도핑이라는 개인적 선택을 한다고 해도 그것이 타인에게 위해를 가하는 행위가 아닌 한 약물을 섭취한다는 선택은 개인의 자기결정에 속하므로 이러한 자기결정의 자유는 보장받지 않으면 안된다는 것이다. 따라서 선수 자신의 이해관계에 직접적인 영향을 끼치는 도핑이라는 자발적인 선택은 다른 사람을 위하는 것이 아니라(물론 국가도 포함하지만) 선수 본인을 위한다는 이유가 있기 때문에(이는 건강을 위해서지만) 그 누구도 간섭할 권리를 가지고 있지 않다.

하지만 부모가 자신의 아이들을 위해서란 이유로 아이들에게 이런저런 간섭하는 경우가 있다(이러한 간섭을 부권주의<paternalism, 온정주의>라고 한다). 그러나 성인인 어른이라면 타인에게 위해를 가하지 않는다는 조건하에서는 다른 누구라도(가령 부모라도) 그 행위에 간섭을 할 수 없다고 하는 것이 우리 사회의 철칙이다. 부권주의를 인정한다면 간섭받는 사람의 자유와 자율성이 부당하게 무시되거나 선의를 가장한 부당한 권력행사가 범람하게 되는 것을 막아야만 한다. 무엇보다도 자유와 자율은 사회를 지탱하는 기

본적인 전제이고 도덕적인 논의를 행하기 위한 기반이라는 이유가 있기 때문에 현대사회에서 부권주의는 지지받지 않게 된다. 그러나 이때에도 강제적인 도핑이나 미성년인 선수의 도핑은 금지해야 한다는 것은 말할 필요도 없다.

이러한 입장에서 보면 도핑금지규정은 선수의 자유를 침해하는 부당한 간섭주의라고 할 수 있다. 즉 건강을 위협한다는 점에서 보면 흡연, 그 외의 위험한 트레이닝방법, 신체접촉이 따르는 격렬한 스포츠 등도 똑같은 것인데도 그것들은 금지하지 않고 있다는 비판을 낳게 된다. 따라서 건강에 피해를 준다는 이유로 도핑만 금지하는 것은 도덕적(윤리적) 일관성이 결여되었다고 볼 수 있다.

지금까지의 논의를 요약하면 적어도 부권주의에 의한 정당성 측면에서 책임능력이 있는 성인이나 도핑의 해로움에 대해 충분히 설명을 들은 선수에게 운동수행능력과 경기력 향상을 위해서 약물복용을 금지하는 윤리적 근거는 희박하고, 도핑금지를 반대할 정당성은 찾기 어렵다는 것이 된다.

둘째, 약물복용은 스포츠정신에 반하는 부정행위이고 경기의 공평성을 파괴하며 스포츠를 지배하는 정당한 규범이나 이상에 반하기 때문에 금지해야 한다.

이 사회적·도덕적 이유에 의한 도핑금지론은 가령 도핑이 해롭지 않다고 해도 도핑에 의한 정당하지 못한 이점이 스포츠의 공평성을 파괴하고 도핑이 스포츠의 정당한 규범이나 이상에 반하기 때문에 금지해야 한다는 입장이다. 이 경우 첫 번째로 부정행위라고 판단하는 근거가 기존의 규칙에서 도핑을 금지하고 있기 때문에 부정 행위라고 생각한다. 그러나 윤리적인 관점에서 보면 이런 종류의 문제가 규칙위반인지 아닌지를 묻기보다는 금지약물사용을 인정하도록 규칙을 변경해야 하는지 아닌지를 물어보지 않으면 안된다. 다시 말하면 누구라도 약물을 사용하는 것이 가능하다고 가정해도 그 행위가 부당한 것인지, 즉 누구나 약물사용이 가능한 상태에서 약물사용에 의한 유리함이 부당하다고 할 수 있는지를 증명하지 않으면 안된다.

실제로 선수를 둘러싼 현실에는 많은 차이가 있다. 시합에서 사용하는 용구와 용품의 질적인 차이, 선수육성환경, 코치의 유무, 트레이닝시설의 질이나 양 등 선수들이 위치한 상황은 수준적 차이가 있고 또 평등이라는 관점을 만족시키지 못하고 있다. 이 경우 약물에서 얻는 유리함은 부당하고, 선수의 배경이 되는 여러 조건의 차이(불평등)에서 얻는 유리함은 정당하다는 이유를 말할 수 없기 때문에 약물사용이 부당하다는 비판은 성립될 수 없다. 이러한 의미에서 보면 약물사용도 일종의 하이테크(hightech)기술을 사용한 도

구의 하나 내지 새로운 트레이닝법의 하나로 간주할 뿐이다.

당연한 것이지만 경기스포츠는 같은 조건에서 실시되지 않는다면 성립될 수 없다. 이 전제를 바탕으로 한다면 도핑을 금지하지 않는 쪽이 금지하는 쪽보다 더 공평성이 보증된다. 왜냐하면 도핑을 금지하는 경우와 금지하지 않는 경우 둘 다 있다고 해도, 현실적으로 약물을 사용하는 선수가 존재하고, 더욱이 금지하는 경우에는 특정 소수의 선수들만이 약물섭취를 비밀리에 행하고 있기 때문에 한층 더 불평등이 확대되기 때문이다. 조건을 동일하게 하려면 전원이 똑같이 선택할 가능성이 있는 규정인지 혹은 똑같이 선택할 수 없는 규정인지의 2가지 중에서 하나만 선택하지 않으면 안된다. 공평하다는 것은 누구나 똑같은 규정에 접근이 가능하거나 제한을 받는다는 것이다. 규정이 시합참가자나 관계자들의 인정하에 수립되어 있다면 그 규정에 반하는 행위는 부정하지만, 현실적으로는 규정 자체에 공정한(fair) 상황이 설정되지 않은 이상 약물도핑을 행하느냐 하지 않느냐는 선수 자신에게 맡기는 쪽이 보다 공평하다는 것이다. 이러한 생각으로부터 의사의 관리하에서 약물사용(남용이 아님)을 용인하는 쪽이 좋다고 하는 도핑반대론이 생겨났다.

이 외에도 선수의 인권옹호나 프라이버시보호라는 관점에서 도핑금지론에 대한 반대론도 있다. 과거에 쓰던 약, 천식치료약, 피임약인 필 등을 이용해서 실격이 된 예가 있었는데, 이 경우 선수라는 이유만으로 원래 받을 최적의 치료방법이나 피임방법이 제한된다는 문제도 있다. 또 조사관의 입회하에 하는 소변채집은 프라이버시침해 가능성도 있다.

이러한 도핑이 부정행위이고 스포츠의 공평성을 파기하므로 부당하다는 비판은 윤리적인 검토만으로 결정적인 정당성을 얻을 수 없다. 그러나 도핑처럼 긍정과 부정을 구별하는 결정적인 정답이 없는 난제에 대해서도 스포츠관계자는 약물사용을 인정해야 하는가 아닌가의 규칙을 결정하지 않으면 안된다. 가령 약물사용이라는 행위를 용인하면 현실에서 인간으로서 행동할 수 있는 영역을 현저하게 제한할 가능성이 있고, 그 후에는 약물사용이 제약받지 않아 중대한 사태가 벌어지는 것을 상정한다면 잠정적이라도 약물사용을 금지한다고 하는 결론을 내리지 않을 수 없다.

우리들은 스포츠에서 개조인간(cyborg)에 의한 퍼포먼스를 기대하는 것이 아니다. 또 약물로 형성된 신체들이 하는 시합을 인간끼리 경의를 가지고 상호간에 인간의 우수성을 추구한다고 말할 수 없다. 금지약물을 섭취한 선수는 규칙은 준수하면서 약물을 섭취하지 않은 선수를 명백히 부당하게 이용하고 있다. 막대한 보수를 얻는다고 해도 승리라는

잠깐의 욕망을 채우기 위해서 약물을 섭취한다는 선택을 하면 인간으로서 행동하는 영역을 현저하게 제한하는 것이 된다.

여기에서는 스포츠윤리의 필요성과 도핑문제를 윤리적으로 고찰하였다. 많은 윤리적 난제를 껴안은 현대 스포츠는 지금 기로에 서 있다고도 말할 수 있다. 진정한 스포츠문화를 창조하기 위해서는 윤리적인 관점에서 스포츠를 객관적으로 고찰해 가는 것이 제일 중요하다.

스포츠와 현대사회

스포츠와 정치 1

1) 스포츠와 정치의 관계

스포츠는 정치와 관계없다고 할 수 없다. 스포츠와 정치의 관계를 가장 잘 느낄 수 있는 것이 올림픽대회 같은 대규모 스포츠이벤트이다. 예를 들면 1936년 베를린올림픽은 나치스의 선전에 이용되었고, 1980년 모스크바올림픽에서는 소련의 아프가니스탄 침공에 반대하는 서방 국가의 보이콧이 있었다. 이처럼 스포츠에 정치의 개입은 바람직하다고 볼 수 없지만, 반대로 스포츠는 정치적인 이용가치가 있는 것으로 볼 수도 있다.

스포츠와 정치의 관계에 바람직한 결말을 준 사례로는 1971년 4월의 '핑퐁외교(ping-pong)'를 들 수 있다. 일본의 나고야에서 개최된 세계탁구선수대회에 참가하는 중국 선수들과 미국 선수들 간의 교류를 통해서 중국은 일본을 방문한 미국 탁구선수단을 중국

으로 초대한다고 발표하였다. 이것을 계기로 양국의 정치적 교류가 생겼고, 나아가 미국과 중국의 국교정상화가 실현된 것이다. 2002년 한일월드컵에서도 한국과 일본이 공동으로 개최함으로써 '가깝지만 먼 나라'라고 불리던 양국이 '가깝지만 가까운 나라'가 되었다. '스포츠는 세계 공통의 언어'라고 하는 것처럼 스포츠는 국가 간의 커뮤니케이션의 장이 되어 국가 간의 우호를 다지는 외교적인 효과를 주기도 한다.

한편 스포츠는 국민의 단결 내지 일체감을 형성하기도 한다. 2002년 한일월드컵 및 2010년 남아공월드컵에서 '붉은악마'로 상징하는 응원단과 남녀노소 많은 국민들이 거리응원을 통하여 대표팀을 응원함으로써 사회적 응집력을 높이기도 하였다.

스포츠의 이러한 플러스 측면에서 공헌을 의식해서 정치 세계와 스포츠의 세계는 여러 가지 거래가 이루어진다. 정치란 원래 국민의 행복을 추구하기 위한 수단이기 때문에 최종적인 목표가 국민의 행복으로 이루어지도록 정치적 개입이 필요하다. 그중에서는 스포츠계의 발전을 위하여 바람직한 것도 적지 않다.

2) 국제정치의 무대인 올림픽

'스포츠와 정치'에 대해서 이야기할 때 올림픽과 같은 국제대회의 '정치적 이용'이라는 사실을 주시할 필요가 있다. 이에 관한 대표적 예는 1936년의 베를린올림픽대회이다. 그것은 나치스(Nazis, 국가사회주의독일노동자당)를 이끄는 Hitler. A.가 1933년에 정권을 잡은 후 많은 인적 · 재정적 자원을 투입하여 역사상 최초의 성화릴레이와 TV중계 등 많은 준비와 계획적인 운영에 의해서 대성공을 이끌어낸 대회이다.

Hitler. A.는 올림픽을 통해서 국제적 고립과 유대인인종차별에 대한 비난을 피하고 나치스와 파시즘(fascism)체제의 우위성을 국내외에 널리 선전하는 정치적 선전(propaganda)의 장으로 성공을 거두었다. 베를린올림픽은 오늘날 '나치올림픽'이라고도 칭하지만, 많은 준비와 계획적인 운영을 할 수 있었던 베를린올림픽은 배후에 어떤 사건이 진행되었는지는 1945년 독일의 패전 후에 세계인들에게 알려졌다. 유대인대학살과 유럽 여러 나라에 대한 무력침략 등 필설로 다할 수 없는 범죄성과 잔악성은 역사적 사실로서 결코 잊어서는 안 된다.

정치적 선전(propaganda)은 제2차 대전 후 소위 '냉전체제'하에서도 미국을 중심으로

하는 자본주의(서방측) 진영과 구 소비에트연방을 중심으로 하는 사회주의(동방측) 진영은 각종 국제스포츠대회에서 치열한 경쟁을 반복하였다. 그것은 각각 체제의 우열을 메달획득 수로 겨룬, 다시 말하면 스포츠를 통한 대리전쟁이었다. 이러한 미묘한 국제정치 속에서 1972년 뮌헨올림픽대회 때에는 팔레스타인 게릴라(Palestina guerrilla)에 의한 이스라엘 선수단 습격이, 또 1980년 모스크바올림픽대회에서는 서방측 진영 여러 나라의 보이콧(boycott) 사건이 일어났다. 이러한 사건과 문제는 올림픽이 국제정치와 뗄레야 뗄 수 없다는 것을 여실히 보여주고 있다.

모스크바올림픽대회 보이콧의 발단은 1979년 말에 구 소련군의 아프가니스탄 침공에 있었다. 이것은 그다음 해에 있을 미국 대통령선거에서 재선을 목표로 한 Carter, J. E.가 외친 전략이었다. 침공은 큰 나라에 의한 민족자결권의 침해이고 도저히 용서받을 수 없는 행위이지만, 이것을 정치에 이용하려 한 Carter, J. E.대통령의 행위 역시 엄중히 비판받지 않으면 안된다.

그러나 국제올림픽위원회(IOC)의 참가요청에도 불구하고 미국의 결정에 동조한 서방측 여러 나라가 모스크바대회를 보이콧하였으며, 우리나라도 여기에 동조하였다.

3) 스타디움에서 내셔널리즘의 정치적 이용

앞에서 '스포츠의 정치적 이용'에 관한 구체적인 모습을 살펴보았다. 스포츠에서 내셔널리즘은 그러한 수준으로 한정할 수 없고 또 그 정도로 명확한 형태는 아니지만 우리들의 가까운 곳에서도 그것을 발견할 수 있다. 2008년 베이징올림픽대회의 양궁경기장을 보면 어느 경기보다 정숙해야 하지만, 중국인들은 우리나라 선수들의 순서가 되면 예외없이 꽹과리를 치고 조준시간에 야유를 보내곤 하였다. 우리나라도 개최국의 이점을 발휘하여 1988년 서울올림픽대회에서 금메달 12, 은메달 10, 동메달 11개로 세계 4위를 차지하였다.

확실히 스포츠는 집단적인 열광과 감동 그리고 도취를 낳고, 그것이 '국가적인 것'이라고 쉽게 묶어버리는 측면도 가지고 있다. 2002년의 한일월드컵대회에서 우리나라 팀의 약진과 서포터 '붉은 악마'의 열광은 그 전형으로 볼 수 있다. 그러나 이것은 어디까지나 '스타디움에서 90분간의 내셔널리즘'에 지나지 않는다.

4) 추구되는 자주적·자율적 발전을 위한 정치

오늘날 세계의 톱 스포츠계는 미국 프로스포츠계와 유럽 3대 축구리그의 동아시아 진출에서 현저하게 나타나는 것처럼 글로벌(세계)화전략을 강력하게 추진하고 있다. 1980년대 말의 구 사회주의 여러 나라의 붕괴와 중국의 경제개방정책 등에 따른 세계시장의 확대와 그곳으로의 진출 및 지배를 둘러싼 여러 사건들이 소위 '경제글로벌화'라는 조류의 배경이 되었다. 그것을 동서냉전하에서의 '정치시대'에서 '경제시대'로 전환되었다고는 부르지는 않지만, 스포츠계도 시대의 흐름을 거부하지 않고 경제와 정치를 포함한 사회적 여러 관계 속에 포함되어 있다.

따라서 스포츠가 정치에 이용되어 온 역사와 사실에 눈을 돌려 그러한 일이 반복되지 않도록 주시하고 대처하는 것이 필요하다. 하지만 그것만에 그치지 않고 스포츠와 정치의 관계 또는 스포츠 진흥에 필요한 정치적 방식에도 눈을 돌리지 않으면 안된다. 왜냐하면 스포츠가 정치적 · 경제적 관계 속에 있는 이상, 그 속에서 외견적인 중립성을 유지하는 것에 찬물을 끼얹거나 정치적 관계를 회피하는 것만으로 스포츠의 자주적 · 자율적 발전을 전망하는 것은 곤란하기 때문이다.

오늘날 스포츠는 '하고', '보는' 두 가지 측면에서 인간생활을 보다 풍요롭게 하는 문화로서 널리 받아들여지고 있다. 따라서 스포츠가 한층 더 진흥하려면 국민들의 스포츠니드(sport neads)를 정확하게 파악하고 반영시킨 진흥책의 수립과 그 실시가 필요하다. 이것은 개인적 노력으로는 도저히 달성할 수 없기 때문에 국가적으로 지원하고 원조하고 실천해 나가는 것이 중요하다.

1978년 제 20회 유네스코총회에서 "체육과 스포츠의 실천은 모든 사람에게 기본적 권리이다."라는 것을 선언한 '체육과 스포츠국제헌장'이 채택되었다. 이는 역사적인 문서로 누구에게나 해당되는 것이지만 우리나라의 열악한 스포츠환경과 상황을 고려한다면 그 구체적 보장은 오늘날도 기본적인 정치 · 행정상의 과제로 남아 있다.

스포츠와 경제

1) 스포츠와 경제의 관계

고대부터 스포츠와 경제는 밀접한 관계가 있었다. 그리스에서는 많은 경비를 들여 근대적인 경기장을 구축하였다. 올림피아경기장과 경기장에 설치된 연습장, 팔레스트라(palestra), 전차경기장 등은 선수들의 트레이닝 · 식사 · 숙박 등을 해결해 주고, 경기를 관람하는 3~4만의 관객을 수용하는 현대적 개념의 스포츠시설이었다.

McIntosh, P. C.는 영국의 경제와 스포츠의 관계에 대하여 다음과 같이 진술하였다. "19세기는 빈민의 자금을 기반으로 관객조직이 결성되고 스포츠가 상업적으로 발전한 획기적인 시대였다." 1888년 MacGregor, W.가 12그룹으로 된 축구리그를 창설한 목적은 정기적인 오락의 장을 제공하기 위해서였다. 이 때문에 각 그룹은 프로선수를 고용하였고, 축구나 크리켓(cricket)이 상업화되어 도시의 임금노동자에게서 입장료를 받게 되었다. 승마경기나 복싱 등 조직적이지 않은 종목이 상업화되어 있는 스포츠의 중간에 개입된 것은 1880년대의 일이다.

19세기 후반의 기술혁신에 의한 거대한 변혁은 사회 전반에 큰 파장을 일으켰는데, 이는 스포츠 분야에서도 예외가 아니었다. 한편 현대와 같은 기계문명사회에서의 스포츠는 노동의 기계화 · 분업화 및 생활의 획일화에 대한 반동이라는 이론을 주장하는 사람도 있다. 그러나 19세기 미국의 스포츠는 기계문명에 대한 해독제 역할을 수행한 상업화의 산물이기도 했다. 즉 스포츠나 레크리에이션이 도시인들을 좁은 도시생활로부터 벗어나게 해주는 역할을 해주었지만, 조직적 스포츠의 번영을 가져다 준 근본적인 요인은 산업화된 도시의 경기(景氣)활성화에 있었다.

건강하고 체력이 좋은 사람은 작업효율이 좋은 노동자가 되며, 좋은 노동자가 많을수록 국가의 생산력이 증대한다. 이것은 특히 공산주의국가의 주요 관심사였다. 공산주의국가(특히 구 소련)에서는 노동과 방위를 위한 준비 프로그램, 작업장 체조프로그램, 공장운동프로그램 등을 장려하였다. 이것은 스포츠참가로 업무의 능률화를 도모한 유익한 결

과이다. 이들은 체육프로그램을 잘 운영하는 공장에서는 작업 중 사고와 발병이 적다고 주장한다. 중국에서도 다른 공산주의국가들과 마찬가지로 국민의 건강을 증진시키고 농업이나 공업의 생산성을 높이기 위해 체육을 중시한다. 미국과 일본을 포함하는 기타 국가에서도 스포츠가 노동의 생산성에 유익한 효과를 미친다는 것을 인정하고 있다.

2) 스포츠이벤트의 경제적 효과

올림픽과 같은 대규모 스포츠이벤트에는 여러 가지 경제적 효과가 있다(그림 7-1). 개최국에서는 선수나 관계자들을 수용하고, 안전하면서도 효율적인 스포츠이벤트 운영을 위한 스포츠시설뿐만 아니라 공항, 철도, 도로, 숙박시설 등 기간시설(infrastructure)의 정비도 촉진시키는데, 이러한 행동들이 경제발전으로 이어지는 요소가 된다. 우리나라에서는 1988년 서울올림픽과 2002년 한일월드컵대회의 개최에 발맞추어 많은 경기장과 도로 등이 신축 또는 정비되었다.

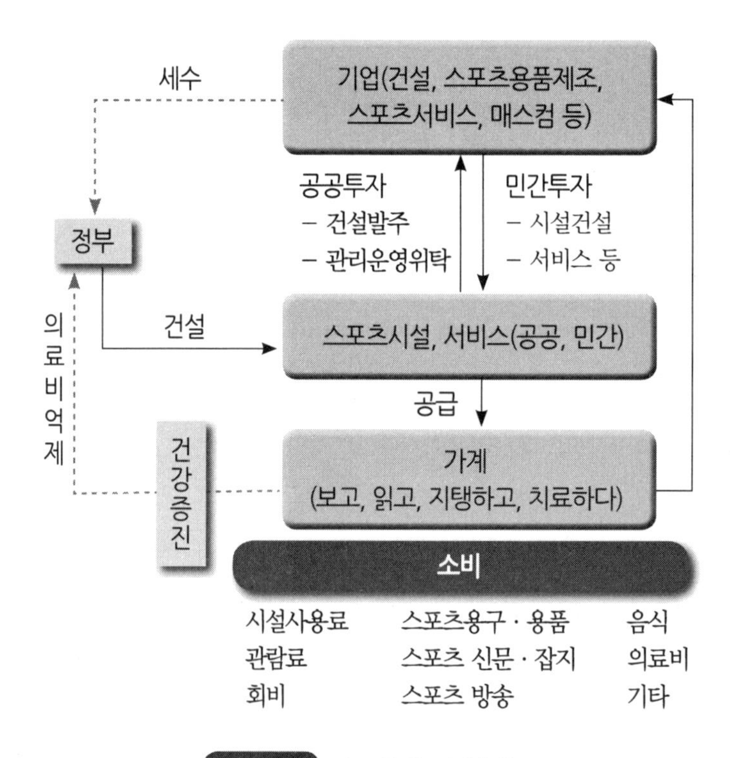

그림 7-1 스포츠와 경제순환

이러한 공공투자에 의한 경제적 파급효과에 더하여 스포츠관람을 위한 비용도 많이 들어갔다. 경기장 입장료와 식비는 물론, 경기장으로 가기 위한 여행비용(sport tourism 효과)도 빠뜨릴 수 없다. 또 그것들에 의해서 잠재적인 스포츠 수요가 늘어나고 새로운 스포츠를 '하는 사람', 매스미디어를 통해 '읽는 사람', 자원봉사자로서 대회운영을 '지지하는 사람' 등 많은 사람들이 활발한 경제활동을 하게 된다.

또 스포츠이벤트를 통해서 많은 국민들이 일상생활에서 스포츠를 실천하게 됨으로써 국민건강이 증진되고, 그 결과 국민의료비의 억제로 이어지는 효과도 기대할 수 있다.

스포츠이벤트에는 경제적인 효과뿐만 아니라 본래의 목적인 스포츠진흥 효과도 크다. 대규모 스포츠이벤트에서 개최국은 국가의 위신이 걸려 있기 때문에 승리하려고 한다. 그 때문에 개최국의 경기력은 큰 폭으로 향상된다. 2002년 한일월드컵대회에서는 한국이 4위, 일본이 16강이라는 그때까지는 없었던 좋은 성적을 남겼다. 이것은 2010년 남아공 월드컵에서 한국과 일본이 16강에 머문 것과 비교된다. 이것을 계기로 축구나 다른 스포츠를 시작하는 계기가 되기도 한다.

현대사회에서 스포츠의 역할 3

현대사회에서 요구하는 스포츠는 인간활동의 가능성을 열어주는 수단을 발견하고 기회를 포착하는 태도와 정신이 그 특징을 이룬다. 스포츠는 결코 인간생활의 폐쇄된 측면에 관련된 현상이 아니라, 다른 여러 측면과 밀접하게 연결되어 상호연관성을 가지고 있는 활동이다.

그렇다면 현대사회의 요청에 응답할 수 있는 스포츠의 새 이념이란 어떤 것인가? 현대사회는 기능주의사회로서 인간 자체가 규격화되어 개성과 웃음을 잃어버리기 쉽다. 일찍이 Chaplin, C. S.은 기계적인 동작을 계속하는 직공을 그린 영화에서 기계문명의 병폐를 고발한 바 있다. 이처럼 우리들이 살고 있는 인간사회가 인간성을 상실한 복제인간집단처럼 정서나 창의력을 찾을 수 없게 된다면 이보다 더한 비극은 없을 것이다.

현대사회에서 과학기술의 발달과 공업화는 현대인에게 물질적 혜택뿐만 아니라 정신적인 여유도 주는데, 무엇보다 중요한 것은 정신적 여유와 여가시간의 증가이다. 여가시간의 증가에 따라 종래의 사회가치와 인간의 생활양식을 전반적으로 재검토하고 재조정할 필요성이 높아졌다. 즉 많은 사람들이 늘어난 여가시간을 이용하여 자신의 자아실현 욕구를 충족할 방도를 강구하게 된다. 이러한 관점에서 Shane이 말한 것처럼 미래지향적 기능을 길러야 하는데, 여기서 스포츠의 역할과 공헌이 크게 요구된다.

어떤 사회가 순전히 인간의 능력만을 기준으로 삼는 기능사회가 되면 인간관계는 냉각되어버린다. 이해와 타산만을 앞세우고 치열한 경쟁을 벌일 때 사회는 극도로 비인간화되고 밝고 명랑한 사회건설은 불가능해진다. 시대적 감각이 둔해지고 현상유지에 급급하거나 무사안일의 소극성 속에서 맴돌고 있는 현실상황이라면 미래의 전망은 어둡기만 할 것이다.

이와 같이 현대사회는 격동성, 경쟁성, 병리성, 부도덕성 등을 특징으로 한다. 이렇게 노출된 현대사회의 특징이 스포츠의 기능을 요구하는데, 그것은 ① 질서와 도덕을 강조하는 Apollon적 스포츠, ② 개발과 창조를 의미하는 Prometheus적 스포츠, ③ 즐거움과 만족을 성취시키는 Dionysus적 스포츠, ④ 내일을 대비하고 쇄신하는 Atlas적 스포츠이다.

그렇다면 "스포츠가 현대사회에 어떤 공헌을 할 수 있는가?"라는 문제를 제기하지 않을 수 없다. 한마디로 현대사회에서 스포츠의 새 이념이란 위의 4가지 요인작용이 조화와 균형을 이룰 때 비로소 가능해 질 것이다. 따라서 인간 상호간의 돈독한 정서적 결합을 강화하기 위해서 공동사회적 유대의 결성 · 강화가 절실히 요청되는 현대사회의 상황을 감안할 때 인간 상호간의 훈훈함을 보태어 줄 수 있는 계기가 필요하고, 그것은 상호 우의와 교류라는 측면에서 Dionysus적 체육에 대한 요구를 크게 한다.

현대사회는 철저하고 신속하게 변화한다. 스포츠도 마찬가지로 시대의 요청과 새로운 감흥을 느끼면서 스포츠활동에 참여하도록 개개인의 지속적인 관심과 열의를 확보하기 위해서 프로그램을 부단히 갱신 · 발전시키고 자원과 시설을 확보하며, 정책적을 효율적으로 개선 · 향상시키는 기능을 발휘하는 Atlas적 스포츠가 기대된다.

스포츠의 개념변화에 따라 스포츠의 사회적 기능은 변하게 되는데, 스포츠는 사회의 존속 · 발전에 필수불가결한 기능이 되었다. 그러므로 스포츠의 목적과 내용은 그 사회의 성격이나 변화하는 사회의 당면문제와 관련이 깊다.

사회성원 모두가 정신적 · 신체적으로 바람직한 상태에 있다는 것은 어떤 사회에서든

중요한 문제이며, 스포츠의 중요한 관심사이기도 하다. 이러한 사실은 스포츠에 대한 이해나 관심에 따라 차이는 있으나, 심신이원론(心身二元論)의 입장에서 사회성원의 신체적 발달에 큰 관심을 가지게 된 현상은 비교적 최근의 일이다.

사회적 생산, 그리고 보다 나은 생산을 위한 노동은 모든 사회의 관심사가 아닐 수 없다. 그래서 노동과 건강 및 체력, 혹은 노동과 스포츠는 서로 직접적인 관련이 있다. 따라서 근대화된 산업에서 스포츠가 생산과 노동에 크게 기여한다는 것은 재론의 여지가 없다. 그러나 스포츠의 역사적 변천과정에서 보면 스포츠는 상류계급의 전유물로 이루어졌으며, 하류계급이나 노동계급에서는 다만 신체훈련적인 활동으로 부과되어 스포츠의 목적이나 내용이 사회적 계급에 일치하지 못한 시기도 있었다. 인간의 생활에서 노동 혹은 일상생활과 관련되는 영역은 자유시간과 그 활동내용으로서의 '레저'이다.

1919년 국제노동기구의 발족과 더불어 우리나라에서도 1953년 근로기준법이 제정되면서 노동시간이 단축되기 시작하였는데, 이는 노동의 기계화에 의한 생산력향상이나 사회민주화 등에 의하여 촉진되었다. 이러한 변화와 관련하여 선진국가에서는 여가시간의 활용이라는 문제에 당면하게 되었다. 여가시간을 활용하는 방법으로서 운동 혹은 스포츠가 중요한 위치를 차지하게 됨으로써 스포츠의 목적이나 내용을 새로운 관점에서 재검토하게 된 것이다. 모든 사회성원의 건강 및 체력이 점차 저하되어가는 현실에서 이것은 더욱 절실한 과제로 등장하게 되었다.

스포츠와 종교 4

1) 의식으로서의 스포츠

오늘날 우리들이 하고 있는 거의 모든 스포츠는 종교와 관계가 없는 것처럼 생각된다. 그러나 전통적인 사회에서는 스포츠와 종교는 깊은 관계가 있었고, 많은 스포츠가 종교적인 의식으로 행해졌다. 예를 들면 운동회의 정식종목인 줄다리기는 원래 풍작을 기원

하거나 하늘의 뜻을 점치는 제례의식의 하나였다. 이 외에도 풍작을 기원하는 춤 등 많은 스포츠가 종교의식으로 행해졌다.

의식으로서의 스포츠는 오늘날에서도 우리나라를 비롯한 세계각지에서 행해지고 있다. 과학이 발전한 시대에 사는 우리들은 과학이 발전하지 않았던 시대의 사람들과 비교하면 스포츠가 종교적인 의식에 기원한다는 것을 느끼는 사람은 적다. 왜냐하면 우리들은 합리적인 사고방식을 존중하고 과학에서는 설명할 수 없는 미신이나 초자연적인 사항을 부정하는 세계에 살고 있기 때문이다. 우리들은 과학의 발전을 통해서 농작물을 안정적으로 수확하는 방법, 기후를 예측하는 방법 등을 알게 되었다. 다시 말해서 초자연적인 힘에 의존하지 않더라도 모든 것을 인간의 힘으로 해결할 수 있는 세계에 살고 있는 것이다. 과학을 중시하고 미신이나 종교적 가치를 부정하는 사고방식을 과학주의라고 하지만, 과학주의는 제일 먼저 18세기의 유럽 사회에서 형성되었다.

오늘날 의식으로서의 스포츠는 과거 사회에 비교하면 현저하게 감소되었는데, 그 원인은 다음의 두 가지이다.

» 문자문화의 보급으로 의식으로서의 종교적 표현 자체가 변화되었다. 즉 종교적 표현이 스포츠와 같은 신체표현에 의한 것에서 격렬한 신체표현을 필요로 하지 않는 경전 등과 같은 문자문화로 이행되었다.

» 유럽 사회에서 형성된 과학주의의 영향에 의해서 신체활동이 동반되는 종교적 표현뿐만 아니라 종교 그 자체가 부정되었다.

과학의 발전속도가 눈에 띄게 빨라지면서 근대 이후 스포츠는 종교적인 의식과는 관계없이 발전한다. 현재 우리가 즐기는 테니스, 축구, 럭비, 육상경기 등 대부분의 스포츠가 19세기 이후 특히 영국에서 조직화되었다. 근대 이후 조직화된 스포츠를 일반적으로 근대 스포츠라고 한다.

2) 근대 스포츠의 형성과 프로테스탄티즘의 윤리

앞에서 근대 스포츠는 종교적 의식과는 관계없이 발전했다고 했다. 모순되는 것이지만 프로테스탄티즘(protestantism)의 윤리가 근대 스포츠를 만들어낸 주요한 원동력이 되었다. 프로테스탄티즘이란 1517년 로마 교회의 방식에 대해 항의문을 발표한 Luther, M.의

종교개혁에 자극을 받아서 카톨릭교회의 제도나 의식중심주의 등을 비판하는 기독교의 새로운 형식이다.

근대 스포츠가 형성된 19세기 이전의 영국에서는 실로 많은 스포츠가 행해지고 있었다. 일할 필요가 없는 상류계급은 남는 시간을 보내기 위해서 수렵, 사격, 경마, 무용, 낚시 등의 스포츠를 즐겼다. 일하지 않아도 사치스런 생활이 가능했던 상류계급은 돈을 벌기 위한 노동을 경멸했고 무위한 시간을 즐기는 것에 경의를 표했다. 그들에게는 스포츠는 즐거움 이외의 그 무엇도 아니었고 승리에 집착하지도 않았다.

한편 농민이나 상공인들도 여러 가지 오락을 즐겼는데, 카톨릭교회가 정한 교회의 축제일이나 농사력(農事曆)에 의한 축제 때 무도회, 투계, 도박, 볼링 등을 행했다. 민중에게 오락은 단조로운 농사일이나 노동으로부터의 해방을 의미했으며, 긴장에서 해방될 수 있는 즐거움 이외에는 아무것도 아니었다.

19세기 이전에 행해지던 스포츠가 조직화되어 근대 스포츠로 형성된 원인은 정치와 경제적 영향, 과학의 발달, 인간관계의 변화 등으로 볼 수 있다. 여기에서는 종교와 관계에 초점을 맞추어 전통적인 관습에서의 해방과 스포츠관의 전환이라는 2가지 요인에 대해서 알아본다.

첫째, 근대 스포츠가 형성되기 위해서는 민중오락이 전통적인 관습에서 해방될 필요가 있었다. 19세기 이전의 민중오락은 카톨릭교회가 정한 축제일이나 안식일에 행해지고 반드시 음주, 매춘, 도박, 폭력이 수반되었다. 이러한 카톨릭의 전통적인 관습 비판은 종교 그 자체를 부정하는 과학주의가 아니라 기독교의 한 종파인 프로테스탄티즘이었다. 카톨릭교회의 의식중심주의를 비판하는 프로테스탄티즘은 성모와 성인의 축제일 등을 정한 교회력 그 자체를 미신과 우상숭배로 비판하고, 축제일에 개최되는 오락도 미신과 우상숭배로 부정했다. 프로테스탄트화했던 18세기 영국에서는 교회의 축제일에 행해지던 오락은 이미 종교적인 의미를 잃어버린 세속적인 풍습이 되었다.

둘째, 근대 스포츠의 형성에는 스포츠관의 전환이 필요했다. 프로테스탄티즘은 전통적인 종교적 관습에 수반되었던 민중오락을 부정했지만 다른 지역에서는 규율이 있는 합리적인 오락을 권장했다. 프로테스탄티즘이란 '신의 영광을 위해서' 일상생활을 금욕적으로 조직화하고 직업은 신이 준 것으로 매우 중시하는 종교이다. 근면 · 절약하고 규율을 중시하는 한편, 게으름과 시간낭비를 매우 싫어하는 사고방식을 가지고 있었다. 프로테스탄티즘의 가르침에서 보면 스포츠는 시간낭비 그 자체이고 금지대상 내지 권장할

수 없는 것이었다.

이후에 금지를 했다가 다시 권장으로 바뀐 배경에는 간단하게 놀이나 즐거움으로 보던 스포츠관에서 스포츠를 성실한 인간의 행동으로 보는 스포츠관으로의 전환이 있었다고 볼 수 있다. 이 스포츠관의 전환을 꾀한 사람들이야말로 상류계급도 하층계급도 아닌 19세기 중반의 프로테스탄티즘의 대표이자 프로테스탄티즘의 윤리를 내면화시킨 퍼블릭스쿨의 학생들이었다. 프로테스탄티즘의 윤리는 속세 생활을 부정하고 수도원 생활을 선이라고 하는 중세카톨릭교회의 가르침과는 달리, 속세에서 신을 기쁘게 하는 생활을 보내는 것을 선이라고 하면서, 간단한 오락은 신을 기쁘게 할 수 있는 진실한 것이라고 이념을 바꿔버렸다. 따라서 스포츠를 행하는 것은 '신의 영광을 위해서'라는 종교적 동기부여로 보았다. 승리는 금욕적인 연습의 결과로서 '신에게 받은 영광에 보답하기 위해서'라는 의식이 깔려 있었다. 물론 '보다 좋은 투쟁'이라는 페어플레이정신을 전제로 하였지만, 근대스포츠 형성 이전에 볼 수 있던 승리에 대한 무관심은 이제 승리가 신의 영광을 나타내는 지표로서 의미를 가지게 되었다. 그러나 승리를 추구하는 태도는 종교적인 동기의 쇠퇴와 함께 '어떤 짓을 해서라도 이기면 된다'라는 승리지상주의로 변하게 되었다.

3) 스포츠과학의 진보와 종교

스포츠와 종교는 지난 시대에는 깊은 연관성이 있었다. 그것은 사회 전체가 현대에 비해서 종교적이었고 사람들도 신앙위주의 생활을 했기 때문이었다. 19세기 이후 과학주의의 융성과 함께 종교적인 권위나 가치가 부정되고 종교를 대신해서 현저하게 진보한 과학이 그 역할을 수행하게 되었다.

스포츠계에서도 과학의 진보에 의한 영향은 현저히 나타났다. 물저항을 줄이고 빠르게 헤엄칠 수 있는 수영복의 개발, 빨리 달리거나 높게 뛸 수 있는 운동화의 개발, 멀리 칠 수 있는 배트의 개발, 멀리 날아갈 수 있는 공의 개발 등 하이테크기술에 의해 스포츠용품 개발은 현저하게 진보하였다. 트레이닝방법에 대해서도 같은 양상을 보여 승리는 하이테크기술의 진보가 가져오는 것처럼 되었다. 올림픽 대표선수나 프로선수가 되면 승리를 위해서 하이테크기술을 구사하고 과학적으로 가능한 것은 모두 이용할 수 있다.

그러나 하이테크기술을 모두 갖추었다 하더라도 스포츠선수들은 과학과는 관계없는

징크스(jinx)를 믿고, 징크스로 인한 불행을 쫓아내는 의식을 행한다. 과학만능주의시대라도 스포츠선수들의 대부분은 초자연적 · 비합리적인 무언가가 승리를 가져다 준다고 믿고 있다. 아무리 과학이 진보해서도 스포츠를 행하는 것이 인간인 이상 과학으로는 불안과 공포, 화와 슬픔 등 인간의 여러 가지 감정을 이해하는 것이 불가능하다.

스포츠과학의 진보는 약물도핑에 그치지 않고 유전자공학에 의해서 선수의 신체개조도 가능하게 할지도 모른다. 그러나 스포츠는 어디까지나 맨몸의 인간끼리 겨루는 것이다. 승리라는 욕망에 못이겨 선수가 약물도핑을 하겠지만, 승리욕망을 초월하고 불안과 공포를 이기려면 종교가 효과가 있을지도 모른다. 스포츠는 인간이 보다 풍요롭게, 보다 더 행복하게 지내기 위해 필요한 문화이다. 그런 스포츠에게 인간의 신체나 정신이 먹혀 버리면 안된다. 스포츠과학으로 없어져버린 사람목숨의 존귀함이나 목숨의 건전함을 제자리에 돌려놓기 위해서라도 이제부터 스포츠와 종교와의 새로운 관계를 모색하지 않으면 안된다.

4) 스포츠와 개인의 신앙

앞에서 스포츠와 종교의 새로운 관계를 모색하지 않으면 안된다고 했지만, 스포츠 관계자는 개인의 신앙에 대해서도 관용을 보이는 태도로 임해야 할 것이다.

20년 전에 상영된 영화 「불꽃의 러너」는 올림픽 대표선수이면서 일요일에 개최된 100m 예선에 안식일이라는 이유로 출전하지 않은 선수의 이야기이다. 기독교에서는 일요일은 안식일이라는 성서의 가르침에 따라 휴식일로 하는 사고방식이 있다. 안식일을 준수하던 시절, 올림픽 대표선수라고 해도 일요일 경기에 출전하지 않은 것은 자주 있는 이야기이다. 현대에서도 독실한 기독교신자는 안식일을 준수하고 있고, 운동부활동에서 일요일 연습만 빠지는 사람도 있다.

과학만능주의시대, 신이 없는 시대라고 해도 독실한 신자들은 현재에도 존재한다. 스포츠의 세계도 개인의 신앙과 무관계하지 않다. 체육 · 스포츠 관계자는 독실한 신자들에게 자신의 가치관이나 이상 또는 조건만을 내세우려 하지 말고, 개인의 이상이나 조건을 존중하면서 충분히 의논하여 합의점을 찾아내려는 노력이 필요하다.

스포츠와 미디어 5

1) 스포츠와 미디어의 관계

오늘날 스포츠는 우리들의 일상생활에서 빠뜨릴 수 없는 존재이고 미디어를 통해 크나큰 사회성을 가지게 한다. 신문, 라디오, TV, 위성방송, 인터넷 등으로 다양화된 미디어와 스포츠는 사회 안에서 굳게 자리잡고 있고 서로 간에 여러 가지 영향을 주고받는다.

(1) 여명기 : 신문의 시대

스포츠와 미디어가 처음 관계를 가지게 된 것은 활자미디어인 신문을 통해서였다. 신문은 대표적인 인쇄매체 매스미디어의 한 형태인데, 그 기원은 로마제국의 「악타 세나투스(Acta Senats)」와 「악타 듀르나 포풀리로마니(Acta Diurna Populi Romani)」에 있다. 이는 원로원의 의사록과 평민원의 발표문을 담은 당시 원시적인 형태의 신문으로, 오늘날의 관보의 성격을 띠고 있었다. 로마시대 이후에는 서양의 귀족들 사이에 뉴스의 교환이 성행해 편지형태의 서한신문이 나와 상류사회의 정보교환수단이 된다.

12세기 이후 르네상스, 종교개혁, 터키군의 침입, 신대륙 발견 등 역사적으로 중요한 사건이 잇따르면서 일반인들도 뉴스에 대한 관심이 더욱 높아지게 되었는데, 이러한 관심은 근대적 신문을 탄생시켰다. 근대적 신문이 출현한 것은 Gutenberg의 활판인쇄술이 발명된 1445년 이후이다. 왜냐하면 이때부터 빠른 시간 내에 활자를 통해 다량의 신문을 인쇄할 수 있었기 때문이다.

인쇄술이 발달하기 전 초기의 신문형태는 손으로 쓰는 필사본이었다. 이것은 손으로 일일이 베껴쓰는 것이므로 당연히 그 양은 한정될 수밖에 없었다. 한편 교통 · 통신의 발달로 우편제도가 형성되어 신문배달이 체계화되면서 신문은 매일 제작이 가능하게 되었다. 이처럼 대량생산과 배급체제의 효율화에 힘입어 세계 최초의 일간신문인 「라이프찌거짜이퉁(Leipziger Zeitung)」이 독일에서 발행되었다.

(2) 발전기 : 라디오에서 TV로

라디오방송은 Marconi, G.의 무선전신의 발명이 초석이 되었다. 이후 Morserk, F.가 유선전신을 통해 전보메시지를 최초로 송출하였고, 1875년 Bell이 전화를 발명함으로써 인간의 목소리를 전달할 수 있게 되었다.

최초로 방송전파가 발사된 것은 1920년 1월 미국 워싱턴의 아나고스티아 해군비행장에서 실시한 군악대 연주방송이었으며, 같은 해 11월 웨스팅하우스사의 실험국이었던 KDKA국(피츠버그)이 개국되어 제29대 Harding, W. G.대통령의 선거 결과를 속보방송한 것이 정규라디오방송의 시초이다. KDKA라는 방송국이 개설되자마자 미국 전역에서는 방송에 관한 관심과 인기가 최고에 달하여 급속도로 증가하여 2개월도 안되어 30여 개의 라디오방송의 면허가 발급되었다. 2년 후인 1922년에는 라디오방송사가 무려 200개로 늘어났으며, 1923년 초에는 576개 국이나 되었다. 방송국 수가 급격하게 증가됨에 따라 네크워크로 각 방송국을 연결하게 되었으며, 1926년대에는 최초의 네크워크인 NBC(National Broadcasting Co.)가 창설되었고, 1927년에는 CBS(Columbia Broadcasting System)가 설립되었다. 한편 영국과 프랑스에서는 1922년에 라디오방송이 시작되었으며, 1923년에는 독일, 1925년에는 일본에서 정규라디오방송이 시작되었다.

일제치하에 있던 우리나라에서도 1926년 일본인에 의해 사단법인 경성방송국(JODK)이 개국되어 1927년 2월 16일 정규방송을 시작하였다. 일본어와 한국어를 교대로 방송하던 경성방송도 조선방송협회로 개칭한 이후 한국어 방송을 시작했다.

1930년대 대공황기에는 라디오가 전 세계적으로 빈곤한 생활 속에서도 일반서민들이 기댈 수 있는 유일한 즐거움이었다. TV가 등장하기 이전인 1950년대까지 라디오의 전성기는 계속된다. 일제식민지하에 국영체제로 유지되던 우리나라의 라디오방송은 전쟁동원을 위한 수단으로 악용되기도 하였으나, 1954년 최초 민간라디오방송국인 기독교방송국(Christian Broadcasting System : CBS)이 설립되면서 더욱 다양화되고 활성화되었다. 라디오는 얼굴은 볼 수 없지만 차분하고 명확한 어조로 뉴스를 진행하고, 진지하고 흥분된 어조로 스포츠중계를 하고, 힘차고 호소력 있는 어조의 정치적인 선동 이외에도 사람들의 감성을 파고드는 노래와 라디오드라마 등으로 대중의 사랑을 독차지하였다.

한편 텔레비전은 그리스어의 'tele(멀리,멀리 있다)'와 라틴어의 'vision(보다, 시청하다)'의 합성이며, 약칭으로 TV라고도 한다. 이는 현장에서 일어나는 상황을 먼 곳까지 생

생하게 재현해 준다는 의미를 가진 용어로, 세계 공통의 커뮤니케이션수단이다.

초창기 텔레비전은 1925년 영국 런던에서 Baird, J. L.가 만든 초보적 수준의 기계식 텔레비전이었다. 이후 러시아 태생의 미국인 Zworykin, V. K.이 전자식 텔레비전 촬영용 진공관인 아이코노스코프(iconoscope)를 발명하였다. 이후 미국 RCA(Radio Corporation of America)의 Sarnff, D.사장이 상업화를 위해 1939년 세계박람회에서 공개했고, 1941년 미국연방통신위원회(Federal Communications Commission : FCC)는 방송국을 인가했다. 이어서 미국은 RCA방식을 바탕으로 한 새로운 컬러텔레비전 규격인 미국의 국가텔레비전시스템위원회(National Television Systems Committee : NTSC. 한국, 미국, 일본 등에서 사용하는 아날로그텔레비젼 방식)방식을 채택하였는데, 이것은 흑백과 컬러가 서로 호환되는 편리한 텔레비전시스템이다.

우리나라에 텔레비전이 들어온 것은 1948년 대한민국 정부수립 당시였으며, 정부기관인 공보처 산하에 방송국을 설립하여 공영방송시대를 열었다. 그 후 1954년 한국 최초의 민영방송인 기독교방송국(Christian Broadcasting System : CBS)이 설립되었다. 1956년 미국의 텔레비전산업이 한국 RCA배급회사(Korea RCA Distributor : KORCAD)를 만들어 본격적으로 방송을 시작하였다. 우리나라 텔레비전방송은 1961년 국영방송인 KBS(Korean Broadcasting System)TV의 개국과 동시에 시작되었으며, 1964년 중앙일보사가 만든 최초의 민영상업방송인 동양방송(Tongyang Broadcasting Company : TBC) TV개국, 1969년 민간상업방송인 문화방송(Munhwa Broadcasting Corporation : MBC) TV 개국으로 이어졌다.

이 3개 방송국이 우리나라에서 1970년대 본격적인 TV시대를 이끌며 상업적인 경쟁체제에 들어섰으나, 1980년대 들어 5공화국의 출범과 함께 방송을 공영체제로 변화시킨다는 명목하에 TBC는 폐국되어 KBS-2TV로 바뀌게 되었으며, KBS가 MBC본사의 주식을 70%소유하게 됨에 따라 실질적인 언론통제가 가능하게 되었다. 1991년 서울방송(Seoul Broadcasting System : SBS)의 출범 이후 지역균형발전과 정보통신의 지역차 해소를 위해 1995년 부산 · 대구 · 광주 등에 1차 민영방송 허가에 이어 1년 후인 1996년 2차로 인천 · 울산 · 전주 · 청주 등 전국 8개 지역에 네트워크를 갖추게 되었다. 1990년대 이후로는 케이블, 위성 TV방송 등 새로운 방송매체가 도입되었으며, 2001년 이후에는 디지털지상파방송 시작 및 디지털 위성방송 출범 등 방송환경이 급격하게 변화하고 있다. 또 디지털화의 추진으로 HD(high definition)TV가 등장하여 KBS, MBC, SBS는 고화질(HD) 프

로그램을 방송하고 있다.

이처럼 오늘날의 방송환경은 급격한 변화를 겪고 있을 뿐만 아니라, 첨단정보통신을 바탕으로 한 새로운 매체가 도입되어 다매체, 다채널, 뉴미디어 등의 경쟁시대에 놓여 있다.

2) 미디어가치로서의 스포츠

(1) 배경

스포츠가 가진 세대나 민족을 초월한 소구력은 TV방송의 소프트웨어로서의 가치를 높일 뿐만 아니라 비즈니스와도 깊은 관계를 만들고 있다. 한편 스포츠는 TV방송의 소프트웨어로서의 가치뿐만 아닌 그 자체도 미디어로서의 가치를 가지게 되었다. 유니폼에 스폰서 이름이 크게 들어가도록 했다는 것이 그것을 증명한다.

TV 방송의 소프트웨어로서의 가치, 선수권대회 등 스포츠 자체가 미디어로서의 가치를 발생시키는 이유는 TV와 스포츠의 불가분의 관계 때문이다. 그리고 여기에 그치지 않고 더 나아가 스포츠가 가진 미디어로서의 가치를 시스템화하고 스포츠마케팅으로 확립하게 된 계기는 1984년 로스엔젤레스올림픽이다.

(2) 스포츠이벤트 및 마케팅의 구조

스포츠의 미디어가치를 유지하려면 스포츠를 보면 재미와 감동을 줘야 한다. 그것을 지키며 사람들의 관심을 끌기 위해서는 경기력이 높은 선수와 감동을 줄 수 있는 경기대회가 필요하다.

1970년대에 들어서면서 올림픽대회는 더욱 대형화되어 운영비용은 개최국에게 크나큰 부담이 되었다. 당연히 개최를 원하는 도시는 적어져 그 존속마저 위태롭게 되었다. 국제올림픽위원회(International Olympic Committee : IOC)는 올림픽을 존속시키기 위해서 대회규모를 축소하거나 스폰서십이라는 형태로 민간자본의 도입 여부를 선택할 수밖에 없게 되었다.

이러한 상황에서 로스엔젤레스올림픽 조직위원장에 취임한 Peter V. Uberroth는 올림픽을 비즈니스로 했을 때 부딪치게 되는 난관을 극복했다. 그는 올림픽이 가진 높은 경

기력은 엔터테인먼트상품으로서의 미디어가치를 창출하여 비즈니스로서 성공할 수 있을 것으로 예상했다. 현실노선을 밀고나가는 Samaranch, J. A. 회장 밑에서 그는 유베로스 매직(Uberroth Magic)을 이루어냈다. 나라, 주, 도시의 세금을 일체 사용하지 않고 2억 달러를 넘는 흑자올림픽을 만들어낸 것이다. 그는 ① 공식스폰서, 서플라이어(supplier) 권의 확립, ② 공식마크, 로고 등의 머천다이징(merchandising), ③ 독점방송권판매방식에 의한 방송권료인상의 3가지로 올림픽수입원을 확실하게 다져놓았다.

그러나 이러한 민간자본의 도입이 성공하기 위해서는 자금력 있는 광고대리인의 힘이 절대적으로 필요하다. LA올림픽 이후에도 올림픽이 재정적인 성과를 거두기 위해서는 안정된 스폰서십의 확보와 동시에 안정된 스폰서메리트(sponsor merit)의 제공이 불가결하였다. 그 때문에 기획 · 개발된 것이 시스템으로서의 스폰서십과 스폰서메리트이다. 이러한 시스템을 판매하기 위해서 생겨난 것이 1986년의 TOP(The Olympic Program)라는 패키지스폰서시스템이다. IOC는 현재에도 이 시스템을 채용하고 있고, 또 축구(FIFA)나 육상(IAAF) 등의 경기단체에서도 이것을 조정해서 사용하고 있다.

(3) 현재의 스포츠와 미디어의 관계 : 위성방송의 대두

1980년대 후반의 위성 TV방송의 출현은 스포츠비즈니스를 새로운 모습으로 변하게 했다. 위성TV방송의 실시간과 글로벌이라는 특성은 우리들이 해외의 경기를 실시간으로(real time) 보는 것이 가능해졌고, 시장의 세계화로 선수들의 연봉도 단번에 올라갔다. 그러나 기술혁신과 산업화의 진전에 의해 등장한 유료위성방송(1990년대 중반)은 '미디어', '스포츠', '우리들'이라는 3개의 관념이 더욱 강한 영향을 주게 만들었다.

2002년 한일월드컵 TV방송권료는 1조 660억 원을 훨씬 넘는 가격에 낙찰되었다. 그것은 1998년 프랑스대회의 5배에 해당하는 금액이다. 또한 낙찰자는 당시(1996년 7월) TV계에서는 그다지 유명하지 않던 키르히(Kirch)라는 독일 방송국과 스포리스(Sporis)라는 스위스의 마케팅회사라는 것이 관계자들을 놀라게 했다.

여기서의 문제는 '어떻게 하면 고액의 방송권료를 회수할 수 있을 것인가'라는 점과, '왜 그 정도로 방송권료과 고액이 된 것인가'하는 2가지이다. 민영방송을 보는 우리들은 직접 시청료를 지불하지 않는다. 민영방송사는 주로 스폰서기업이 지불한 돈으로 회사를 운영한다. 그에 비해서 키르히는 WOWOW나 스카이퍼펙트 TV계약료나 연회비 등 우리가 직접 지불한 돈으로 회사를 운영한다. 키르히는 우리들이 무료로 시청가능한 지상파 방송이 아닌 유료위성방송이다. 이 키르히의 전략은 월드컵을 계기로 신규가입자를 대폭적으로 늘리면 그 가입자들이 이후로도 수신료를 계속 지불한다는 것을 전제로 하였다. 따라서 키르히가 고액의 방송권료를 지불한 이유가 이해될 것이다.

또 하나의 문제는 '왜 이 정도까지 방송권료가 급격히 많아졌을까'하는 점이다. 거기에는 유료위성방송이라는 새로운 비즈니스의 주도권쟁탈전이 있다. 대중의 마음을 잡는 것은 영화나 뉴스가 아니라 스포츠이다. "신규가입자를 늘리려면 그 나라에 맞춘 스포츠방송을 보내는 것이 가장 빠른 길이다."라고 미디어의 왕 Murdoch, K. R.이 말했다. 새로운 미디어사업으로 이기기 위해서는 먼저 어느 정도 가입계약자를 늘리는 것이 최대의 요점인데, 그것을 실현시키기 위해서는 인기 있는 스포츠가 필수적으로 필요하다. 그 때문에 도를 넘은 스포츠 소프트웨어 획득경쟁은 방송권료를 급격히 비싸게 하고, 더욱이 실제 가치 이상의 금액으로 판매되게도 한다.

여기서 문제가 되는 것은 앞으로 우리들은 돈을 지불하지 않으면 보고 싶은 스포츠를 볼 수 없게 되어버린다는 점이다. 지금까지 우리들에게 스포츠는 TV로 무료로 보는 것이 당연하다고 생각했다. 그러나 그것이 당연하지 않게 되어버린 것이다. 이 문제에 대응해서 영국 등 유럽 각국들은 월드컵이나 4대륙선수권대회 같이 국민에게 인기가 많은 스포츠경기나 문화적으로 공공성이 높은 행사를 특별지정행사로 정하여 국민 누구라도 무료로 시청할 수 있는 권리(=Universal Access권)을 법률로 정해 놓았다. 우리나라에서는 아직 그렇게 하자는 움직임은 활발히 일어나고 있지는 않지만 이후로 스포츠의 유니버셜액세스권이나 그것을 담보하는 스포츠의 공공성에 대한 논의는 피할 수 없을 것으로 본다.

3) 스포츠와 미디어의 상호작용

(1) 미디어가 스포츠에 주는 영향 및 스포츠가 미디어에 주는 영향

"TV가 스포츠를 변하게 했다."라는 비판을 듣는 경우가 있다. 예를 들면 "TV에 잘 나오게 하기 위해 유도복을 컬러로 하자.", "TV에 광고를 넣기 쉽게 하기 위해 규칙을 변경하자.", "다액의 방송권료를 지불하는 미국 방송국을 위해 경기개시시간을 변경하자." 등

이다. 이에 대한 공통된 비판은 상업주의가 스포츠에 좋지 않은 영향을 주고 있다는 것이다. 스포츠의 상업주의에는 장단점이 있지만 선수의 컨디션보다 TV방송국의 윤리가 우선된다는 상황은 지나친 상업주의라고 할 수 있다.

한편 스포츠가 TV를 변하게 했다는 면도 그냥 넘어가서는 안 된다. 인기 있는 스포츠 방송권의 획득은 킬러콘텐츠(killer contents)라고 할 정도로 유료위성방송의 경영문제에 직결되고, 지상파 TV방송의 시청률에 큰 영향을 미치는 존재로 다루어지고 있다. "미디어가 기른 스포츠라는 소프트웨어에 의해서 미디어비즈니스 자체가 변질되고 있다."라는 말처럼 스포츠는 미디어로부터 영향을 받을 뿐만 아니라 미디어에 막대한 영향을 끼치는 측면도 있다.

(2) 미디어스포츠가 사회에 주는 영향

미디어와 스포츠의 관계에는 간단하게 매스미디어에 의해서 보도되는 스포츠가 아닌 스포츠 그 자체가 미디어로서 기능하는 '미디어스포츠(media sport)'라고 하는 현대적인 특징이 있다. 이 뜻은 여러 가지 정보가 스포츠를 통해서 사회에 제공되고 스포츠를 미디어로서 커뮤니케이션하는 것을 말한다. 현대사회에서는 한 사람 한 사람의 개성이 존중받고 사람들의 사는 방식도 다양화되고 있다. 그 때문에 같은 '일'을 공유하기가 어렵고 커뮤니케이션이 성립되기 어려운 사회이기도 하다. 현대사회에서 미디어스포츠라고도 불리는 스포츠는 사회에 강력한 영향을 주는 미디어로서도 크나큰 역할을 하고 있다.

스포츠는 스포츠의 세계만이 아닌 사회 안에 존재한다. 때문에 좋은 것이든 나쁜 것이든 모두 포함해서 사회로부터의 영향을 받고, 또 사회에 영향을 준다. 특히 정보화사회라고 불리는 오늘날, 미디어와의 관계를 빼고서는 스포츠를 이야기하는 것은 불가능하다. 미디어나 그에 따르는 상업주의의 나쁜 면만 볼 것이 아니라 현재의 스포츠에서 빠뜨릴 수 없는 미디어(특히 TV)와의 관계를 인식한 다음에 현실에서 일어나고 있는 스포츠와 사회의 문제를 분석해 나가는 자세가 필요하다.

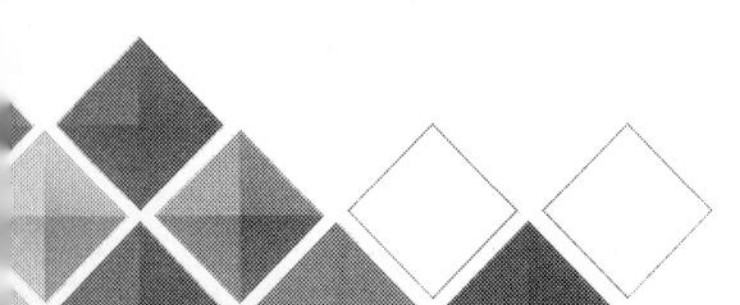

스포츠와 비즈니스 6

1) 스포츠 비즈니스의 시대

현대는 스포츠의 상업화(commercializaion)의 진전에 의해 스포츠와 비즈니스의 관계가 밀접해서 불가분의 관계를 맺고 있다.

프로스포츠로 대표되는 경기스포츠는 20세기부터 비약적으로 발달한 라디오와 TV에 의해서 많은 시청자와 관객을 확보하였고, 기업과 상품의 광고선전에 부수되는 콘텐츠로서 방송이 이루어지고 있다. 오늘날은 위성방송과 인터넷이 일상화되어 국내소비를 전제로 하던 스포츠가 국경을 넘어 누구라도 시청이 가능한 국제적인 재화 및 서비스품목이 되었다. 이처럼 매스컴의 발달에 의해서 스포츠에 관련된 상거래의 규모는 확대되어 스포츠는 오늘날 선진국에서 중요한 산업의 하나로 자리매김하고 있다.

미국에서 스포츠산업의 규모(1997년)는 1조 5천 2백만 달러로, 전체 산업 중의 제11위로서 정보통신산업과 화학산업에 필적하며, 자동차산업을 능가하고 있다(Meek, A.). 메이저리그야구(MLB), 미국프로풋볼리그(NFL), 미국프로하키리그(NHL), 미국프로농구협회(NBA)의 4대 프로스포츠는 미국 국내뿐만 아니라 아시아나 유럽 등 세계시장을 석권하기 시작했다.

유럽에서는 영국의 프리미어리그, 이탈리아의 세리에 A, 스페인의 리거에스파뇰 등 프로축구리그가 번창하고 있다. 이 외에도 럭비, 배구, 핸드볼, 탁구, 농구, 아이스하키 등 많은 프로리그가 있다. 이들 각국의 스포츠 관련 재원(정부예산, 민간지출)은 GDP의 1~2%를 차지한다. 더욱이 1993년의 EU(The European Union)통합 후에는 EU권 내에서 프로스포츠 선수 이적의 자유가 보장됨으로써 유럽 경제에서도 중요한 산업의 하나로 인정받고 있다.

일본에서도 프로야구, 프로축구(J리그), 씨름(스모), 골프토너먼트 등의 프로스포츠는 국민들의 일상생활의 일부분이 되어가고 있다. 2004년 1년 동안 운동장에서 스포츠를 관람한 성인의 비율이 전 국민의 37.1%, 추계로는 3,774만 명이라고 한다(SSF笹川스포츠재단).

또 2002년 1년 동안 전체 스포츠관람비용은 1,710억 엔이라고 했다(피아종합연구소).

한편 우리나라에는 프로야구(KBO리그, 1982년 시작), 프로축구(K리그, 1984년 시작), 프로농구(KBL리그, 1992년 시작), 프로배구(KOVO리그), 민속씨름 등의 프로스포츠가 있다. 프로야구의 경우 리그 창설부터의 누적관중수가 2010년 6월 초에는 1억 명을 돌파하였다.

이러한 프로스포츠를 중심으로 한 스포츠비즈니스는 성숙사회에서 엔터테인먼트산업으로서의 이익을 극대화하고 경제적 파급효과나 고용산출면에서도 제조업, 유통업, 매스미디어, 건설업 등을 아우르는 거대산업으로서 확고한 위치를 잡아가고 있다.

2) 스포츠의 산업화

스포츠산업의 기본구조는 스포츠용품산업, 스포츠시설 · 공간산업, 스포츠서비스와 정보산업이며, 이 외에도 최근 스포츠시장의 확대에 따라서 몇 가지 복합영역이 생겨났다. 예를 들면 유명선수를 기용한 패셔너블(fashionable)한 TV CM에 의한 브랜드화를 진행하고 그것을 기반으로 전개되는 권리비즈니스나 상품라이선스 비즈니스 등의 '스포츠 관련 유통산업'이 있다.

또 스포츠시설에서 여는 테니스교실, 수영교실 등의 스쿨이나 프로그램을 제공하는 '스포츠시설 · 공간매니지먼트산업', 그리고 이들 모든 영역이 관련된 하이브리드(hybrid) 영역인 대규모 스타디움에서 최고의 스포츠용구를 사용하여 TV로 방영되는 '프로스포츠산업'이 새로운 복합영역이다. 이들 중에서 프로스포츠산업은 스포츠산업 전체를 견인하기 때문에 스포츠분야의 각 산업영역에 미치는 영향도 막대해서 구단의 합병문제, 새로운 리그의 발족, 프로리그화를 향한 각 경기단체의 노력 등은 스포츠산업 전체에 큰 영향을 주고 있다.

3) 스포츠산업의 규모

스포츠산업의 규모는 1980년대 후반부터 스포츠경제학을 개척해 온 영국의

Gratton(2000) 등의 연구에서 계측된 것이다. 그들은 부가가치(added value)를 이용해서 스포츠산업의 규모를 계측하였는데, 이 계측치는 국내스포츠총생산(gross domestic sport product : GDSP)이라고도 한다.

Gratton에 따르면 1995년 영국에서 스포츠 관련 부가가치액은 98억 파운드(약 18조1천억 원)이고 국내총생산(gross domestic product : GDP)의 1.6%를 차지하였다(Gratton). 한편 미국에서 처음으로 GDSP를 계측한 Meek에 따르면 1995년 미국의 그것은 1,519억 달러로 대 GDP비는 2.0%이었다(Meek).

일본의 경우 와세다대학 스포츠비즈니스연구소(2003)가 계산하였는데, 그것에 따르면 약 9.6조 엔이며, 대 2000년 GDP비는 1.9%였다. 이들 중에서 스포츠용품산업은 21.8%, 스포츠시설 · 공간산업은 34.2%로, 스포츠산업의 전체 부가가치에서 56.0%을 차지하였다.

여러 선진국의 실질경제성장률이 1~2% 정도인 시대에서 GDP의 1~2%를 차지하는 스포츠산업은 결코 작다고 할 수 없다.

4) 스포츠 비즈니스의 문제점

현대사회에서 스포츠는 중요한 산업으로 인정받는 한편, 급속히 비대화되는 스포츠 비즈니스에도 많은 문제점이 있는 것도 사실이다. 우리나라에는 해방 후 근대 스포츠가 전래된 이래로 스포츠는 교육의 일환으로서 자리잡아 왔다. 이 때문에 스포츠 비즈니스를 지지하는 구조가 충분히 정비되지 않았던 것을 문제점으로 들 수 있다.

(1) 스포츠 매니지먼트 인적자원의 부족

대규모 스포츠이벤트나 프로스포츠팀의 경영에 필요한 많은 인원, 거액의 예산, 무수한 정보 등을 적절하게 매니지먼트할 수 있는 인적자원이 부족하다

미국에서는 스포츠에 관한 MBA(master of business administraion) 대학원이 있지만, 우리나라의 제도는 미국처럼 되어 있지 않기 때문에 스포츠 비즈니스 전문가의 양성이 급선무이다.

(2) 권리비즈니스에 기인하는 문제

초상권, 명칭사용권, 방영권, 판매권 등과 같은 각종 권리에 관한 스포츠 비즈니스가 발달되어 왔지만, 이들 권리는 복잡하게 얽혀 있는 경우도 있어서 여러 가지 문제가 발생하고 있다. 예를 들어 선수 개인의 계약스폰서와 이벤트스폰서가 경합된 경우 TV방영권, 인터넷으로 재방송, 상품판매, 자사광고에서 명칭사용범위 등의 문제가 있다.

(3) 스포츠 개발에 따르는 문제

스포츠에는 그것을 하기 위한 시설 · 설비가 필요하다. 스타디움, 스포츠리조트, 골프장 등의 대규모시설의 개발이 세계각지에서 진행 중이고 자연환경파괴, 소음, 교통정체, 폐기물처리, 농약살포 등의 환경파괴문제도 발생하고 있다. 스포츠 관련 기업에서도 환경매니지먼트인 국제규격(국제표준화기구/ International Organization for Standardizaion : IOC) 14001의 취득을 시작으로 제품의 재생이나 재사용 운동에 힘을 주기 시작했지만, 충분히 보급되었다고는 말할 수 없다.

(4) 비즈니스윤리 문제

기업에서 불상사가 자주 생겨 비즈니스계에서는 법령준수(compliance)의 움직임이 생겨나고 있다. 따라서 스포츠비즈니스계에서도 경기대회개최나 팀경영에서 기업모랄(morale)이 필요하다. 올림픽 개최지 선정을 둘러싼 IOC 위원들의 뇌물수수사건, 불투명한 대표선수선발, 우수선수확보를 위한 수면 밑의 공방, 프로스포츠팀의 사유화 등 기업모랄에 관련된 문제도 분출하고 있다.

스포츠와 복지

스포츠가 전 국민의 향유대상이 되기 시작한 것은 원시공동체를 제외하면 자본주의사회의 복지국가단계에서 실시된 Sport for All 정책부터라고 볼 수 있다. 이는 국가의 정치 · 경제 자체가 국민 전체의 스포츠참가를 필요로 함과 동시에 그것을 위한 국가적 보장이 가능한 단계에 도달했기 때문이다. 이에 따라 국민들의 권리 및 요구의 일환으로 스포츠권이 향유 내지 확립되었다.

국민, 특히 노동자계급이 가처분소득 및 가처분시간을 어느 정도 획득하기 시작한 시기는 1920년대부터 1930년대 전반까지이다. 이 시기는 지배계급(자본가계급)이 아마추어리즘으로 스포츠를 독점하면서 한편으로는 노동자계급과 여성들의 스포츠참가를 유도하였다. 그러나 제국주의적 국가에서는 국가정책으로 스포츠를 직접적으로 지지한 것은 아니었다. 물론 어느 정도 도움은 주었다고 하더라도 그것이 정책적으로 이루어지지는 않았다.

이들 노동자계급과 여성들의 스포츠참가는 아마추어리즘에서 벗어나 스포츠에서 계급차별 내지 계급독점을 타파하고 전 국민의 스포츠참가라는 Sport for All 사상과 정책의 기반이 되었다는 것은 역사적인 사실이다.

이러한 시기를 거쳐 1917년 이후 탄생한 소련이라는 사회주의국가에 대항함과 동시에 전쟁을 일으킨 파시즘국가를 이기기 위해서 자본주의진영 내에서 복지를 목적으로 하는 복지국가가 탄생하게 되었다.

1) Sport for All사상의 사회적 배경

운동문화가 탄생하고 보급된 배경에는 역사적 · 사회적 · 신체적 요구가 반드시 존재한다. 전후의 고도경제성장은 산업의 기계화를 진전시켜 육체노동에서 정신노동 중심으로 전환되었는데, 이는 스트레스 증가를 야기했다. 또 산업의 발달은 일상생활의 기계화

로 이어져 생활 전체를 편하게 함으로써 운동부족현상을 초래하게 되었다. 여기에 영양도 고칼로리화됨으로써 정신질환이나 생활습관병이 급증하여 의료비를 증가시켰다. 의료기술의 발전은 의료비의 감소를 가져올 것으로 예상하였지만, 결과는 전혀 반대로 나타났다. 과거에는 발견하지 못하고 지나쳤던 병도 발견되고 그에 따른 고도의료기술이 시술되면서 오히려 의료비는 증가했다. 이러한 현상은 국가적인 대책을 요구하게 되었는데, 이때 대두된 것이 스포츠참가를 높여 국민의 건강을 유지하는 방책이었다.

고도경제성장은 복지국가의 제2단계로서, 복지의 범위를 확대하여 의료 · 교육 · 주택 등에 관련된 대책에서 문화 · 예술 · 스포츠 등 국민의 문화교양 영역도 복지개념에 포함시키게 되었다. 고도경제성장으로 인한 복지확대는 국민이 정부에 요구하는 '새로운 인권'인데, 그중에 스포츠요구도 포함되어 있다. 이렇게 국가적인 필요성과 국민의 요구가 결합되어 Sport for All 정책이 탄생했다. 이때부터 국가에서는 전 국민을 대상으로 기초단계에서의 스포츠권 및 공공성에 관심을 가지기 시작했다. 인류역사상 처음으로 그 조건보장의 필요성과 가능성이 탄생하게 된 것이다.

국가의 정책적 수준에서 스포츠권의 채용은 1966년의 유럽심의회(Council of Europe)의 Sport for All정책이 그 효시이다. 1976년에는 유럽심의회의 '유럽인 모두의 스포츠헌장(European Sport for All Charter)'이 이것을 계승하고, 이어서 1978년 유네스코(UNESCO)의 '체육스포츠국제헌장(International Charter of Physical Education and Sport)'이 채택되었다. 각각의 헌장은 제 1조에 "스포츠를 향유하는 것은 모든 사람의 기본적 권리이다."라는 '스포츠향유권=스포츠권'이라고 명기했다.

그러나 동유럽의 구 사회주의국가가 붕괴되어 유럽심의회에 가입하고, 서 유럽 일부국가에서 신 자유주의를 채용함에 따라 1992년에 채택된 '유럽스포츠헌장'에서는 이 권리규정이 후퇴하였다.

2) 영국의 Sport for All : 복지국가의 스포츠정책

(1) 아마추어리즘에 의한 제약

근대화의 진전 중에 영국에서 가장 빨리 스포츠가 발상되었으며, 지배계급에 의한 아

마추어리즘도 발상되었다. 즉 영국은 스포츠와 아마추어리즘의 발상국이다. 그리고 아마추어리즘에 의해서 노동자계급의 스포츠참가는 크게 제한되었다.

가장 중요한 것은 노동자계급은 가처분소득 내지 가처분시간이 부족하였기 때문에 스포츠참가 자체가 크게 제약받을 수밖에 없었다. 하지만 1920~30년대 국민들의 여러 가지 권리투쟁이 고양되고 스포츠문화의 다양한 발전은 영국에서도 똑같이 일어나서 노동자들의 스포츠참여운동이나 여성 스포츠참여가 고양되었다. 뿐만 아니라 근대 스포츠의 발상국이라는 프라이드는 근대올림픽의 부흥과 병행해서 대영제국연방의 결속을 의도한 Commonwealth경기대회의 발족을 촉진하게 되었다. 그러나 실제로는 1930년 캐나다의 해밀튼이 대영제국대회(The British Empire Games, 후에 커먼웰스경기대회로 개칭)를 개최했다(참고 : Commomwealth of Nations, 영국연방. 영국과 과거 대영제국의 일부이던 국가들로 구성된 조직).

그러나 이들 여러 대회도 1930년대 중엽에는 파시즘에 의해서 억압 받았다. 영국 국내에서도 독일의 파시즘(fascism)에 대항하는 의미에서 약간의 체육정책은 실시되었지만 오히려 아마추어리즘에 의해서 생긴 스포츠에 국가는 개입하지 않는다는 개념에 의해서 국가적인 정책은 실시하지 않게 되었다.

(2) 제2차대전 후의 스포츠정책

제2차 세계대전 중 영국은 대 독일파시즘과 전쟁을 하면서 국내의 대동단결을 위하여 전후의 개혁을 전망한 'Beveridge Report'가 1942년에 제출되어 전후의 복지국가화를 전망했다.

종전 직후의 복지국가화는 전쟁으로 피폐해진 상황 때문에 복지의 중점은 주로 의료, 교육, 주택의 3가지에 집중되었다. 뿐만 아니라 인간의 모든 것을 책임지는 복지정책 때문에 '태어나서 무덤까지'라고 하는 대명사를 얻게 되었다.

이것은 소련이나 동유럽이 사회주의화되었기 때문에 서유럽에서는 그것과 대항하기 위해 복지국가화하지 않을 수 없었다는 것을 의미한다. 그러나 승전국이나 패전국이나 똑같이 전쟁에 의한 피해가 매우 컸기 때문에 복지국가의 내실은 의료, 교육, 주택 등 기초생활과 직결된 내용에 한정되었다. 따라서 이때까지 Sport for All은 아직 정책으로 정해지지 않았다.

① 영국에서 Sport for All의 태동

1950년대 후반부터 고도경제성장이 시작되면서 약간씩 생활의 여유가 생기기 시작하자 젊은이문화의 타락이 사회문제화되기 시작했다. 한편 영국 스포츠의 국제경쟁력이 상대적으로 저하되면서 젊은이문화의 타락이 근대스포츠의 발상국이라는 프라이드를 저하시키고, 나아가 내셔널리즘까지 저하되게 만들었다. 1958년에는 청소년문제를 해결하기 위해 정부자문기구인 알버말(Albermarle)위원회가 설립되어, 1960년에는 『영국과 웨일즈의 청년사업』을 발행했다. 이 위원회와 연계를 취하면서 같은 해에 민간단체인 중앙신체레크리에이션평의회(CCPR : Central Council of Physical Recreation)의 자문을 받으며 설립된 월펜덴위원회는 1960년에는 『스포츠와 지역사회』를 발행하고, 청년문제에 대처하기 위한 지역사회복지로서 스포츠진흥과 국제적인 경기력향상을 제안했다. 그것을 위한 스포츠카운실(sports council)을 설립하고 국가 전체의 스포츠진흥정책 수립을 촉구했다.

이때 이미 서유럽 여러 나라에서는 국가에 의한 국민스포츠진흥정책이 이루어지고 있었다. 영국은 근대 스포츠의 발상국이자 아마추어리즘의 발상국이었지만, 국가나 자치단체의 스포츠정책 참가는 매우 늦었다. 결국 스포츠보급 측면에서는 아마추어리즘에 의한 자치에는 한계를 느끼게 되었다. 그리하여 복지국가의 제2단계에서는 국가의 개입이 필요하게 되었다. 월펜덴위원회의 레포트제출 후 약간의 공백기가 있지만 1965년 스포츠카운실(자문기관)이 설립되고 이후의 시책을 위한 지역조사가 활발히 이루어졌다.

유럽심의회(Council of Europe)에서는 이미 가맹국에 대한 Sport for All 정책의 채용을 1966년에 결의했고, 영국은 늦었지만 그 방침을 받아들이기 시작했다. 그리고 1972년에는 스포츠카운실에 의해 스포츠정책 입안과 예산집행이 시작되었다. 지금까지의 자문기관에서 집행기관으로 권한이 강화된 것이다.

그리고 1974~75년을 정점으로 많은 스포츠시설이 건설되어 실제로 Sport for All이 형성되기 시작했다. 이 정책은 복지분야의 여러 인프라건설을 통한 국내수요를 고도경제성장의 일환으로 이용하였다. 당연하게 이것은 스포츠 인프라건설을 포함한다. Sport for All정책의 제1단계는 스포츠시설의 건설에서 시작된다. 왜냐하면 시설 없이는 스포츠를 시작할 수 없기 때문이다. 그다음 단계가 지도자육성이다.

이 시기 영국을 비롯한 여러 복지국가의 고도경제성장정책은 공공투자를 '산업기반 1 : 생활기반 2'의 비율로 투자하였다. 일본의 경우에는 반대로 산업기반 중시형이었기 때

문에 고도경제성장은 이루었지만, 국민의 복지는 그만큼 따라가지 못했다. 또한 이 시기의 독일에서는 '골든플랜'을 수립하여 "국민이 필요로 하는 스포츠시설은 100% 완비시킨다."라고 할 정도로 전력투구했다. 이러한 현상은 프랑스나 영국에서도 똑같이 나타났다.

② 대처리즘하의 복지삭감 : 신자유주의

1980년대에 들어가면 신자유주의를 표방하는 대처(Thatcher, M. H.)수상이 집권하게 된다. 그녀는 미국의 레이건(Reagan, R. W.)대통령, 일본의 中曽根康弘수상과 함께 신자유주의 노선을 표방하였다.

신자유주의란 야경국가, 즉 군대와 경찰은 공공업무만 수행하고 다른 모든 것은 민간업자에게 일임하여 시장원리에 맡긴다(이윤우선)라는 극단론이다. 더욱이 국가나 자치단체의 업무에서 이윤이 나오는 분야는 대기업에게 맡기고, 대부분 시장원리와 경쟁원리를 강제적으로 도입시킨다. 시장원리에만 맡길 수 없는 복지와 교육 같은 것도 이윤획득과 경쟁을 조장함으로써 사회적 격차가 벌어지게 된다. 이것은 자치단체의 스포츠정책에서도 똑같이 나타났다.

이러한 배경을 가진 대처리즘(Thatcherism)에는 '사회'는 존재하지 않고 단지 '개인'만이 존재할 뿐이므로, 사회에 기대해서는 안된다는 것이다. 게다가 국가가 복지를 추구하게 되면 국민이 태만하게 된다는 사회관 및 복지관을 가지고 있었으며, 극단적으로 말하면 19세기적 자유주의이다. 그 때문에 '신자유주의'라는 명칭을 얻게 되었다. 그리고 19세기의 자유주의가 사회적 격차를 확대시켜 사회불안을 키웠기 때문에 20세기의 복지국가가 태동되었듯이, 신자유주의도 역시 새로운 사회적 격차를 가져왔는데, 그 격차는 심각해졌다.

영국에서는 복지예산 삭감으로 인해 1981년에 도시빈곤층의 폭동화를 초래하였고, 그 때문에 도시빈곤층에 대한 회유책이 필요해졌다. 이 때문에 스포츠진흥정책이 채택된 것이다. 이렇게 해서 신자유주의하에서도 스포츠 관련 예산은 그다지 줄지 않았고, 스포츠진흥정책은 도시불안이 일단 진정되는 1980년대 후반까지 추진되었다.

(3) 지방자치단체의 스포츠정책

영국에서 자치단체의 스포츠정책은 스포츠카운실의 주도하에서 추진되었다. 예를 들면

영국은 전국을 9지역(region)으로 나누어 각각의 지역스포츠카운실이 정책책정과 예산집행을 한다. 그것들은 각 자치단체와 연계해서 이루어지고 있다. 지역의 스포츠 관련 예산총액은 중앙정부의 예산보다도 많았다.

(4) 지역스포츠클럽

영국의 스포츠보급은 퍼블릭스쿨과 옥스퍼드대학교(University of Oxford)나 캠브리지대학교(University of Cambridge)와 같은 엘리트학교가 중심이 되었지만, 그들이 졸업 후에 즐긴 지역스포츠클럽 역시 또 하나의 중심지였다. 이들 클럽은 강렬한 아마추어리즘으로 보호받으면서 엘리트집단을 구성했다.

그러나 1920~30년대부터 노동자 스포츠도 조금씩 발전하였고, 1960년대의 고도경제성장기 이후 특히 1970년대에는 스포츠카운실이 Sport for All정책을 추진함으로써 모든 사람의 스포츠참가가 장려되었다. 이것에 의해 과거에는 배제되었던 일반지역주민(노동자계급)도 그들만의 독자적 스포츠클럽을 결성하는 조건이 주어진 것이다. 특히 축구에서는 지역연맹도 활발히 조직되었다. 그 대부분은 자치단체에서 축구피치(soccer pitch)나 클럽하우스를 싼값에 대여받고 활동을 보장받고 있다. 1개의 클럽은 몇 개의 팀으로 구성되어 있다. 이러한 점에서 보면 우리나라는 시설이 부족하고 실질적으로 팀=클럽이라는 개념이 있어서 양자의 식별은 곤란하지만, 영국의 경우에는 양자 간에 확실한 차이가 있다.

국가의 스포츠보급도는 국민, 지역주민의 스포츠참가 정도가 지표로서 나타나는 것이며, 지역에 얼마만큼의 스포츠시설이 건설되고 주민들이 클럽을 결성해서 일상적으로 얼마만큼 참가하는 것이냐 하는 문제에 따라 결정된다. 이러한 점에서 보면 영국의 Sport for All은 아마추어리즘의 악영향도 있고 서유럽 여러 나라에 비해서 약간 늦었지만, 지역스포츠클럽의 결성은 확실히 증가했다는 것을 알 수 있다.

스포츠와 세계화 8

1) 국경을 초월한 문화로서의 스포츠

위성방송의 보급으로 우리들은 멀리 떨어진 외국에서 하는 스포츠경기를 가정에 있으면서도 실시간(real time)으로 관전하는 것이 가능해졌다. 외국 팀에서 활약하는 우리나라 선수를 응원하는 것도 지금의 일상생활에서는 당연한 일이 되었다.

세계화(globalization)란 일반적으로 사람, 돈, 물건, 정보 등이 국경을 넘어 전 세계로 이동하거나 묶이는 현대적 상황을 가리키는 말이다. '외국 팀에서 활약하는 우리나라 선수를 가정에서 TV를 보면서 응원한다'는 말은 '스포츠에서의 세계화'를 극단적으로 표현한 말이다. 먼저 스포츠와 세계화의 관계를 생각한 다음 사회학자 Giddens, A.의 정의를 소개한다.

Giddens, A.는 세계화란 '어떤 장소에서 일어나는 사건이 멀리 떨어진 곳에서 발생한 사건에 영향을 주거나, 반대로 멀리 떨어진 곳에서 일어난 사건의 영향을 받아 어떤 장소에서 사건이 일어나는 형태로, 멀리 떨어진 지역을 서로 연결하거나 그러한 세계적 규모의 사회관계가 강하게 되는 것'이라고 정의했다. 스포츠에 대해서 본다면 '어떤 장소에서 일어난 사건'이 '멀리 떨어진 곳에 일어난 사건'과 엮이는 현상은 당연하다. 예를 들면 올림픽이나 월드컵 같은 세계대회는 참가국들이 아시아, 아프리카, 유럽, 아메리카, 오세아니아 등의 지역예선을 거쳐서 본대회에 진출하기 때문에 많은 대회를 치러야 한다. 지구상의 한 지역에서 순간적으로 일어난 각 시합들의 결과가 상호간에 엮여서 영향을 주고받으면서 세계적 규모의 경쟁관계를 형성해가게 된다. 그렇다면 "왜 이러한 일이 가능할까?" 그 이유는 아주 간단하다. 왜냐하면 스포츠에는 '통일된 규칙'과 IOC를 정점으로 하는 국제규모의 관리조직이 있기 때문이다.

지금은 당연한 것처럼 생각되는 이러한 스포츠대회운영은 역사적으로는 200년도 되지 않았다. 스포츠연구에서 근대 이전의 여러 신체활동이나 플레이 등의 존재가 명확히 밝혀졌으나 그 행위와 근대 스포츠의 큰 차이는 플레이가 일어나는 장소의 지역성과 플레

이 자체가 뗄 수 없는 특성이 있다는 것이다. 축구를 예로 들어 보면 통일된 규칙이 성문화되기 이전에 행해진 영국의 퍼블릭스쿨에서 하던 축구는 학교마다 독자적인 규칙이 있어서 거기에 맞는 형태의 플레이가 이루어졌다. 이러한 상황에서 이루어진 한 학교의 시합결과를 다른 학교의 시합결과와 비교할 수 없었다. 왜냐하면 플레이에서 이기기 위한 전략이나 전술이 축적되어 있었다고 해도 학교를 바꾸면 전혀 의미가 없어져 버리기 때문이다.

따라서 각 학교가 대항전을 하기 위해서는 통일된 규칙이 만들어지지 않으면 안되었고, 결국 축구에서는 19세기에 들어서면서 통일화의 움직임이 일어났다. 통일규칙의 제정과 그것을 관리하는 스포츠조직이 만들어짐으로써 지역성이 묶어져 단순히 로컬로만 존재하던 플레이가 시공간적인 경계를 넘은 통일된 스포츠대회로 운영할 수 있게 되었다. 또 플레이 중에 생긴 기록, 전술, 전략, 트레이닝방법 등의 문화적 산물은 시간이나 공간적인 경계를 넘어 의미 있게 되어 인류의 지혜로 축적된 것이다.

Giddens는 이러한 사회적 활동이 특정의 로컬문화적 흐름에서 해방되어 시간과 공간을 넘어 넓은 세계 속에서 재구성되어가는 과정을 근대화의 본질적인 특징으로 간주하여 "고정된 지역에서 벗어났다."라는 말로 표현하였다. 문화적 배경을 달리하는 사람들끼리 하나의 플레이를 즐기기 위해 통일규칙을 만들어 플레이할 때 문제가 발생하면 스포츠조직이 규칙을 조정해가는 근대스포츠의 방식은 그것이 '고정된 지역에서 벗어나고 있다'는 문화이자 '경계를 넘어선 문화'임을 뜻한다. 세계화를 근대화가 철저히 그리고 보편적으로 되어가는 과정으로 파악한 Giddens는 그 시작을 근대라는 시대로 설정하였지만, 통일규칙의 성립에 착안하면 스포츠는 정말로 '근대'를 대표하는 문화현상이며, 본질에는 세계화되어 가는 것이 섞인 문화라고 할 수 있다.

2) 스포츠 세계화의 문제점

스포츠는 미디어와 연결됨으로써 오늘날 그 '경계를 넘어선 문화'라는 특징을 명확하게 나타낼 수 있다. 위성방송으로 송신되는 올림픽이나 월드컵 등의 대규모 스포츠이벤트는 수십억 명의 세계인들이 동시에 즐길 수 있는 것이 되었다. 또한 이것은 스포츠 보급을 가속화시켰으며, 지구의 구석구석까지를 하나의 시스템으로서 묶는 역할을 한다. 거

기에 문화상품으로서의 스포츠를 세계적 규모로 유통시키도록 한 스포츠의 글로벌시장이 관여하게 되었다.

오랜 기간 스포츠의 보급은 아마추어리즘과 내셔널리즘을 그 추진력으로 했다. 그러나 1980년대 이후 아마추어리즘은 해체되고 상업주의가 침투하여 오늘날 엘리트스포츠의 세계는 국경을 넘어 비즈니스를 전개하는 거대한 미디어기업과 다국적기업들의 국제전략에서 없어서는 안될 장이 되어버렸다. 그 결과 방송권료나 스폰서계약료, 팀 간의 선수이적료 등 스포츠세계에서 막대한 돈이 움직이게 되었다. 이러한 스포츠글로벌시장의 성장은 지금까지의 스포츠세계에서는 볼 수 없었던 새로운 문제들을 일으키고 있다. 예를 들면 세계각지에서 발생하는 팀 간의 빈부격차, 그것과 함께 전력의 불균형, 스폰서기업의 재정악화에 의한 리그나 팀경영상황의 악화 등이다.

이와 같은 문제점들의 발생이유는 글로벌화한 스포츠가 컨트롤할 수 없는 시장과 그 시장 안에서 화폐가치로 매겨지는 사람들이 나타났다는 시장시스템의 한계 때문이다. 세계적으로 퍼진 자본주의제도 안에서 경제적인 조건은 승자와 패자를 가르는 결정적인 요인인데, 이 때문에 스포츠에 의해 부의 혜택을 받는 사람들과 그 혜택으로부터 배재된 사람들이 생겨나게 되었다.

이러한 문제는 국가 수준뿐만 아니라 국경을 초월하여 영향을 미치고 있다. 따라서 그 해결을 위해서는 국경을 넘어선 글로벌한 시스템이 구축되지 않으면 안된다. 미디어스포츠의 글로벌화는 스포츠를 '지구공공재'로 보고, 스포츠가 세계화를 진전해가는 와중에서 스포츠의 미래상을 구상하는 것을 바탕으로 한다. 여기에서 '지구공공재'의 개념은 일반적인 '공공재'를 글로벌화한 것이며, '시장원리로 지속해서 공급하는 것을 약속할 수 없다'라는 인류공통의 재산이나 서비스를 가리킨다. 학교교육, 공원, 사회보장, 병원, 상하수도, 도로, 범죄방지 등과 같이 국민적인 복지의 기반이 되는 국내의 공공재는 비배제성·비경합성이라는 원칙하에 국가나 행정기관이 국민에게 똑같이 공급해야 한다.

한편 오존층이나 대기(지구 전체의 자연공유재), 지식이나 세계문화유산, 인권과 인터넷(지구 전체의 인위적 공유재), 평화, 건강, 금융의 안정, 자유무역, 공정과 정의, 환경의 지속성(지구 전체의 정책결과) 등의 '지구공공재'는 세계 정부에 의해서 공정하게 공급되어야 하지만, 세계 정부가 존재하지 않는 오늘날은 그 실현화를 모색하고 있는 단계이다. 스포츠를 '지구공공재'로 본다면 IOC나 FIFA 등의 국제적인 스포츠통괄조직은 공정한 스포츠공급의 가능성을 보여주어야 한다. 그러나 현실은 '방송권료를 중심으로 한 협력기업

으로부터의 막대한 자금조달방법과 새로운 시장개척 문제'를 우선하고 있는 실정이므로 '상업주의가 아닌 새로운 벡터(vector)의 모색'이 필요하다.

오늘날 스포츠의 즐거움을 향유하는 우리들은 단지 그것의 소비뿐만 아니라 플레이공동체의 일원으로서, 또 당사자로서 새로운 스포츠형태를 구상하고 그것을 구축해야 하는 시대에 살고 있는 것이다.

스포츠와 환경 9

1) 스포츠와 자연환경

스포츠와 환경은 크게 다음의 2가지로 나누어 생각할 수 있다.

첫째, '스포츠 실시자를 둘러싼 환경'이다. 이것은 고온환경이나 저산소환경, 또는 스포츠시설과 프로그램의 정비상황이나 정치적 · 경제적 · 지역적 · 종교적 · 가족적 · 교육적 · 성차별적 등의 요인에 의해서 스포츠 실시자를 둘러싼 사회적 환경이다.

둘째, '자연환경보호의 관점에서 스포츠는 어떻게 존재해야 하는가'이다. 보는 스포츠와 환경의 관계는 특히 야외 스포츠가 환경파괴로 이어진다는 지적에 의해 주목을 받았지만, 20세기 말 가까이 되어서야 모든 스포츠에서 어떻게 하면 자연환경과 공존할 것인가에 관한 문제로 바뀌었다. 요약하면 스포츠를 하는 '인간의 환경'과 인간이 스포츠를 하는 것에 의해서 타격을 받는 '자연의 환경'으로 구별할 수 있다. 그런데 여기에서는 주된 문제로 자연환경의 관점에서 논하기로 한다.

스포츠에 의한 자연환경파괴가 처음으로 크게 사회적 관심을 받은 것은 1972년에 개최된 삿포로동계올림픽 때 국립공원특별지역 내의 에니와다케(惠庭岳)에 설치 · 운영되던 알파인스키활강경기장이다. 일본북해도자연보호협회에 의하면 대회 후의 조림에 의해 삼림은 육성되고 있지만 '종전 삼림모습의 복원'이라는 인가조건은 아직도 지켜지지 않고 있다고 한다.

1976년 동계올림픽대회에서도 자연환경보호를 호소하는 시민운동이 계기가 되어 개최지로 결정되었던 덴버(Denver)가 개최를 무효로 하는 사건이 발생했다. 이 때문에 1976년 동계올림픽은 오스트리아 서부 티롤주의 인스부르크(Innsbruck)에서 개최되었다. 이 때부터 동계올림픽대회에서 자연환경보호는 중요과제의 하나로 되었지만, 1980년대의 올림픽대회는 상업자본의 도입에 의해서 확대노선을 취했기 때문에 스포츠경기대회로서의 성공과 자연환경보호는 양립하기 어려운 상황에 처하게 되었다.

이러한 상황에 크나큰 파문을 일으킨 사건이 1994년 릴레함메르(Lillehammar)동계올림픽대회이다. 이 대회의 개최지결정은 1988년에 했는데, 결정부터 대회개최에 이르는 시기는 자연환경보호문제에 대한 파악방법이 크게 전환된 시기이기도 했다. 20세기 중엽까지는 지역적으로 '공해발생이나 자연환경파괴를 어떻게 막느냐' 라는 관점에서 다루었다. 그러나 1970년대부터는 국경을 넘어선 자연환경오염, 자연환경규제의 국가 및 지역간 격차에 의한 공해수출, 선진국의 자원수요로 인한 개발도상국의 자원소모, 빈곤지역에서 빈곤과 자연환경파괴의 악순환 등과 같은 문제가 표면화되었다. 그러다가 1980년대에 들어서면서 자연환경보호는 전 세계가 공동으로 대처해야 하는 과제라는 의식이 급속하게 보급되었다. 더욱이 자연자원의 고갈이라는 현실적문제와 세계적인 이상고온현상 등에 의해서 무제한의 개발에 대한 제동이 대부분의 선진국에게는 심각한 과제로서 받아들여지게 되었다.

이와 관련된 국제적 조직의 동향을 보면 국제연합이 1972년에 '국제연합 인간환경회의'를 개최하여 같은 해에 '국제연합환경계획'을 발족시켰다. 또한 1988년 캐나다의 G7정상회의(Toronto Summit)에서 처음으로 지구환경문제를 공식적인 의제로 채택하였다.

이러한 흐름 속에서 제창된 것이 자연환경과 자연자원을 '지구공유재산(global commons)'으로 인식하는 입장에서부터 '지속가능한 개발(sustainable development)'을 목적으로 하는 환경사상이다. 이러한 개념은 전문가들 사이에서는 1980년대 초부터 사용되고 있었으나, 1987년에 개최된 국제연합의 '환경과 개발에 관한 세계위원회'가 정리한 「지구환경의 미래를 지키기 위해서」의 중심이념으로 널리 알려지게 되었다. 지속가능한 개발이란 '장래의 세대가 이어받을 경제적 · 사회적 이익이 손상되지 않도록 현재 세대가 환경을 이용하려는 사고방식'이다. 이 제언은 1992년에 리오 데 자네이루(Rio De Janeiro)에서 108개국의 참가 속에 개최된 '환경과 개발에 관한 국제연합회의'에서 공동선언문으로 채택된 이후 자연환경문제에 관한 세계공통의 이념이 되었다.

릴레함메르동계올림픽대회는 위에서 서술한 환경사상의 전환을 정면으로 받아들여 '그린올림픽'이라는 표어밑에서 올림픽운동을 자연환경보호운동과 연계시킨 것이다.

2) 스포츠와 자연환경의 공존

이러한 흐름을 받아들여서 국제올림픽위원회(IOC)는 1994년 100주년기념총회에서 환경보호를 그때까지 올림픽운동의 2가지 목표로 다루었던 스포츠와 문화에 추가해서 3번째 목표로 확정하고 「올림픽헌장」에 "IOC는 자연환경보호문제에 책임과 관심을 가지겠다."라는 조문(헌장 2. 13)을 포함시키기로 했다. 다음 해인 1995년에는 이 문제를 전문적으로 다루는 상설기구인 '스포츠와 환경위원회(Sport and Environmont Commission)'를 설치하고 개최지선정 시에 제출하는(하계대회도 포함) 입후보신청서에 필수적으로 환경보호에 관한 설명을 포함시킬 것을 의무화했다.

스포츠경기대회를 개최할 때 자연환경보호에 관한 의식은 1990년대 초를 분수령으로 해서 급속하게 높아졌다. 사실 IOC를 비롯한 스포츠단체의 '환경문제' 강조는 올림픽대회와 같은 대규모 스포츠경기대회가 '팽배한 소비의 장'이라는 빈정거림에서 시작된 것이다. 스포츠에서는 보다 많은 에너지를 섭취하고 보다 큰 파워를 발휘하는 경기자가 상을 받게 되고, 보다 많은 사람들이 관람을 위해 모여들 것을 기대하게 된다. 그들의 활동 때문에 자연환경파괴와 자원소비는 아무리 배려를 하더라도 결코 작게 보일 수밖에 없다.

이 점에 주목하면 올림픽대회뿐만 아니라 모든 스포츠경기대회-나아가 스포츠활동-는 '하지 않는' 것이 최선의 자연보호책이 된다는 것이다. 이러한 극단적 논리는 인간의 문화에 대한 책임의 방치라고 볼 수 있다. 왜냐하면 이 명제는 인간의 문화적 활동을 모두 부정하는 것에 귀착되기 때문이다. 자연환경보호는 '인간과 자연의 공존' 문제이므로 '지속가능한 개발'은 '자연-경제-사회' 3자 간의 관점에서 파악하지 않으면 안된다.

그렇다면 소비의 장인 스포츠가 지속가능한 개발에 공헌하는 것을 승인하려면 어떤 조건이 필요할까? 가장 단순하게 말하면 'A=자연환경파괴를 최소화하는 노력'과 'B=자연환경보호를 활성화하는 노력'과의 관계에서 B에 의한 공헌이 자연환경파괴를 상회하면 그 공헌이 인정된다고 할 수 있다. 다음에 몇 가지 예를 보자.

A. ① 지속가능성에 기초해서 실시계획을 수립하고 지속가능성이 보증되지 않으면

계획의 일부 또는 전부를 포기한다.

② 동식물의 생태에 영향을 주는 경우에는 그것의 복원목표와 방법을 명확히 한다.

③ 무폐기(zero emission)를 목표로 자원과 물자의 순환이용(recycle)과 함께 소모품에 대해서는 생분해성(bio-degradable)물질의 이용을 촉진한다.

B. ④ 대회프로그램에 자연환경을 녹화 또는 미화하는 활동을 포함시킨다.

⑤ 개최지역의 자치단체나 학교 등과 연계해서 자연환경보호의 사상과 방법에 대한 교육과 보급활동을 전개한다.

⑥ 자연환경보호에 대한 의식향상을 위해서 상징적인 역할을 한다.

물론 다양한 입장의 사람들이 승복할 수 있는 측정에 의해서 평가받지 않으면 안되겠지만, B의 사항 특히 ⑤와 ⑥의 효과를 정량화하기는 쉽지 않다. 그러나 릴레함메르동계올림픽대회나 시드니올림픽대회에서 발표된 메시지가 세계인들에게 자연환경보호의 중요성을 재인식시키는 계기가 된 것은 부정할 수 없다. 이러한 대처가 소홀하면 스포츠경기대회는 자연환경보호와 양립 불가능한 것으로 인정을 받게 될 것이다. 자연환경보호를 위한 대처를 얼마만큼 충실히, 그 공헌도를 얼마만큼 합리적으로 제시할 수 있는지에 이후의 스포츠경기대회의 성패가 걸려 있다고 해도 과언이 아니다. 그리고 이러한 발상은 대규모 스포츠경기대회뿐만이 아니라 통상적인 스포츠활동에 대해서도 필요하다고 할 수 있다.

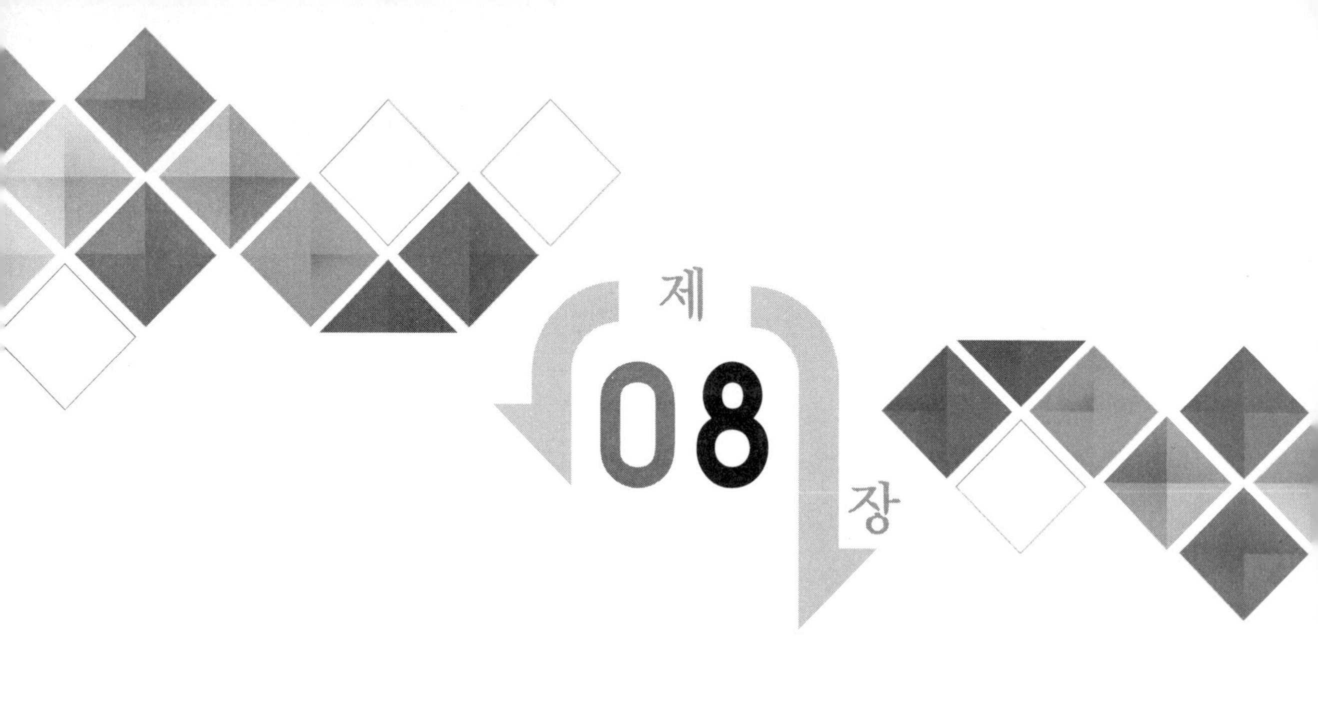

올림픽과 국제스포츠기구

올림픽 1

1) 고대올림픽

(1) 고대올림픽의 기원 및 특성

고대올림픽은 그리스인들의 제전행사로 종교, 예술, 군사훈련 등이 삼위일체를 이룬 화려하고 찬란한 헬레니즘문화의 결정체였다. 헬레니즘문화의 결정체로 1200여년 동안 이어져온 고대올림픽경기의 유명한 4대 제전으로는 올림피아제(Olympia), 피티아제(Pythia), 이스트미아제(Isthomia), 네미아제(Nemea)를 들 수 있다. 특히 올림피아제는 BC 776년에 시작하여 AD 393년까지(293회) 개최되었다. 이 제전은 고대 그리스의 제우스 신에게 바치는 일종의 종교행사로, 그리스의 올림피아에서 열렸기 때문에 그 이름을 따 '올림픽'이라 부르게 되었다. 올림픽이 열릴 때에는 선수와 참관인의 왕래를 돕기 위해 일체의 전쟁 행위를 중단하였는데, 이는 올림픽이 평화를 상징하는 것을 의미하며, 육체적 · 정신적 단련은 물론 국민의 단합과 통일이라는 목적을 달성했다는 데 큰 의의가 있다.

고대올림픽은 종교와 예술, 그리고 스포츠가 혼합된 행사로서, 참배하고 제사를 지내는 등 종교의식은 물론 시인 · 철학자 · 예술가들은 예술문화 행사도 병행하였다. 또, 올림픽경기는 군사훈련과 교육의 목적으로 거행되기도 하였는데, 젊은이들의 심신단련 및 병사들의 체력과 기량을 시험하는 장으로서의 역할을 하였다(원영신(2014). 스포츠사회학플러스).

(2) 고대올림픽의 경기내용

고대올림픽대회에 참가할 수 있는 선수의 자격은 매우 엄격하였으며, 여성은 참가가 허용되지 않았을 뿐만 아니라 참관조차 할 수 없었다. 초기 고대올림픽대회 경기종목은 단순하여 하루만에 모든 경기가 끝났지만, 종목이 점점 추가되고 참가인원 및 참가 도시국가의 수가 많아지면서 자연히 행사일정도 길어졌다. 기원전 3세기 말로 접어들면서 전체 올림픽 프로그램은 5~7일 동안 진행되었다.

초기의 경기종목은 단거리경주 종목뿐이었으나 대회가 발전하면서 종목이 추가되었다. 고대 5종 경기는 군사훈련을 염두에 두고 도입된 것으로, 멀리뛰기 · 창던지기 · 단거리경주 · 원반던지기 · 레슬링이 포함되었다. 6회까지는 거리 · 속도 · 힘을 기준으로 평가하여 승리자에게 사과열매를 상품으로 주었으나, 제7회 대회부터 신목이라 불리는 올리브가지로 만든 관이 주어졌다.

(3) 고대올림픽의 쇠퇴 및 종말

고대올림픽은 그리스가 로마의 지배를 받으면서 쇠퇴하게 되었다. BC 80년에는 그리스의 성년 남자 대부분이 로마로 끌려가 소년경기만 실시하게 되면서 헬레니즘문화의 결정체인 올림픽 제전경기는 AD 393년 제293회를 마지막으로 역사의 막을 내렸다. 제290회 대회 이후에는 우승자의 기록도 전혀 남아 있지 않을 뿐만 아니라, 426년에 로마의 테오도시우스 2세가 기독교가 아닌 다른 종교들의 신전을 모두 파괴하라는 명령을 내려 올림피아신전도 철거되었으며, 남아 있던 건물들도 지진과 홍수에 의해 폐허로 변했다.

표 8-1 | 고대 제전경기의 내용

제전명	올림피아제 (Olympia)	피티아제 (Pythia)	이스트미아제 (Isthomia)	네미아제 (Nemea)
주 신	제우스(Zeus)	아폴로(Apollo)	포세이돈(Poseidon)	제우스(Zeus)
연 도	BC 776~AD393	BC 582~	BC 581~	BC 573~
개최지	펠로폰네소스 반도 서북부 엘리스의 구로노스산기슭	델포이 또는 피도오	코린트 지협의 동부	펠로폰네소스 반도의 동북부 네미아의 필리우스언덕 아래 깊은 계곡
개최기간	올림피아드 제1년의 8월 4년마다 개최	올림피아드 제3년의 8월 4년마다 개최	올림피아드 제 2년과 제4년의 4월 2년마다 개최	올림피아드 제2년과 제4년의 7월
경기종목	스타디온달리기, 2스타디온달리기(되돌아오기), 장거리달리기, 5종경기(달리기, 멀리뛰기, 창던지기, 원반던지기, 레슬링), 레슬링, 무장경기, 판크라티온, 달리기(소년), 레슬링(소년), 무장경기(소년)	올림피아제전 경기종목과 같음	올림피아제와 같이 많은 소년 · 성인의 경기가 있었음	이스트미아제와 같이 소년 · 성인의 경기가 있었음
상 품	처음에는 사과 열매 7회부터 올리브관	월계수잎 관	오란다 밋바의 건조된 잎의 관	오란다 밋바의 신선한 잎의 관

자료 : 최종삼 저(1991). 체육사.

2) 근대올림픽

(1) 근대올림픽의 부활과 사회적 배경

393년 동안 개최되던 고대올림픽을 부활시키려는 운동은 Coubertin, P.(1863~1937) 이전에 이미 유럽 각지에서 일어났다. 유럽사회에서는 고대 이집트, 로마, 그리스의 문명에 대한 관심이 증대되었는데, 이는 고대 그리스를 재현하려는 운동으로 나타났다. 이러

한 배경을 통해 올림피아 유적지의 발굴이 이루어졌으며, 그리스는 조상들의 올림피아제를 되살리기 위하여 1859년에 올림픽대회를 부활시켰다. 당시의 사회적 배경은 산업혁명 이후 기술발전과 생산력의 증가로 노동계급이 급부상하였고, 노동계급의 자기해방 욕구로 스포츠를 지지하는 분위기였다. 또한 식민지 국가들의 제국주의 국가에 대한 독립과 해방을 위한 저항이 끊이지 않는 갈등관계에 있었으며, 노동계급에 대한 사회적 관계조정이 불가피한 상황에서 크고 작은 운동회 수준으로 행해지는 올림픽은 의미있는 행사가 되었다.

그러나 실제 근대올림픽 부활운동이 결실을 보게 된 것은 Coubertin, P.의 집념과 남다른 노력에 의한 것으로 1892년 12월 유럽 각국을 순회하면서 올림픽부활을 제창하고 올림픽정신을 바탕으로 세계평화의 이상을 실현하고자 설득한 것에서 비롯되었다. 당초 그의 의도는 '보불전쟁'의 패전으로 사기가 저하된 프랑스 청소년들에게 새로운 용기와 의욕을 북돋아주고, 아울러 올림픽이라는 스포츠제전을 통하여 세계 각국 청소년들의 상호이해와 우정을 다지고 세계평화를 이룩하려는 데 있었다.

이같은 의도는 민족주의적 자각을 고취시키려는 것이었지만, 이는 올림픽경기의 정치적 속성을 잘 나타내주는 것으로서 올림픽에서 국가 간의 경쟁을 초래하는 계기가 되었다. 이러한 의도에도 불구하고 Coubertin의 의지와 끊임없는 노력으로 1894년 6월 파리에서 열린 국제스포츠대회에서 유럽 각국 대표들은 만장일치로 올림픽대회의 부활을 합의하여 제1회 대회를 1896년 아테네에서 개최하기로 결의했다. 이 결과로 국제올림픽위원회(IOC : International Olympic Committee)가 조직되어 참가자격 및 종목, 개최지 등을 결정하는 일을 맡게 되었다(원영신(2014). 스포츠사회학 플러스).

(2) 근대올림픽의 이념

고대올림픽대회의 정신을 받들어 근대올림픽대회는 '세계평화', '국제친선', '아마추어리즘', '세계인의 동등한 권리'의 이념과 인류의 염원을 가지고 있다. 따라서 올림픽대회는 단순한 국제경기가 아니라 '세계평화의 대제전'으로 간주되고 있다.

올림픽헌장에 명시된 올림픽운동의 이념은 다음과 같다.

» 스포츠의 기초가 되는 육체적 · 정신적 자질향상을 도모한다.

» 스포츠를 통해 상호이해를 증진시키는 정신과 우호정신을 갖도록 젊은이들을 교육

시킴으로써 좀더 평화스러운 세계를 건설하도록 조력한다.

» 올림픽원칙을 세계적으로 보급하여 국제적 친선관계를 조성한다.

» 4년마다 열리는 대스포츠제전인 올림픽경기에 세계의 모든 운동선수들을 모은다.

(3) 올림픽헌장

올림픽헌장은 올림픽과 관련된 조직의 규칙이나 가이드라인을 정하며 올림픽에 관한 활동을 다스리는 것이다. 국제올림픽위원회에서 채택한 올림픽헌장의 공식언어는 프랑스어와 영어이다. 하지만 IOC총회 기간 중에는 올림픽헌장이 독일어, 스페인어, 러시아어, 아랍어로 번역된다. 만약 언제라도 역서에 관한 충돌점이 일어나면 프랑스어판을 기준으로 삼는다.

Ⅰ. 올림픽헌장의 취지

올림픽헌장은 국제올림픽위원회에 의해 채택된 규정 및 부속규칙과 올림피즘의 기본원칙을 성문화한 것이다. 올림픽헌장은 올림픽운동의 시행 및 활동 그리고 조직을 조정한다. 올림픽헌장은 향후 올림픽게임 행사를 위한 조건을 정하며, 근본적으로 다음과 같은 3가지 주된 목적을 가지고 있다.

» 올림픽헌장은 법적 본질을 기초로 하여 올림피즘(Olympism)의 가치와 기본원칙을 실행하게 한다.

» 올림픽헌장은 국제올림픽위원회를 위한 정관으로 한다.

» 더욱이 올림픽헌장은 국제올림픽위원회, 국제경기연맹, 국가올림픽위원회 그리고 올림픽조직위원회의 상호적 권리 및 의무에 대해 정의하고 있으며, 이 모든 조직들은 올림픽헌장을 준수해야 한다.

Ⅱ. 올림픽헌장의 주요요소

올림픽헌장은 5장 61조로 이루어져 있으며, 올림픽활동에 관련된 자세한 가이드라인과 규칙의 윤곽을 정한다. 이 조항 중에서 가장 중요한 것은 올림픽의 운영, 올림픽 활동, 세 가지 주요기구(국제올림픽위원회, 국제경기연맹, 국가올림픽위원회)라고 볼 수 있다.

제1장 : 올림픽운동과 활동

제2조 : IOC의 목적은 올림픽이념을 전세계에 퍼뜨리는 것과 올림픽활동을 안내하는 것이다. 스포츠에서의 윤리를 지지하며, 스포츠 참가를 장려하고, 올림픽이 정기적인 일정에 맞춰져서 진행되는 것을 확신하며, 올림픽활동을 보호하고, 스포츠의 발전을 지지하고 장려한다.

제6조 : 올림픽에서의 경쟁은 개인이나 팀의 경쟁이지 국가 간의 경쟁이 아니다.

제8조 : 올림픽심벌은 5개의 서로 맞물리는 링으로 이루어져 있으며, 왼쪽에서부터 파랑, 노랑, 검정, 초록, 빨간색이다.

제2장 : 국제올림픽위원회(IOC)

제15조 : 법적 지위 : IOC는 국제 비정부기구이며 비영리단체로 영속적이다. IOC는 2000년 11월 1일 스위스연방정부의 협약에 따라 그 조직구성원의 법률적 지위를 인정받고 있다. IOC는 스위스 로잔에 위치하며, 그것을 올림픽 수도라 명한다. IOC의 목적은 올림픽헌장에 명시된 책임과 역할 그리고 사명을 수행하는 것이다. IOC는 최종결정을 할 수 있고, 올림픽과 관련된 모든 분쟁은 IOC에 의해 해결되어야 하며, IOC집행위원회가 그 권한을 가지고 있다. 사항에 따라 스포츠중재위원회에 의해서 해결된다.

제3장 : 국제경기연맹(IF)

제26조, 제27조 : 국제경기연맹은 국제적인 비정부기구이며 세계적 수준으로 스포츠를 관리하고 국가적 수준에서 각 스포츠를 관리하는 산하단체를 포함한다. 올림픽 경기종목은 국제경기연맹의 존재하에 존재한다. 국제경기연맹들은 그 스포츠를 올림픽헌장과 올림픽정신(Olympic spirit)의 기준에 부합되도록 발전시킨다. 각 스포츠에 능통한 전문가의 의견과 함께 국제경기연맹은 경쟁이 펼쳐지는 곳에서 최대한 세세한 것까지 적합하도록 조정한다.

제4장 : 국가올림픽위원회(NOC)

제28조 : 국가올림픽위원회(NOC)의 목적은 그 위원회가 소속된 국가의 올림픽활동을 보호하고 장려하며 발전시키는 것이다. 각국의 국가올림픽위원회의 역할은 올림픽이념과 올림픽헌장을 준수하고 스포츠의 발전 · 도덕성을 장려하는 한도 내에 그 나라에 활성화시키는 것이다. 이 위원회는 올림픽 때 자신의 국가를 대표함에 있어서 책임이 뒤따르고 올림픽 개최지를 결정하고 올림픽기간 중에 정부와 협력하며, 비정부단체이다.

제5장 : 올림픽게임

제5장은 세 부분으로 나뉘어져 있다. 그 내용은 올림픽게임의 축하행사에서부터 개최도시 선정, 개최장소 및 경기장, 조직위원회의, 책임, 올림픽게임 조정위원회, 올림픽선수촌, 문화프로그램, 자격요건, 참가선수의 국적·연령제한, 세계반도핑규정, 초청과 참가, 프로그램, IFs의 기술적 책임, 청소년캠프, 미디어커버리지, 출판물, 광고, 시위선전, 의전, 올림픽신분증명 및 자격카드, 올림픽기의 사용, 올림픽성화의 사용, 개회식 및 폐회식, 시상식, 수상자명단 등까지 세세한 부분까지 헌장으로 명하고 있다.

올림픽운동 2

올림픽운동이란 IOC, OCOG, NOC, IF, NF, 클럽, 그리고 Athletes(선수들) 모두를 포함하는 포괄적 개념의 집합적 용어이다. 광의적으로 보면 스폰서, 미디어 등도 포함된다.

올림픽운동의 목표는 우정과 단합 그리고 공명정대한 정신을 바탕으로 어떠한 종류의 차별도 없는 가운데 행해지는 스포츠를 통하여 젊은이들을 교육함으로써 평화롭고 더 나은 세상의 건설에 이바지하는 것이다.

⊙ 올림픽운동이 전개하는 다양한 활동내역

» 각국 내 그리고 국제스포츠기관들이 주관하는 경기 및 스포츠의 활성화
» 스포츠를 인류활동의 근간으로 하기 위하여 공공 및 사설 관련기관들과의 협력체계 구축
» 생활체육 개발지원
» 남녀 양성평등구현을 위하여 스포츠분야를 통해 각계각층에서 여성지위 고양
» 스포츠와 선수들을 이용한 여러 가지 상업적 불법이용 근절노력
» 약물복용금지투쟁
» 스포츠윤리 및 페어플레이정신 함양
» 환경문제 인식고양
» IOC올림픽솔리다리티기구를 통해 개발도상국의 재정 및 교육 지원

⊙ 올림픽운동 역피라미드구조의 내역

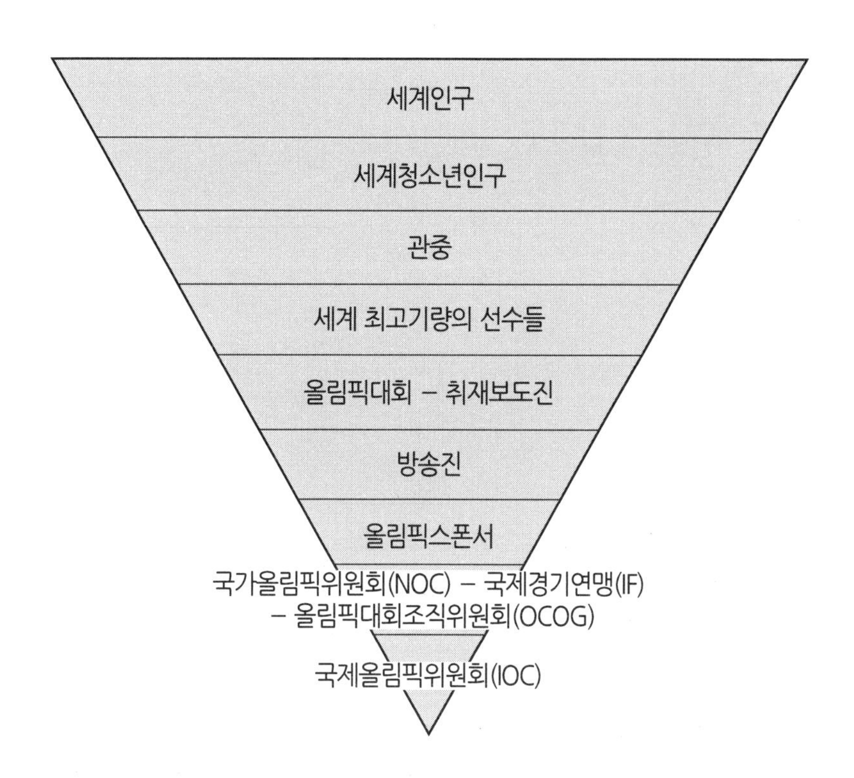

주요 국제스포츠기구 3

1) 국가올림픽위원회(NOC)

현재 지구상에는 5대륙에 걸쳐 총 205개의 NOC가 존재한다. 205개 NOC들은 최소 2년에 한 번 국가올림픽위원회총연합회(ANOC) 형태로 한데 모여 총회를 갖는다.

이러한 정례적인 총회를 통하여 각국의 올림픽위원회들은 정보 및 지식 그리고 경험을 교환하게 되는데, 이는 올림픽운동에서 NOC의 역할을 공고히 해준다. ANOC는 NOC들에게 IOC집행위원회와의 연석회의 참여기회를 부여하며 올림픽콩그레스 참여준비를 돕는다. ANOC는 올림픽 TV 방영권수입금 중에서 NOC 할당지분 사용과 관련한 제안사항들을 IOC에 권고한다.

이러한 권고사항들은 올림픽솔리다리티 프로그램 이행에 집중된다.

(1) 대륙별 NOCs 통합기구

» 아프리카 : ANOCA

» 미주 : PASO

» 아시아 : OCA

» 유럽 : EOC

» 오세아니아 : ONOC

(2) NOC의 사명과 목적

» 스포츠범주 안에서 국가 차원의 올림피즘 관련 제반 기본원칙 등을 장려한다.

» 각국 내 선수양성과 생활체육 프로그램, 그리고 엘리트 스포츠발전을 지원한다.

» 교육프로그램조직을 통하여 스포츠행정가 양성에 참여한다.

» 각국 대표선수들을 선발하여 올림픽대회에 참가토록 하는 책임을 갖는다.

» 각국 NOC만이 대표선수들 및 팀을 선발하고 파견할 수 있다.
» 각국 내 잠재적 올림픽유치후보도시들을 예비선정하는 감독권을 갖는다.
» 올림픽후보도시로서 경쟁국 후보도시들과의 유치경쟁에 앞서 해당 유치후보도시는 자국 내 선정과정에서 먼저 승리하여야 하며, 해당 NOC는 올림픽개최 후보도시로서 IOC에 그 도시명을 제출할 수 있다.
» NOC는 독립국가를 선결조건으로 하나, 그 외에 독립된 영토, 연방국, 보호령 그리고 지리적 지역 등도 NOC로 인정한다.

2) 국가올림픽위원회

» 전세계올림픽위원회의 통합체로서 올림픽운동의 수장격인 IOC를 상원에 비유할 때 ANOC는 하원에 해당된다.
» 스포츠의 유엔총회로 불리며 2년에 한 번씩 전세계 205개 NOC가 모두 함께 모이는 ANOC총회가 개최된다.
» IOC, GAISF-SportAccord와 함께 세계 3대 거대스포츠기구 중의 하나이다.
» 1979년 푸에르토리코의 상환에서 열린 제9차 NOC총회에서 ANOC로 창립되었다.
» NOC들 간의 유기적 협력체계를 강화하여 올림픽운동에서의 NOC의 역할과 위상강화 그리고 NOC 상호간의 이해와 우호증진이 목적이다.
» Mario Vazquez Rana(멕시코) 1979년 당시 멕시코 NOC 회장이 초대회장으로 선임된 이후 현재까지 장기집권 중이다.
» 창립대회인 1979년 총회에는 120개 국, 1981년 7월 제2차 이탈리아총회에는 131개 국, 1986년 제5차 서울총회에는 152개 국, 1990년 스페인 바르셀로나총회에는 167개 국, 1994년 12월 미국 애틀랜타총회에는 193개 국, 2006년 제15차 서울총회에는 198개 국, 2008년 제16차 베이징총회 및 2010년 제17차 아까풀코총회에는 205개 회원국이 모두 참가하였다.
» 제4차 멕시코시티총회에서는 1980년 모스크바와 1984년 LA올림픽이 미국과 구 소련의 정치적 갈등으로 인해 야기된 올림픽보이콧에 대한 올림픽가족들의 우려와 각성이 부각되었으며, 더이상 올림픽이 국제정치의 희생물이 되어서는 안 되며, 다음

대회인 1988년 서울올림픽의 성공적 개최를 위해 노력과 협력을 촉구하는 '멕시코 선언문'이 채택되었다.

» 제5차 서울총회에서는 올림픽 선수자격 및 상업주의화 문제가 거론되었으며 ANOC 헌장개정을 위한 토론이 있었다.

» 1988년 제6차 총회(오스트리아 비엔나)에서는 올림피즘의 증진방향, 올림픽대회의 보호와 안전대책, NOC의 발전대책과 ANOC위상 강화방안, 선수보호조치와 함께 스포츠에서 인종차별에 반대하는 결의문이 채택되었고, 각국 스포츠 지도자 11명에 대한 ANOC공로훈장 시상과 마리화나를 IOC금지약물대상리스트에 포함시키기로 결정하였다.

» 2008년 제16차 총회(중국 베이징)에서는 한국인 최초로 윤강로 KOC위원 겸 국제스포츠외교연구원장(2008년 올림픽대회 IOC 평가위원 등 역임)이 ANOC공로훈장을 수상하였다.

» 2010년 제17차 총회(멕시코 아카풀코)에서는 2011년 남아공 더반 IOC총회에서 2018년 동계올림픽 개최도시로 선정된 대한민국의 평창이 경쟁도시들인 유럽의 뮌헨 및 안시와 함께 첫번째 공식 프레젠테이션을 실시하였다.

3) 국제경기연맹(IF)

» 국제경기연맹(IF)이란 한 개 또는 여러 개의 스포츠를 세계적인 차원에서 관장하는 국제적 비정부기관(NGO)으로, IOC가 인정 · 승인하는 기구이다. 각국 내에서 해당 스포츠를 관장하는 각국가맹경기단체(NFs)는 해당 국제경기연맹(IF)에 가입되어 있다.

» IF는 해당 스포츠를 관장할 때 고유의 독립성과 자치권을 보장받고 있다. 그러나 IF에서 제정하는 경기별 고유의 법규, 실행규정, 활동내용 등은 올림픽헌장과 부합되어야 한다.

» 각국의 여러 스포츠종목 운영을 지속적으로 관리 및 감독할 책임과 의무를 갖는다.

» 올림픽정식종목 국제경기연맹의 경우 올림픽대회기간 중 해당종목의 실질적인 조직과 운영을 책임진다.

» 모든 수준의 해당종목 선수들의 양성을 감독한다.

» 해당종목을 세계수준으로 관장하며 종목장려 및 개발에 힘쓴다.
» 해당종목의 행정을 관리하며 페어플레이규칙뿐만 아니라 경기의 정기적 개최를 보장한다.
» 올림픽대회조직과 운영을 포함하여 올림픽헌장과 올림픽운동과 관련한 제안사항 등을 IOC에 제출한다.
» 올림픽후보도시들의 경기시설, 기술적 능력 등과 관련된 의견을 IOC에 개진한다.
» 올림픽콩그레스 준비에 협력한다.
» IOC분과위원회 활동에 참여한다.
» 해당그룹종목들(하계, 동계 및 인정종목 군)과 관련된 공통문제 등을 협의하고 경기일정 등을 결정하기 위하여 종목별그룹연합체를 결성한다.
- ASOIF : 하계올림픽종목국제경기연맹연합회
- AIOWF : 동계올림픽종목국제경기연맹연합회
- ARISF : 인정종목국제경기연맹연합회
- SportAccord/GAISF : 국제경기연맹총연합회

4) 올림픽대회조직위원회(OCOG)

» 올림픽대회조직은 IOC가 선정한 올림픽개최도시가 속한 국가올림픽위원회에 위임되며, 해당국 NOC는 해당 국가의 올림픽대회조직위원회(OCOG)를 구성한다.
» OCOG는 조직된 후부터는 IOC와 직접 교신하며 IOC로부터 지침사항 등을 교부받아 운영한다. OCOG집행부에는 개최국 IOC위원, 해당국 NOC위원장 및 사무총장, 개최도시 대표 지명자 1인이 포함된다. 또한 개최국 공공기관 대표들과 기타 저명인사들도 OCOG집행기구에 포함된다.
» OCOG는 구성된 시기부터 해체시기까지 올림픽헌장 및 올림픽개최도시협약서(IOC와 해당 NOC 그리고 개최도시 간에 체결)의 내용 및 IOC집행위원회의 지침사항 등을 따라야 한다.
» 최근 들어 OCOG는 수백 명을 고용하는 거대행정 법인체로 변모하였다. OCOG는 기획기간, 대회조직기간, 실행 및 운영기간에 걸쳐 대회조직업무를 추진한다.

- 올림픽 프로그램종목 전체에 공평한 대우 조치
- 해당 국제연맹 규정에 부합된 경기개최
- 올림픽경기장 및 행사장에서 정치적 시위나 모임근절
- 필요 소요 경기장 선정 및 신설 배치(종목별 경기장, 주경기장, 연습장 및 소요 경기종목기구 배치)
- 참가선수, 수행원, 임원 등에 대한 숙식제공
- 제반 의무관련 업무조직
- 제반 수송문제 해결
- 최상의 대회보도 여건을 제공하기 위해 미디어 취재 전반에 걸친 필요조건충족
- 올림픽대회개최 필수요소 중 하나인 문화행사조직
- 대회개최 최종공식보고서 작성(2개 공식 언어 : 프랑스어 및 영어) 및 배포(대회종료 후 2년 이내)

5) 하계올림픽종목국경기제연맹연합회

- 1983년에 결성되었으며 올림픽운동 유관기관들 및 기타 국제스포츠기구들과의 협력체계를 공고히 하고, 회원연맹들의 공동관심사들을 조정 및 보호한다.
- 회원연맹의 권위, 독립성, 자치성을 유지하면서 올림픽운동보호에 동참한다.
- 본부는 스위스 로잔느에 있다.

6) 동계올림픽종목국제연맹연합회

- 올림픽 프로그램종목 국제경기연맹들, 올림픽운동유관기관 및 GAISF 가맹 국제스포츠기구들과의 긴밀한 협력을 바탕으로 고유업무를 추진한다.
- 일반적으로는 동계종목, 구체적으로는 동계올림픽과 연관된 세부질의사항들을 처리하는 공식적으로 인정된 기구이다.
- IOC 여러 분과위원회 및 기타 국제기구들에 동계종목대표 구성, 임명 및 공동대표단 선발 업무를 관장한다.

» 동계종목 경기일정조정 및 TV방영권 수입금 배분관련 제안사항을 IOC에 제출한다.
» 본부는 스위스 취리히에 있다.

7) 인정종목국제경기연맹연합회

» 1983년 결성되었으며 회원연맹들의 권위, 독립성, 자치성을 유지하면서 회원연맹들의 공통이익을 보호하고 조정업무를 관장한다.
» 올림픽헌장 및 규정을 엄수하지만 ARISF관련 규정이 올림픽헌장에 명시된 원칙에 반하지 않도록 한다.
» 올림픽운동과 관련된 공동관심사에 대한 회원연맹들의 총체적 의견일치를 결의한다.
» IOC 주관 콩그레스, 프로그램 및 프로젝트 등에 적극 동참한다.
» IOC 여러 분과위원회 및 기타 국제스포츠유관기구에 ARISF대표 선임을 결정한다.
» 본부는 핀란드(행정)와 스위스 로잔느(사교 및 연락)에 있다.

8) 국제경기연맹총연합회

» SportAccord/GAISF, 현재 총 104개 올림픽 및 비올림픽종목국제경기연맹들로 구성
» 1967년 창설되었으며 본부는 창설 당시 모나코 몬테카를로에 있었으나, 현재는 스위스 로잔느에 있으며, 총 104개 올림픽 및 비올림픽종목국제경기연맹들로 구성되어 있고, 범세계 스포츠활동을 옹호하는 취지를 가진 다양한 협회가 모두 함께 집합적 연합을 결성하고 있다.
» 보다 광범위한 홍보, 정보교환, 회원그룹 각자의 제반 스포츠활동의 종합 협력 및 조정업무를 관장한다.
» 모든 스포츠기구 회원단체들이 1년에 한 차례 한자리에 모이는 포럼을 창설하여 공동이익 및 관심사에 대한 주제토론과 의견개진 및 의견교환을 지향목표로 한다.
» 회원단체들의 권위와 자치성을 유지시켜주고 회원단체와 모든 스포츠관장기구들 간의 긴밀한 연결고리 역할을 한다.
» 회원단체들의 공동관심사안 조정 및 보호 그리고 관련정보 취합 · 검증 및 배포 역

할을 한다.

» 한국의 김운용 전 IOC부위원장은 1980년 제14차 모나코 GAISF 총회에서 집행위원으로 피선되었고, 1984년 제18차 총회에서 부회장, 그리고 1986년 제20차 총회에서 한국인, 비유럽인으로는 처음으로 회장으로 선출된 후 2003년까지 17년간 역임하였다.

9) 스포츠중재재판소(CAS)

» 사마란치 전임 IOC위원장이 재임기간 중인 1983년에 창설되었다(본부 : 스위스).

» 선수들이 직면할 수 있는 법적 문제를 해결한다.

» 스포츠 관련 단체나 기구들의 결정사항에 대한 항의, 탄원 또는 일반 중재기관을 통해 제출된 스포츠관련 분쟁에 관한 해결점을 모색한다.

» 1993년 완전한 독립기구로 재구성됨으로써 독자적 행정 및 재정부서를 운영하고 신설하였다.

» 국제스포츠중재위원회(ICAS)라는 별도 기구를 신설하여 새로운 차원의 판결체계를 채택하여 운영하고 있다.

» IOC위원장, ASOIF 회장, AIOWF 회장, ANOC 회장 등이 프랑스 법무장관 입회하에 공동 서명한 '파리컨벤션'에 의해 공식 독립기구로 인정받았다.

10) 페어플레이국제위원회(CIFP)

» 올림픽헌장에 명시된 바와 같이 올림픽운동의 목표는 '우정과 단결과 페어플레이정신'에 입각한 스포츠활동을 증진시키고 스포츠에 기여하는데 있다.

» 페어플레이정신은 규칙준수, 상대방 존중, 폭력 및 불공정 행위의 근절투쟁이다.

» CIFP는 1963년 창설되었으며, 스포츠에 필수불가결적 요소인 페어플레이 원칙의 실천을 목표로 한다.

» 매년 다양한 스포츠 유관단체들 및 일반대중들로부터 추천받은 수상후보지명자들을 심사하여 국제페어플레이상을 시상한다.

» 올림픽우승자들부터 초심자에 이르기까지 페어플레이를 실천한 특징적 사례가 부각

된 다양한 후보들이 고루 수상후보자로 추천되며, 수상자에게는 명예트로피와 상장이 수여된다.

» 본부는 헝가리 부다페스트에 있다.

11) 국제장애인올림픽위원회(IPC)

» 장애인 선수들을 위한 스포츠를 관장하는 국제기구이다.

» IPC는 동·하계장애인올림픽대회, 세계 및 지역별 선수권대회 등이 주를 이루는 여러 장애인경기대회 등을 감독하고 조정한다.

» IPC는 지역별·국가별·국제적 단계에서 선수들을 발탁하고 능력개발사업 등을 지원한다.

» IPC는 국제적 비영리기관이며 161개 각국 장애인올림픽위원회를 회원단체로 하여 운영하며, 4개의 장애부문별 국제경기연맹들로 구성되어 있다.

» 본부는 독일의 본에 있다.

12) 세계반도핑기구(WADA)

» 국제대회에 참가하는 운동선수들의 금지약물사용을 관리·감시·제제하기 위해 IOC 산하에 창설된 기구이다.

» 약물복용의 위험성과 약물복용이 선수들과 일반청소년들의 건강과 안녕에 미치는 심각한 파장을 고려하여 IOC는 1999년 2월 2일~4일 스위스 로잔느에서 '스포츠에서 약물복용에 관한 세계회의'를 개최하였다.

» 상기 세계회의 결과 1999년 11월 10일 WADA가 창립되었다.

» WADA설립목적은 스포츠에서 국제적인 약물복용금지투쟁캠페인을 장려하고 조정하는 것이다.

» 이러한 독립적 기구결성에 힘입어 올림픽운동 및 범세계 공공기관들은 스포츠에서 약물을 추방하자는 노력을 강화할 수 있게 되었다.

» WADA재단이사회는 올림픽운동(IOC, NOC, IF 및 선수들)대표들과 5대륙 정부대표

들이 공동으로 참여하여 구성된다.

» WADA본부는 현재 캐나다 몬트리올에 위치하고 있으며, 대륙별 사무소도 함께 설치 운영되고 있다(아시아 사무소는 일본에 소재).

13) 세계올림피안협회(WOA)

» 전세계올림피안(올림픽대회에 공식 참가한 선수)들을 대표하는 독립적 글로벌 조직이다.

» 사마란치 전임 IOC위원장이 1994년 파리에서 개최된 올림픽운동 100주년 기념 '올림픽 단결 콩그레스' 직후 창설의 산파역을 담당하였다.

» 전세계 10만 명을 상회하는 올림피안들이 회원으로 활동하고 있다.

» 본부는 페루 리마에 있다.

14) 국제대학스포츠연맹(FISU)

» 1949년 발족되었으며, 본부는 벨기에 브뤼셀에 있다.

» 이성과 육체의 조화 속에서 자유와 진리추구를 목적으로 스포츠의 가치를 중시하고 스포츠활동을 통해 그 목적을 달성코자 하는 취지에서 설립된 국제스포츠기구이다.

» 1959년 이래 2년마다 동 · 하계유니버시아드대회를 개최 및 주관한다.

» 우리나라는 1967년 도쿄유니버시아드대회에서 KUSB(대한대학스포츠위원회)라는 명칭으로 FISU에 가입하였다.

» 1993년 미국 버펄로에서 개최된 FISU총회 시 1997년 동계유니버시아드대회 개최도시로 한국의 무주/전주가 선정되었다.

» 이어 2003년에는 한국의 대구광역시가, 그리고 2015년에는 광주광역시가 각각 하계유니버시아드 개최도시가 되었다.

» 현재 김종량 한양대학교 총장이 FISU의 유일한 한국인 집행위원으로 활동 중이다.

15) 국제체육기자연맹(AIPS)

- 1924년 창립되었으며, 본부는 스위스 로잔느에 있다.
- 전세계 150개 회원국에서 2만여 명의 회원이 가입된 세계체육기자연맹은 대륙별 5 대륙연맹과 협력하여 세계스포츠 보도시설과 보도기자들의 활동에 대한 협의체이다.
- 한국은 1964년 도쿄올림픽을 계기로 올림픽뉴스취재를 시작하였다.
- 1973년 모스크바 개최 유니버시아드대회에 AIPS가 중계역할로 한국지부가 급조 형식이나마 초청장을 받아 한국대학스포츠위원회(KUSB)에 전달하는 형식으로 모스크바의 문을 연 계기를 마련하였다.
- 한국체육기자연맹(KSPU)은 1984년부터 본격적으로 AIPS와 유대관계를 강화하였으며 1987년에는 서울에서 제50차 AIPS총회를 성공적으로 개최하였다.
- 2009년 초 밀라노에서 개최된 AIPS총회에서 2011년 AIPS총회의 서울유치에 성공하였다.
- 한국체육기자연맹(KSPU)은 2011년 4월 AIPS 서울총회를 성공적으로 개최하였다.

참 | 고 | 문 | 헌

김경숙 편저(2008). 사회체육지도자론, 대경북스.
김관진 외 역(2010). 글로벌 스포츠관광론, 대경북스.
김상두 외(2008). 체육학개론, 대경북스.
김홍수(2002). 체육학의 구성원리, 대경북스.
나현성(1981). 한국체육사, 교학연구사.
박홍식 역(2004). 체육 · 스포츠 철학론 · 무도론, 대경북스.
서채문(2010). 건강교육학(전정판), 대경북스.
원영신(2014). 스포츠사회학 플러스, 대경북스.
원영신 · 함은주(2010). 미디어스포츠 플러스, 대경북스.
위성식 · 권연택(2010). 사회체육학총론, 대경북스.
위성식 · 이현섭(2010). 체육학 연구방법론, 대경북스.
윤강로(2012). 스포츠외교론, 대경북스
이병기 외(2010). 스포츠심리학 플러스, 대경북스.
이병기 · 김주호(2009). 스포츠마케팅, 대경북스.
이제홍 외(2008). 서양 스포츠 문화사, 대경북스.
이필근(2009). 체육원리, 대경북스.
진성태(2015). 체육학개론, 대경북스

Aiken, L. R.(1994). *Dying, Death, and Bereavement, 3rd ed*. 4. Allyn & Bacon.

Anismam, H., and Z. Merali(2002). Cytokines, Stress and Depressive Illness. *Brain, Behavior, and Immunity 16, no. 5* : 513–524.

Avery, M. et al.(1998). Factors Associated with Very Early Weaning Among Primiparas Intending to Breastfeed, *Maternal and Child Health Journal 2* : 167–179.

Baier, J., M. Rosenzweig, and E. Shipple(1991). Patterns of Sexual Behavior, Coercion, and Victimization of University Students, *Journal of College Student Development 32* : 178.

Beck, J. G.(1995). Hypoactive Sexual Desire Disorder: An Overview, *Journal of Consulting and Clinical Psychology 36, no. 6* : 919–927.

Benton, S. et al.(2003). Changes in Counseling Center Client Problems across 13 years, *Professional Psychology: Research and Practice 34, No. 1* : 66–72.

Coakley, J. J.(1982). *Sport in Society*. The C. V. Mosby Company.

Comijs, H. C., Pennix, B., Knipscheer, K. & Tilburg, W.(1999). Psychological Distress in Victims of Elder Mistreatment: The Effects of Social Support and Coping. *The Journals of Gerontology. 54(4)* :

240–45.

Eitzen, D. S.(1988). Conflict theory and Deviance in Sport. Int. Rev. *Sociology of Sport, 1988–3.*

Eitzen, D. S.(1988). Conflict Theory and Deviance in Sport. Int. Rev. *Sociology of Sport*, 23–3.

Feezell, R. M.(1986). Sportsmanship. *Journal of the Philosophy of Sport, XIII.*

Fuoss, D. E., Troppmann, R. J.(1981). Effective Coaching : A Psychological Approach. John Wiley & Sons.

Grant, J. R.(ed.)(2001). *Journal of Humanistic Psychology(special issue on positive psychology), 4, no. 1* : 1–153.

Hatcher, R. A. et al.(2004). *Contraceptive Technology, 18th revised ed*. Ardent Media.

Hodgkinson, C.(1983). *The Philosophy of Leadership*. Basil Blackwell.

Hoffman, A., J. Schuh, and R. Fenske(1998). *Violence on Campus*, 149–168. Aspen.

Hwalek, M. & Sengstock, M.(1986). Assessing the Probability of Elder Abuse: toward the Development of A Clinical Instrument.. *Journal of Applied Gerontalogy 5(2)* : 153–73.

Kavenaugh, J.(1996). *Adult Development and Aging*, 45. Brooks/Cole/ITP.

Keating, J. W.(1964). Sportsmanship as a Moral Category. *Ethics, LXXV.*

Keating, J. W.(1973). The Ethics of Competition and its Relation to Some Moral Problems in Athletics. In The Philosophy of Sport.

Kew, F. C. (1978). Values in Competitive Games. *Quest, 29.*

Kiecolt–Glaser, J. et al.(2003). Chronic Stress and Age–Related Increases in the Proinflammatory Cytokine IL–6, *Proceedings of the National Academy of Sciences, USA 100* : 9090–9095.

Lenk, H.(1979). *Social Philosophy of Athletics.* Stipes Publishing Company.

Miracle, A. W., Rees, C. R.(1994). *Lessons of the Locker Room–The myth of school sports–.* Prometheus Books.

Nadakavukaren, A.(2000). *Our Global Environment*, 45–80. Waveland Press.

Naul, R.(2002). Concepts of Physical Education in Europe. *Bulletin Sports & Physical Education. 34* : 14–15.

Ritter, C.(1988). Social Supports, Social Networks, and Health Behaviors, in *Health Behavior: Emerging Perspectives*, ed. D. Gochman Plenum.

Sage, G. H. and Eitzen, D. S.(1980). *Sociology of American Sport*. Wm. C. Brown Company Publishers.

Sage, G. H.(1990). High School and College Sports in the United States. *JOPERD.*

Sage, G. H.(1973). The Coach as Management : Organizational Leadership in American Sport. *Quest, 19.*

Scott, J.(1973). Sport and the Radical Ethic. *Quest, 19.*

Siedentop, D. et al.(1992). Preface–Secondary school physical education, *Quest 44(3)*.

Tatara, T.(1996). *Elder Abuse: Questions and Answers: An Information Guide for Professional and Concerned Citizens.* Washington, DC. National Center on Elder Abuse.

Thomas, C. E. and Ermler, K. L.(1988). Institutional Obligations in the Athletic Retirement Process, *Quest, 40.*

Walton, G. M.(1992). *Beyond Winning : The Timeless Wisdom of Great Philosopher Coaches.* Leisure Press.

久保正秋(2010). 体育・スポーツ哲学的見方. 東海大学出版会.
斎藤昭(1999). 教育的存在論の探求－教育哲学叙説－. 世界思想社.
作田啓一(1993). 生成の社会学. 有斐閣.
佐藤臣彦(1998). スポーツと思想. 身体運動文化学会編,「身体教育のアスペクト」. 道和書院.
矢野智司(1999). 非知の体験としての身体運動. 体育原理研究第29号.
水野忠文ほか編(1994). 体育教育の原理. 東京大學出版会.
友添秀則(1995). 体育と人間形成. 体育原理専門分科会編.「体育の概念」.不昧堂.

저 | 자 | 소 | 개

서 영 환

조선대학교 체육대학 체육학과 졸업
조선대학교 대학원 석사
조선대학교 대학원 이학박사
현 | 조선대학교 체육대학 체육학부 교수
한국운동영양학회 이사
한국운동생리학회 이사
한국발육발달학회 이사및 편집위원
한국코칭능력개발원 이사
대한체력관리학회 이사
광주광역시 배드민턴협회 이사

박 성 진

용인대학교 특수체육학과 졸업
명지대학교 대학원 체육학석사
세종대학교 대학원 체육학박사
현 | 수원대학교 사회교육원 체육학과 교수
경기도 사격연맹 이사
체육훈장 거상장 수상

체육 · 스포츠의 이해

– 체육 · 스포츠개론 –

초판발행 2015년 9월 10일
초판3쇄 2024년 3월 5일
발 행 인 김영대
발 행 처 대경북스
ISBN 978-89-5676-547-1

등록번호 제 1-1003호
서울시 강동구 천중로42길 45(길동 379-15) 2F
전화: (02)485-1988, 485-2586~87 · 팩스: (02)485-1488
e-mail: dkbooks@chol.com · http://www.dkbooks.co.kr